CYMRAEG BUS

BUSINESS WELSH

gan/by

Elen Rhys
Nefydd P Thomas

dylunio/design

Stiwdio Acen

cyhoeddwyd gan/published by

Acen Cyf.

Cyhoeddiad cyntaf 1992 • Wedi'i ddiwygio'n drwyadl 1996

First published 1992 • Extensively revised 1996

ISBN 1-874049-02-5

***Diolchiadau**/Thanks:*

Linda Brown
Gwenllian Dafis
Ceri Davies
Tony Dominguez
Terry Evans
Elen Haf
Eluned Jones
Siân Merlys
Non Tudur

***Cydnabyddiaeth**/Acknowledgements:*

Amgueddfeydd ac Orielau Cenedlaethol Cymru • ASH Cymru • Atmays Travel Agents • Awdurdod Datblygu Cymru (WDA) • Awdurdod Iechyd Clwyd • Awdurdod Gweithredol Iechyd a Diogelwch • Banc Lloyds • BBC Cymru • BT • Bwrdd Croeso Cymru • Bwrdd yr Iaith Gymraeg • CADW • Canolfan Cyfrifiaduron Blaenachddu • Cyngor Sir Clwyd • Cyngor Dinas Caerdydd • Cyngor Celfyddydau Cymru • Cyngor Defnyddwyr Cymru • Cyngor Chwaraeon Cymru • Cyngor Cefn Gwlad Cymru • Dŵr Cymru • Heddlu De Cymru • Hybu Bwyd Cymru • Llyfrgell Sir De Morgannwg • NSPCC • Parc Cenedlaethol Eryri • Pili Palas • Portmeirion • Principality • Sain • SWALEC • Targed • Theatr Gwynedd • Y Swyddfa Gymreig • Ymddiriedolaeth GIG RHONDDA • Yr Ymddiriedolaeth Genedlaethol

Acen Cyf., Tŷ Ifor, 1 Stryd y Bont, Caerdydd CF1 2TH
Acen Cyf., Ivor House, 1 Bridge Street, Cardiff CF1 2TH

ffôn/phone: **01222 665 455**
cyflunydd/fax: **01222 668 810**
e-bost/e-mail: **data@acen.co.uk**
http://**www.acen.co.uk**

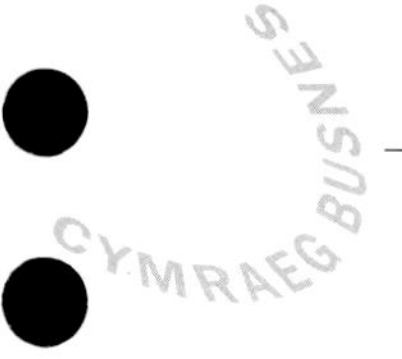

"... y mae'r iaith Gymraeg yn iaith swyddogol yn y wlad hon. Nid oes rhaid datgan hynny mewn cyfraith. Nid yw'n cael ei ddatgan mewn cyfraith yn achos y Saesneg. Mae'r Saesneg hefyd yn iaith swyddogol."

(Y Gwir Anrhydeddus Syr Wyn Roberts A.S.)

Y LLAWLYFR HWN

Pwrpas y llawlyfr hwn yw:

- ❖ cynnig awgrymiadau a chanllawiau ar gyfer cyflwyno'r Gymraeg
- ❖ cynnig awgrymiadau ar sut y gellir hybu defnydd o'r iaith
- ❖ cynnig enghreifftiau o'r iaith ar waith
- ❖ darparu patrymau o Gymraeg llafar ac ysgrifenedig
- ❖ darparu cyfeiriadur o enwau, termau, geirfa a rheolau iaith elfennol
- ❖ darparu canllawiau i Gymry Cymraeg a Dysgwyr

" ... Welsh is an official language in this country. That does not have to be stated in law. It is not stated in law in respect of English. English is also an official language."

(The Right Honourable Sir Wyn Roberts M.P.)

THIS MANUAL

The purpose of this manual is:

- ❖ to offer suggestions and guidelines for introducing the use of Welsh
- ❖ to suggest ways of promoting the use of the Welsh language
- ❖ to provide examples of Welsh at work
- ❖ to provide patterns of oral and written Welsh
- ❖ to provide a reference section of names, terms, vocabulary and basic language rules
- ❖ to provide guidelines for Welsh Speakers and Learners

CYNNWYS

CONTENTS

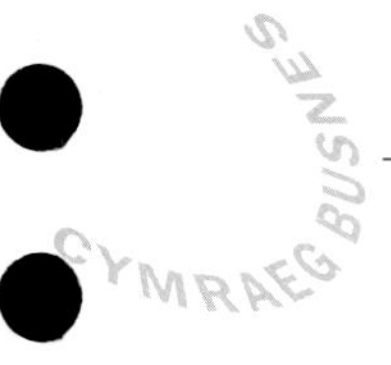
CYMRAEG BUSNES

RHAN A

CYFATHREBU LLAFAR

PART A

ORAL COMMUNICATION

A

CYMRAEG BUSNES

Yn y Rhan hon – In this Part

RHAGARWEINIAD

Mae cysylltiadau â'r cwsmer – boed ar y ffôn neu wyneb yn wyneb – yn ogystal â pherthynas â staff yn achlysuron lle gellir cyflwyno a hybu'r Gymraeg.

Dylid bod yn ymwybodol o'r ymateb cadarnhaol a'r ewyllys da y gellir ei feithrin wrth ddefnyddio'r Gymraeg â Chymry Cymraeg neu'r garfan gynyddol o ddysgwyr. Gall hynny yn ei dro fod yn fodd i hybu busnes neu gysylltiadau pellach. Y mae'n naturiol hefyd i staff siarad â'i gilydd yn eu mamiaith ac i weld ei bod hyn yn rhan naturiol o fyd gwaith.

Y cam cyntaf i unrhyw gwmni, fusnes neu sefydliad yw trefnu archwiliad mewnol i ddarganfod gallu'r staff i ddefnyddio'r Gymraeg ar lafar. Nid oes rhaid i bob aelod o staff fod yn rhugl yn yr iaith cyn y gellir darparu gwasanaeth Cymraeg. Rhaid adnabod a phennu'r swyddi allweddol hynny lle bydd rhuglder yn hanfodol ac yma swyddi eraill lle gallai defnyddio'r iaith ar lefel elfennol helpu i greu awyrgylch dwyieithog.

Mae'n bwysig wedyn bod anogaeth a chefnogaeth cyson i staff fynd ati i ddysgu'r iaith neu i loywi eu meistrolaeth arni.

INTRODUCTION

Contact points with customers – on the phone or face-to-face – and internal dealings with staff are all occasions for introducing and promoting the use of Welsh in your business.

You should be aware that your efforts to use the language with fluent speakers or the increasing band of learners will be appreciated and could be influential in generating further business or contacts. For Welsh speaking members of staff, using the language as the natural means of communication with one another should not be regarded as impolite or subversive behaviour.

The first step for companies and businesses is to make an internal audit to discover competency and fluency in spoken Welsh among their staff. Not every member of staff needs to be fluent in Welsh in order for a company to deliver a Welsh service. Companies will need to examine and address those key areas where fluency is essential and other areas where a basic working knowledge of Welsh can help create a bilingual atmosphere.

Having identified the workforce's ability to deliver a Welsh service, it is important to encourage and support members of staff in learning Welsh or in improving their competence in the language.

ADRAN 1
TASGAU LLAFAR

SECTION 1
ORAL TASKS

Yn yr Adran hon – In this Section

TASGAU LLAFAR ELFENNOL
BASIC ORAL TASKS

Ar y ffôn
– On the telephone

Yn y dderbynfa neu wrth y cownter talu
– At reception or sales desk

Cyhoeddiadau cyhoeddus
– PA system announcements

Ymdrin ag ymwelwyr a gwesteion
– Dealing with visitors and guests

Cymdeithasu â chydweithwyr
– Socialising with colleagues

TASGAU LLAFAR ESTYNEDIG
EXTENDED ORAL TASKS

Trosglwyddo neges neu wybodaeth
– Transferring messages or information

Rhoi cyfarwyddiadau
– Giving directions and instructions

Trafod materion
– Discussing matters

Cyfathrebu â chydweithwyr
– Communicating with colleagues

Cymryd rhan mewn cyfarfodydd
– Taking part in meetings

TASGAU LLAFAR ARBENIGOL
SPECIALISED ORAL TASKS

Hybu gwerthiant
– Sales promotion

Datganiadau i'r wasg/cyfryngau
– Statements to the press/media

Cymryd rhan mewn digwyddiadau
– Taking part in events

CYNGOR A CHYRSIAU
ADVICE AND COURSES

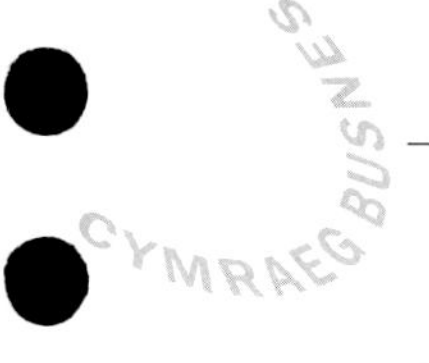

TASGAU LLAFAR ELFENNOL
BASIC ORAL TASKS

Tasgau yw'r rhain y gellir eu cyflawni gan bobl prin eu Cymraeg. Tasgau ydynt sy'n golygu ymateb i gwsmeriaid a chleientiaid drwy ddefnyddio ymadroddion stoc neu ymadroddion dwyieithog a lle nad oes disgwyl sgwrsio estynedig.

Maent hefyd yn cynnwys ymateb i gyfarwyddiadau, ceisiadau a sylwadau gan gydweithwyr drwy weithgareddau di-iaith neu ymadroddion syml. Gall Cymry Cymraeg helpu'r di-Gymraeg i ddod yn fwy cyfarwydd â'r iaith ar y dechrau drwy ddefnyddio ymadroddion stoc wrth ymwneud â chydweithwyr.

Ymdrinir yn llawnach â'r ymadroddion a'r sgiliau iaith perthnasol yn Adran 3 – 10.

These are tasks which can be fulfilled by those who have little command of Welsh. They are tasks which involve response to customers and clients by using stock phrases or bilingual phrases and where an extended conversation is not expected.

They also include responses to instructions, requests and comments from colleagues through non-verbal actions and simple phrases. Welsh speakers can help non-Welsh speakers to become more familiar with the language by using stock phrases in their dealings with colleagues.

Relevant phrases and language skills are dealt with more fully in Sections 3 – 10.

Ar y ffôn
On the telephone

Greeting – **Cyfarch**
Understanding requests – **Deall ceisiadau**
Transferring a call – **Trosglwyddo galwadau**
Explaining command of Welsh – **Egluro gafael ar y Gymraeg**
Saying goodbye – **Ffarwelio**

Yn y dderbynfa neu wrth y cownter talu
At reception or sales desk

Greeting – **Cyfarch**
Understanding requests – **Deall ceisiadau**
Transferring a call – **Trosglwyddo galwadau**
Understanding simple questions and queries – **Deall cwestiynau ac ymholiadau syml**
Giving simple directions and instructions – **Rhoi cyfarwyddiadau syml**
Dealing with money – **Trafod arian**
Explaining command of Welsh – **Egluro gafael ar y Gymraeg**
Thanking – **Diolch**
Saying goodbye – **Ffarwelio**

Cyhoeddiadau cyhoeddus
PA system announcements

Instructions for staff – **Cyfarwyddiadau i staff**
Public Information – **Hysbysrwydd Cyhoeddus**

Ymdrin ag ymwelwyr a gwesteion
Dealing with visitors and guests

Greeting – **Cyfarch**
Introducing oneself – **Cyflwyno'ch hun**
Introducing people to each other – **Cyflwyno pobl i'w gilydd**
Offering refreshments – **Cynnig lluniaeth**
Understanding simple enquiries – **Deall ymholiadau syml**
Giving simple directions or intructions – **Rhoi cyfarwyddiadau syml**
Dealing with money – **Ymdrin ag arian**
Thanking – **Diolch**
Saying goodbye – **Ffarwelio**

Cymdeithasu â chydweithwyr
Socialising with colleagues

Greetings – **Cyfarchion**
Small talk – **Mân siarad**
Dealing with refreshments – **Ymdrin â lluniaeth**
Asking for help – **Gofyn am gymorth**
Thanking – **Diolch**
Saying goodbye – **Ffarwelio**

TASGAU LLAFAR ESTYNEDIG
EXTENDED ORAL TASKS

Tasgau yw'r rhain y gellir eu cyflawni gan bobl sydd â pheth gafael ar yr iaith ond sy'n teimlo'r angen i loywi'u sgiliau er mwyn cyfathrebu'n fwy effeithiol o fewn sefyllfaoedd penodol. Mae elfen o gyd-drafod a chyfnewid gwybodaeth yn perthyn i'r rhan fwyaf ohonynt.

Ymdrinir yn llawnach â'r ymadroddion a'r sgiliau iaith perthnasol yn Adran 3 – 10.

These are tasks which can be fulfilled by those who have some grasp of Welsh but who feel they need further language skills to communicate more effectively within specific situations. Most involve an element of discussion and an exchange of information.

Relevant phrases and language skills are dealt with more fully in Sections 3 – 10.

Trosglwyddo neges neu wybodaeth
Conveying messages or information

Conveying a message between a customer and a member of staff.
– **Trosglwyddo neges rhwng cwsmer ac aelod o staff.**

Conveying a message between members of staff. – **Trosglwyddo neges rhwng aelodau o staff.**

Rhoi cyfarwyddiadau
Giving directions and instructions

How to reach the building/a particular location. – **Sut i gyrraedd yr adeilad/safle arbennig.**

How to complete forms or send orders. – **Sut i lenwi ffurflenni neu anfon archebion.**

How to obtain specific information. – **Sut i gael gwybodaeth benodol.**

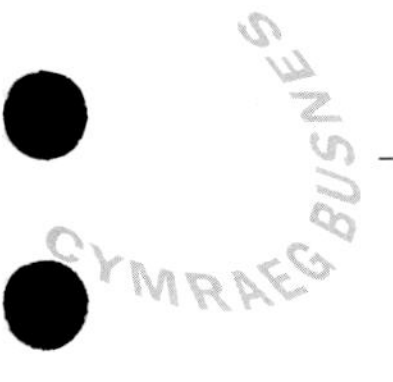

Trafod materion
Discussing matters

Responding to enquiries. – **Ymateb i ymholiadau.**

Responding to requests. – **Ymateb i geisiadau.**

Dealing with complaints. – **Ymdrin â chwynion.**

Dealing with orders. – **Ymdrin ag archebion.**

Cyfathrebu â chydweithwyr
Communicating with colleagues

Social chit-chat. – **Mân siarad.**

Dealing with refreshments. – **Ymdrin â lluniaeth.**

Explaining how to use equipment or fulfil tasks.
– **Egluro sut i ddefnyddio offer neu gyflawni tasgau.**

Discussing work. – **Trafod gwaith.**

Cymryd rhan mewn cyfarfodydd
Taking part in meetings

Greeting and introducing people. – **Cyfarch a chyflwyno pobl.**

Dealing with refreshments. – **Ymdrin â lluniaeth.**

Contributing to staff discussions. – **Cyfrannu i drafodaethau staff.**

Functioning as a secretary. – **Gweithredu fel ysgrifennydd/ysgrifenyddes.**

Chairing meetings. – **Cadeirio cyfarfodydd.**

TASGAU LLAFAR ARBENIGOL
SPECIALISED ORAL TASKS

Tasgau yw'r rhain sydd angen Cymraeg a Saesneg rhugl a'r gallu i gyflwyno gwybodaeth neu ffeithiau arbenigol. Maent yn aml yn achlysuron lle bo angen cynrychiolydd i fod yn bresennol i siarad ar ran y cwmni neu'r busnes. Gallant fod yn gyfleoedd i hybu'r cwmni/busnes neu i estyn cymorth neu nawdd i ddigwyddiadau.

These are tasks which require fluency in Welsh and English and the ability to present specific information or facts. They are often situations which require a representative to be present to speak on behalf of the company or business. They can be occasions to promote the company/business or an opportunity to lend support or patronage to events.

Hybu gwerthiant
Sales promotion

Presenting information about products or services.
– **Cyflwyno gwybodaeth am nwyddau neu wasanaethau.**

Datganiadau i'r wasg/cyfryngau
Statements to the press/media

Presenting information about new products or services.
– **Cyflwyno gwybodaeth am nwyddau neu wasanaethau newydd.**

Explaining policy or point of view. – **Egluro polisi neu safbwynt.**

Responding to criticism or a complaint. – **Ymateb i feirniadaeth neu gŵyn.**

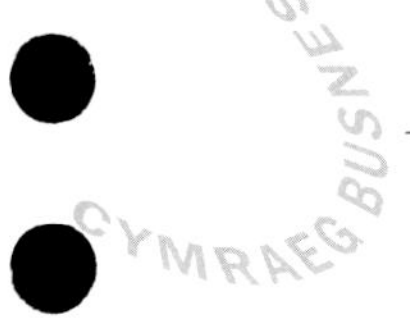

Cymryd rhan mewn digwyddiadau
Participation in events

Trade fairs.
– **Ffeiriau masnach.**

Regional and national shows and events.
– **Sioeau a digwyddiadau rhanbarthol a chenedlaethol.**

Cultural and arts festivals.
– **Gwyliau diwylliannol a chelfyddydol.**

CYNGOR A CHYRSIAU
ADVICE AND COURSES

Mae asiantaethau yn bodoli ym mhob rhan o'r wlad sy'n gallu darparu cymorth a chyrsiau i ddysgu neu i loywi iaith. Cynhelir rhai mewn canolfannau pwrpasol ond gall rhai asiantaethau gynnig cyrsiau yn y gweithle. Mae cyrsiau'n amrywio o sgiliau llafar cyffredinol i rai wedi'u llunio'n unswydd ar gyfer mathau arbennig o swyddi. Gellir cael rhestr o'r rhai yn eich ardal chi drwy gysylltu â swyddfa ACEN neu FWRDD YR IAITH GYMRAEG.

Agencies exist in all parts of the country which can provide help and courses for learning Welsh or for improving language skills. Some are held at specialist centres while others can offer courses in the workplace. Courses range from general conversation skills to job-specific ones. For a list of those in your area, please contact ACEN or THE WELSH LANGUAGE BOARD.

ACEN CYF.

cyfeiriad/address
Tŷ Ifor
1 Stryd y Bont
CAERDYDD / CARDIFF
CF1 2TH

ffôn/phone
01222 665 455

cyflunydd/fax
01222 668 810

e-bost/e.mail
data@acen.co.uk

y we/world wide web
www.acen.co.uk

BWRDD YR IAITH GYMRAEG

cyfeiriad/address
Siambrau'r Farchnad
5-7 Heol Eglwys Fair
CAERDYDD / CARDIFF
CF1 2AT

ffôn/phone
01222 224 744

cyflunydd/fax
01222 224 577

e-bost/e.mail
bwrdd_yr_iaith@netwales.co.uk

y we/world wide web
www.netwales.co.uk/byig

ADRAN 2
DWEUD Y GEIRIAU

SECTION 2
SAYING THE WORDS

Yn yr Adran hon – In this Section

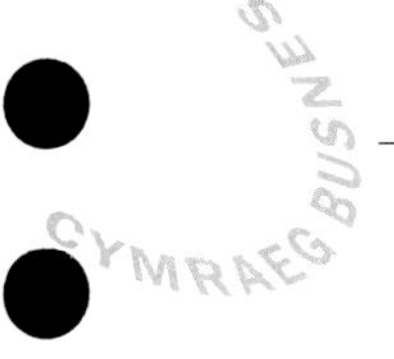

YNGANU
PRONUNCIATION

The following will serve as a general guide to Welsh pronunciation. If you are a complete beginner, however, practice on a Welsh speaking colleague before trying your phrases out on clients. If no Welsh speakers are available at your place of work use the Acen Helpline.

Yr wyddor
The alphabet

a, b, c, ch, d, dd, e, f, ff, g, ng, h, i, j, l, ll, m, n,
o, p, ph, r, rh, s, t, th, u, w, y
There is no **k, q** *or* **z** *in Welsh, although an* **s** *is sometimes used to give a* **z** *sound as in* **sŵ** (a zoo).

Cytseiniaid
Consonants

Many are said as in English, but note these:

c – *as in the English* '**c**ar' – *never as in* 'cease'

ch – *a dry gargling sound in the back of the throat – as in the German* 'Rei**ch**' *and Scottish* 'lo**ch**'.

dd – *as* **'th'** *in* '**th**e'

f – *as* **'v'** *in* '**v**ase' or **'f'** in 'o**f**'

ff – *as in* 'o**ff**ice'

g – *always as in* '**g**rand' – *never as in* 'giant'

ng – *as in* 'ga**ng**'

ll – *a difficult one to describe but put your tongue into the position to say* '**l**' *and then blow hard!*

r – *as in* '**r**ed' *but rolled more*

rh – *very similar to* **'r'**. *But you should hear the* **'h'**

th – *as* '**th**' *in* '**th**in'

Llafariaid
Vowels

a – *this can be said either as in* 'l**a**rd' *or as in* 'tr**a**m' (*never as in* 'game')

e – *as in* 'th**e**n' (*never as in* 'because')

i – *either as in* 'tr**ee**' *or in* 'w**i**nk' (*never as in* 'time')

o – *as in* h**o**t (*never as in* 'only')

u – *as in* 'd**ea**n' (*never as in* 'cup'); *in North Wales, it is more like the German* '**ü**'

w – *as in* 'z**oo**'

y – *as in* 'c**u**p' (*in words such as* '**y**' = the, 'f**y**' = my, 'd**y**' = your; *and at the beginning of words containing two or more vowels*)

– *or long as in* 'd**ea**n' (*in words such as* 'd**y**n' = man)*; in North Wales, the sound is more rounded*

and short as in 'w**i**th' (*at the end of words such as* 'trefn**y**dd' = organiser)

Acenion
Accents

^ *above a vowel lengthens that vowel:* **dramâu** = plays

´ *above a vowel lengthens that vowel:* **caniatáu** = to allow

` *above a vowel shortens that vowel:* **bòs** = boss

¨ *on* '**e**' *or* '**i**' *requires that vowel to be pronounced separately:* **copïau** = copies

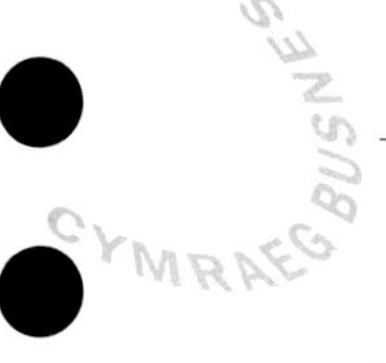

Deuseiniaid
Dipthongs (combination of vowels)

The following are approximate sounds:

ai – *as in* '**ai**sle'

ae – *as in* '**ai**sle'

au – *as in* '**ai**sle'

eu – *as in* 'p**ay**'

ei – *as in* 'p**ay**'

ey – *as in* 'p**ay**'

oe – *as in* 'b**oy**'

oi – *as in* 'b**oy**'

ou – *as in* 'b**oy**'

aw – *as in* 'br**ow**n'

ew – **e** *as in* 'th**e**n' + **w** *as in* '**w**et' (never *as in* 'n**ew**')

iw – *as in* '**yew**'

ow – *as in* 'l**ow**' (never as in 't**ow**n')

wy – *sometimes as in* 'g**ooe**y' ('b**wy**d' = food)

– *sometimes as in* 'w**i**n' ('g**wy**n' = white)

Beth yw'r gwahaniaeth?
Spot the difference!

The following words LOOK very similar to English words you're already familiar with, but they are Welsh and are **said** very differently. Run through them and try to work out the main differences.

allan – *meaning* 'out'
angel – *identical in meaning but how is it pronounced?*
bore – *meaning* 'morning'*; the word has two syllables in Welsh*
bun – *meaning* 'woman' *or* 'sweetheart'*; a very old word*
coed – *meaning* 'trees'
dew – *a mutated form of* **tew** *meaning* 'fat'
faint – *meaning* 'how much' *or* 'how many'
gem – *it means the same as the English, but how is it said?*
haul – *meaning* 'sun'
well – *a mutated form of* **gwell** *meaning* 'better'

Ynganu cywir
Correct Pronunciation

The following Welsh words and names are often mispronounced. How should they sound? Remember that the emphasis in Welsh is usually on the last syllable but one.

Caernarfon
Casnewydd
Clwyd
Conwy
Dolgellau
eisteddfod
Gwynedd
Llandudno
newydd
Powys
Tonypandy
Tonyrefail

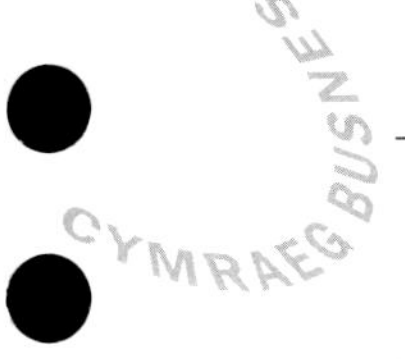

DYNA RYFEDD!
HOW ODD!

This story has been written in English, but the Welsh alphabet has been used throughout. Read it aloud. If it makes sense, you are saying the words properly.

Siôn Tomos, y bisnys man ffrom Cardiff had risîfd meni letyrs ffrom his best claiynt, y Tecsyn côld Jeims Iwing. In efri letyr, hi had spôcyn of ddy grêt sais of things in Tecsas. "Iw myst cym tw si mi,' hi had rityn, efri thing hîr is big. Ddy hawsis â big, ddy trîs â big, ddy hats â big, ddy pîpl â big and ddy câs â big."

Ddy Welshman disaided tw gô and si ffor himselff. Wen ddi eroplein landed at ddi ê-pôt, hi had y greit syprais. Efrithing indîd wos big. Ddy hawsis w-y big, ddy trîs w-y big, ddy hats w-y big, ddy pîpl w-y big and ddy câs w-y big. Hi araifd at Jeims Iwing's hôm and nîded tw fisit ddy litl bois rwm.

Jeims geif him instrycsiyns. "Iw gow dawn ddy coridy, tw ddy rait, dden tw ddy lefft, dden tw ddy rait, dden tw ddy lefft, dden tw ddy rait and ddy litl bois rwm is streit in ffrynt of iw."

Ddy Welshman set off dawn ddy coridy, ffyst tw ddy rait, dden tw ddy lefft, dden tw ddy rait, dden tyw ddy lefft, and dden tw ddy rait agen. Y scrîm wos hŷd. Huw Iwing ran tw help as ffast as his ffît wyd cari him. Hi was ameisd tw si ddy Welshman in ddy swiming pŵl.

"Â iw olrait?" hi âscd.

"Ies," craid ddy Welshman, "byt plîs downt pwl ddy fflysh!"

CYMRAEG BUSNES

RHAN A PART A 2

DE-GOGLEDD*
SOUTH-NORTH*

There are some variations in speech between South and North Wales, which can affect the choice of words and pronunciation. In our lists of phrases, neutral forms are usually given, but where necessary both South and North versions are shown and indicated *, with the South Wales form preceeding the North Wales form.

Variations to be aware of:

Saesneg/English	**De**/South	**Gogledd**/North
he/it	**e**	**o**
He is	**Mae e**	**Mae o**
He is not	**Dydy e ddim** **Dyw e ddim**	**Dydy o ddim**
He will be	**Bydd e**	**Bydd o**
He won't be	**Fydd e ddim**	**Fydd o ddim**
him/it	**e/fe**	**o/fo**
I'm sorry	**Mae'n flin gyda fi**	**Mae'n ddrwg gen i**
I've got	**Mae... gyda fi**	**Mae gen i...**
You've got	**Mae... gyda ti**	**Mae gen ti...**
He's got	**Mae... gyda fe**	**Mae ganddo fo...**
She's got	**Mae... gyda hi**	**Mae ganddi hi...**
We've got	**Mae... gyda ni**	**Mae gynnon ni...**
You've got	**Mae... gyda chi**	**Mae gynnoch chi...**
They've got	**Mae... gyda nhw**	**Mae ganddyn nhw ...**
I haven't got etc.	**Does dim... gyda fi** **'Sdim... gyda fi**	**Does gen i ddim...** **'Sgen i ddim...**
with	**gyda/'da**	**efo/hefo/gyda**
now	**nawr**	**rŵan**

Note also:

– **'ydy'** (is/are) *can also be expressed by* **'yw'**, *especially in South Wales. e.g.*

Beth yw'ch enw chi? – What is your name?
Dyw e ddim yma – He isn't here.

– **'gyda'** *is often used in the shortened version* ' **'da** ' *in South Wales when used to express* 'have/got'. *e.g.*

Mae cyfweliad 'da fi – I've got an interview.

– 'Please' *is usually expressed as* '**os gwelwch yn dda**' *in speech and appears in that form throughout **Part A – Oral Communication**.*
In formal written Welsh it is expressed in its fuller form '**os gwelwch chi'n dda**' *and appears in that form throughout **Part B – Written Communication**.*

ADRAN 3
DEFNYDDIO'R FFÔN

SECTION 3
USING THE PHONE

Yn yr Adran hon – In this Section

DERBYN GALWADAU
RECEIVING CALLS

Dweud y rhif
– Saying the number
Cyfarch y galwr
– Greeting the caller
Rhoi enw'r cwmni
– Giving the name of the company
Deall y galwr
– Understanding the caller
Gwirio enw'r galwr
– Checking the name of the caller
Ddim yn deall/ddim yn rhugl
– Don't understand/not fluent
Ymateb i'r galwr
– Responding to the caller

TROSGLWYDDO GALWADAU
TRANSFERRING CALLS

Cysylltu â'r person priodol
– Contacting the relevant person
Dweud nad yw'r person ar gael
– Saying the person is not available
Cynnig cymryd neges
– Offering to take a message
Gofyn i rywun ffonio'n ôl
– Asking someone to phone back
Cynnig ffonio'n ôl
– Offering to phone back

GWNEUD GALWADAU
MAKING CALLS

Dweud y rhifau
– Saying the numbers
Gofyn am linell
– Asking for a line
Cyfarch y derbynnydd
– Greeting the receptionist
Gofyn am berson arbennig
– Asking to speak to a particular person
Gofyn am estyniad
– Asking for an extension
Gofyn am adran
– Asking for a department
Gofyn am wybodaeth
– Asking for information
Gadael neges
– Leaving a message
Diolch a ffarwelio
– Thanking and saying goodbye

DERBYN GALWADAU
RECEIVING CALLS

Dweud y rhif
Saying the number

You'll need a combination of the following.

1 – **un**
2 – **dau**
3 – **tri**
4 – **pedwar**
5 – **pump**
6 – **chwech**
7 – **saith**
8 – **wyth**
9 – **naw**
0 – **dim**

Cardiff 247605 *would therefore be:* – **Caerdydd dau pedwar saith chwech dim pump**

*See **PART C Section 1** (Cyfeiriadur/Directory) for all towns and cities in Wales with separate Welsh names.*

Cyfarch y galwr
Greeting the caller

You'll need the following formal greetings for different times of the day:

Good morning. – **Bore da.**
Good afternoon. – **Prynhawn da / Pnawn da.**
Good evening. – **Noswaith dda.**

You may also need:

May I help you? – **Ga i'ch helpu chi?**

Rhoi enw'r cwmni
Giving the name of the company

Jones and Evans. – **Jones ac Evans.**
The Welsh Office. – **Y Swyddfa Gymreig.**

*The names of many public bodies and companies are in **PART C Section 1** (Cyfeiriadur/Directory). If yours is not, contact the Acen Helpline.*

Deall y galwr
Understanding the caller

Usually a caller will simply want to be put through to a person, an extension or a department. Listen for the following, but you'll only need to pick out the main details (underlined):

(i) Gofyn am berson – Asking for a person

John Hughes please. – **John Hughes, os gwelwch yn dda.**
May I speak to John Hughes, please?
– **Ga i siarad â John Hughes, os gwelwch yn dda?***
– **Ga i siarad efo John Hughes, os gwelwch yn dda?***
Is Mr John Hughes in?
– **Ydy Mr John Hughes i mewn?**
May I have a word with Mr John Hughes?
– **Ga i air â Mr John Hughes?***
– **Ga i air efo Mr John Hughes?***
John Hughes' secretary, please.
– **Ysgrifenyddes John Hughes, os gwelwch yn dda.**

(ii) Gofyn am estyniad – Asking for an extension

976, please.
– **Naw saith chwech, os gwelwch yn dda.**
Tony Morgan's extension please.
– **Estyniad Tony Morgan, os gwelwch yn dda.**
Extension 265.
– **Estyniad dau chwech pump.**

(iii) Gofyn am adran – Asking for a department

The Finance Department, please. – **Yr Adran Gyllid, os gwelwch yn dda**.
May I speak to somebody in the Housing Department, please?
– **Ga i siarad â rhywun yn yr Adran Dai, os gwelwch yn dda?**

Other types of department are listed in ***Part C Section 1*** *(Cyfeiriadur/Directory).*
You don't need to know them all, but learn to recognise the ones relevant to your company.

Gwirio enw'r galwr
Checking the name of the caller

Who's calling, please? – **Pwy sy'n galw, os gwelwch yn dda?**
And your name, please? – **A'ch enw, os gwelwch yn dda?**
May I have your name, please? – **Ga i'ch enw, os gwelwch yn dda?**
And the name of the company, please? – **Ac enw'r cwmni, os gwelwch yn dda?**

Dweud nad ydych yn deall neu ddim yn rhugl
Explaining you don't understand or you're not fluent in Welsh

I'm sorry, I don't understand.
– **Mae'n flin gyda fi, dw i ddim yn deall.***
– **Mae'n ddrwg gen i, dw i ddim yn deall.***
I'm learning Welsh. – **Dw i'n dysgu Cymraeg.**
I've just started learning Welsh. – **Newydd ddechrau dysgu Cymraeg ydw i.**
Will you speak more slowly? – **Wnewch chi siarad yn fwy araf?**

I'm sorry, I don't speak Welsh.
I'm sorry, I don't understand.
Would you like to talk to a Welsh speaker.
I'm sorry, there isn't a Welsh speaker available at the moment. Can I help you?

Ymateb i'r galwr
Responding to the caller

Thank you. – **Diolch.**
Hold the line, please. – **Daliwch y lein, os gwelwch yn dda.**

One minute, please.
– **Un funud, os gwelwch yn dda.***
– **Un munud, os gwelwch yn dda.***
I'll try the extension for you. – **Tria i'r estyniad i chi.**
I'll try the office for you. – **Tria i'r swyddfa i chi.**

Mr Williams is not here today. – **Dydy Mr Williams ddim yma heddiw.**
Mrs Jones is (off) sick.
– **Mae Mrs Jones (i ffwrdd) yn dost.***
– **Mae Mrs Jones (i ffwrdd) yn sâl.***
Mr Thomas is on holiday. – **Mae Mr Thomas ar wyliau.**
Mrs Evans doesn't work here. – **Dydy Mrs Evans ddim yn gweithio yma.**
Mr Owen has left the company. – **Mae Mr Owen wedi gadael y cwmni.**

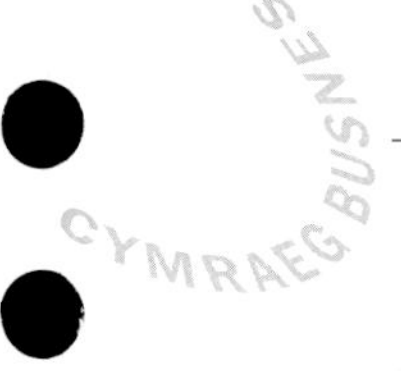

TROSGLWYDDO GALWADAU
TRANSFERRING CALLS

Cysylltu â'r person priodol
Contacting the relevant person

It's Sheila here. – **Sheila sy 'ma.**
Switchboard here. – **Y switsfwrdd sy 'ma.**
There's a call for you. – **Mae galwad i chi.**
There's somebody on the line for you. – **Mae rhywun ar y lein i chi.**
Mr Jones is on the line. – **Mae Mr Jones ar y lein.**
There's a call for you on line 4. – **Mae galwad i chi ar lein pedwar.**

Ymateb – *Responses:*

Thanks. Put her through. – **Diolch. Rhowch hi drwodd.**
Thanks. Put him through. – **Diolch. Rhowch e/o drwodd.***
Thanks. Which line? – **Diolch. Pa lein?**
All right. / O.K. – **Iawn.**

Dweud nad yw'r person ar gael
Saying the person is not available

Sorry...
– **Sori...**
– **Mae'n flin 'da fi...***
– **Mae'n ddrwg gen i...***

There's no response. – **Does dim ateb.**
There's no answer on the extension. – **Does dim ateb ar yr estyniad.**
I'll try another extension for you. – **Tria i estyniad arall i chi.**

The line's busy. – **Mae'r lein yn brysur.**
He's on the other line. – **Mae e/o ar y lein arall.***
She's on the other line. – **Mae hi ar y lein arall.**

I can't get hold of her at the moment. – **Dw i'n methu cael gafael arni ar hyn o bryd.**
I can't get hold of him at the moment. – **Dw i'n methu cael gafael arno ar hyn o bryd.**

He can't come to the phone at the moment.
– **Dydy e/o ddim yn gallu dod at y ffôn ar hyn o bryd.***
She can't come to the phone at the moment.
– **Dydy hi ddim yn gallu dod at y ffôn ar hyn o bryd.**
He isn't taking calls at the moment.
– **Dydy e/o ddim yn derbyn galwadau ar hyn o bryd.***
She isn't taking calls at the moment.
– **Dydy hi ddim yn derbyn galwadau ar hyn o bryd.**

Mr Thomas is out of the office at the moment.
– **Mae Mr Thomas allan o'r swyddfa ar hyn o bryd.**
Mrs Lewis is at a meeting.
– **Mae Mrs Lewis mewn cyfarfod.**
Mr Evans is away all day today.
– **Mae Mr Evans i ffwrdd trwy'r dydd heddiw.**
Mrs Parry won't be in the office at all today.
– **Fydd Mrs Parry ddim yn y swyddfa o gwbl heddiw.**
Mr Williams won't be in this morning/this afternoon.
– **Fydd Mr Williams ddim i mewn y bore 'ma/y prynhawn 'ma.**
Ms Rhys has just left.
– **Mae Ms Rhys newydd adael.**

Cynnig cymryd neges
Offering to take a message

May I take a message? – **Ga i gymryd neges?**
Do you want to hold (wait)? – **Ydych chi eisiau aros?**
Do you want to speak to somebody else? – **Ydych chi eisiau siarad â rhywun arall?**
May I put you through to someone else? – **Ga i'ch rhoi chi drwodd i rywun arall?**

Ymateb *– Responses:*

Yes. (You may). – **Cewch.**
Yes (I do). – **Ydw.**
No (I don't). – **Nac ydw.**
Fine./O.K. – **Iawn.**
No thanks. – **Dim diolch.**
It's all right. – **Popeth yn iawn.**
I'll phone back. – **Ffonia i nôl.**

Gofyn i rywun ffonio nôl
Asking someone to phone back

Can you phone back? – **Allwch chi ffonio nôl?**
Would it be possible for you to phone back in an hour/half an hour?
– **Fasai'n bosib i chi ffonio nôl mewn awr/hanner awr?**
Would it be possible for you to phone back this afternoon, please?
– **Fasai'n bosib i chi ffonio nôl y prynhawn 'ma, os gwelwch yn dda?**

Ymateb – *Responses:*

Will you ask him to call back this afternoon?
– **Wnewch chi ofyn iddo alw nôl y prynhawn 'ma?**
Will you ask her to phone back this afternoon?
– **Wnewch chi ofyn iddi ffonio nôl y prynhawn 'ma?**
Ask her to call back this afternoon.
– **Gofynnwch iddi alw nôl y prynhawn 'ma.**
Ask him to phone again tomorrow morning.
– **Gofynnwch iddo ffonio eto bore fory.**
Ask her to phone again tomorrow morning.
– **Gofynnwch iddi ffonio eto bore fory.**
I'll call her back tomorrow morning.
– **Galwa/Alwa i hi nôl bore fory.**
I'll phone him back tomorrow morning.
– **Ffonia i fe/fo nôl bore fory.***

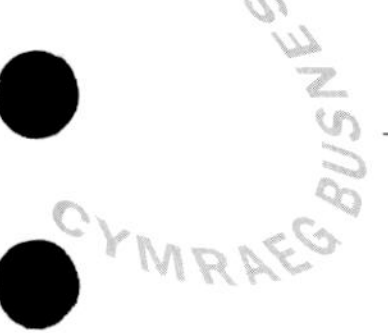

Cynnig ffonio nôl
Offering to call back

Would it be possible for Mrs Evans to phone you back?
– **Fasai'n bosib i Mrs Evans eich ffonio chi nôl?**
May I have your telephone number please?
– **Ga i'ch rhif ffôn, os gwelwch yn dda?**
And your name again?
– **A'ch enw eto?**
When?
– **Pryd?**
Will you be in all day?
– **Fyddwch chi i mewn trwy'r dydd?**

Ymateb – *Responses:*

Yes. (It would be) – **Basai.**
No. (It would not be) – **Na fasai.**
Yes. (I will be) – **Bydda**.
No. (I won't be) – **Na fydda.**

Only until one. – **Dim ond tan un**.
Only in the morning. – **Dim ond yn y bore.**
Only in the afternoon. – **Dim ond yn y prynhawn.**
Only after three. – **Dim ond ar ôl tri**.

GWNEUD GALWADAU
MAKING CALLS

Dweud y rhifau
Saying the numbers

1 – **un**	6 – **chwech**
2 – **dau**	7 – **saith**
3 – **tri**	8 – **wyth**
4 – **pedwar**	9 – **naw**
5 – **pump**	0 – **dim**

Cardiff 247605 – *is therefore* – Caerdydd dau pedwar saith chwech dim pump.

*See **PART C Section 1** for places in Wales with separate Welsh names.*

Gofyn am linell
Asking for a line

May I have a line, please? – **Ga i lein, os gwelwch yn dda?**
Is it possible to phone out on this one? – **Ydy'n bosib ffonio allan ar hon?**

***Ymateb** – Responses:*

Yes. (It is) – **Ydy**.
No. (It's not) – **Nac ydy.**
Press 9. – **Pwyswch naw**.
Press line 6. – **Pwyswch lein chwech.**
You need a zero first. – **Mae eisiau dim yn gyntaf.**

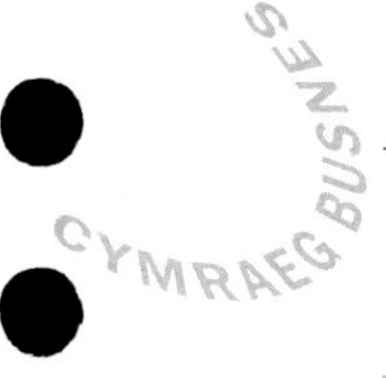

Cyfarch y derbynnydd
Greeting the receptionist

You'll need the following formal greetings for different times of the day:

Good morning – **Bore da.**
Good afternoon. – **Prynhawn da/Pnawn da.**
Good evening. – **Noswaith dda.**

You may also need:

I'm phoning on behalf of Mr James. – **Dw i'n ffonio ar ran Mr James.**
Hello. It's Sue Hutchins here. I'm phoning on behalf of the Sunlight Company.
– **Helo. Sue Hutchins sy 'ma. Dw i'n ffonio ar ran Cwmni Sunlight.**
It's Ann Morgan here from Tower Printers. – **Ann Morgan sy 'ma o Argraffdy'r Tŵr.**

Gofyn am berson arbennig
Asking to speak to a particular person

John Hughes, please. – **John Hughes, os gwelwch yn dda.**
May I speak to John Hughes, please? – **Ga i siarad â John Hughes, os gwelwch yn dda?**
Is Mr John Hughes in? – **Ydy Mr John Hughes i mewn?**
May I have a word with Mr John Hughes?
– **Ga i air 'da Mr John Hughes?***
– **Ga i air efo Mr John Hughes?***
Mr John Hughes' secretary, please. – **Ysgrifenyddes John Hughes, os gwelwch yn dda.**

Gofyn am estyniad
Asking for an extension

976, please. – **Naw saith chwech, os gwelwch yn dda.**
Tony Morgan's extension please. – **Estyniad Tony Morgan, os gwelwch yn dda.**
Extension 265. – **Estyniad dau chwech pump.**

Gofyn am adran
Asking for a department

The Finance Department, please.
– **Yr Adran Gyllid, os gwelwch yn dda.**
May I speak to somebody in the Housing Department, please?
– **Ga i siarad â rhywun yn yr Adran Dai, os gwelwch yn dda?**

Other types of departments are listed in ***PART C Section 1.***
You don't need to know them all but learn to recognise the ones relevant to your company.

Gofyn am wybodaeth
Asking for information

Good morning. I'm looking for information about...
– **Bore da. Dw i'n chwilio am wybodaeth am...**
I would like to speak to somebody about...
– **Baswn i'n hoffi siarad â rhywun am...**
Who is dealing with advertising, please?
– **Pwy sy'n ymdrin â hysbysebu, os gwelwch yn dda?**

Gadael neges
Leaving a message

Ffonia i nôl. – I'll phone back.
Will you say that Ken Davies phoned and that I'll be calling back.
– **Wnewch chi ddweud bod Ken Davies wedi ffonio a bydda i'n ffonio nôl.**
Will you ask Mrs Morris to phone me before two o'clock?
– **Wnewch chi ofyn i Mrs Morris fy ffonio i cyn dau o'r gloch?**

I'm in the office. – **Dw i yn y swyddfa.**
I'm at home at the moment. – **Dw i yn y tŷ ar hyn o bryd.**
I'm on the mobile phone. – **Dw i ar y ffôn symudol.**
The number is 01831 427 365.
– **Y rhif ydy dim un wyth tri un, pedwar dau saith, tri chwech pump.**

Diolch a ffarwelio
Thanking and saying goodbye

Thank you. – **Diolch (yn fawr).**

Goodbye.
– **Hwyl (fawr).**
– **Da bo chi.**

ADRAN 4
YN Y DDERBYNFA

SECTION 4
IN RECEPTION

Yn yr Adran hon – In this Section

CYHOEDDIADAU
ANNOUNCEMENTS

Cyhoeddiadau i'w clywed a'u deall neu negeseuon dwyieithog i'w cyhoeddi yw'r rhain. Am gymorth neu gyngor pellach ynglŷn â chyhoeddiadau penodol, cysylltwch â Llinell Gymorth Acen.

These are announcements to hear and understand or bilingual messages to be announced. For advice on business or company specific announcements please consult the **Acen Helpline.**

Gwybodaeth i staff
Staff information

Mr Davies to Reception, please.
– **Mr Davies i'r Dderbynfa, os gwelwch yn dda.**
Assistant to Reception, please.
– **Cynorthwyydd i'r Dderbynfa, os gwelwch yn dda.**
Miss Hughes to the Office, please.
– **Miss Hughes i'r Swyddfa, os gwelwch yn dda.**

Gwybodaeth i gwsmeriaid
Customer information

Good evening and welcome to Theatr Gwalia.
– **Noswaith dda a chroeso i Theatr Gwalia.**
The performance will begin in five minutes.
– **Bydd y perfformiad yn dechrau mewn pum munud.**

CYFARCH
GREETING

Cyfarch
Greeting

Hello! – **Helo!**
Welcome! – **Croeso!**

Good morning. – **Bore da.**
Good afternoon. – **Prynhawn da. / Pnawn da.**
Good evening. – **Noswaith dda.**

May I help you? – **Ga i'ch helpu chi?**
Can I help? – **Alla i helpu?**

Trafod eich gafael ar y Gymraeg
Discussing your command of Welsh

Cwestiwn – *Question:*

Do you speak Welsh? – **Ydych chi'n siarad Cymraeg?**

Ymateb – *Responses:*

Yes. (I do) – **Ydw.**
A little. – **Tipyn bach.**
I'm learning. – **Dw i'n dysgu.**

I'm sorry, I don't speak Welsh.
Would you like a Welsh speaker?

AMSER AGOR/CAU
OPENING/CLOSING TIMES

Cwestiynau *– Questions:*

When are you open? – **Pryd rydych chi ar agor?**
When do you open? – **Pryd rydych chi'n agor?**
When do you close? – **Pryd rydych chi'n cau?**

What time does... open? – **Faint o'r gloch mae... yn agor?**
What time does... close? – **Faint o'r gloch mae... yn cau?**

Are you open... ? – **Ydych chi ar agor...?**
Do you open... ? – **Ydych chi'n agor...?**
Have you opened? – **Ydych chi wedi agor?**
Do you open early? – **Ydych chi'n agor yn gynnar?**

Is... closed? – **Ydy... ar gau?**
Does... close...? – **Ydy... yn cau...?**
Has... closed? – **Ydy... wedi cau?**
Does... close late? – **Ydy... yn cau yn hwyr?**

...in the morning – ...**yn y bore**
...in the afternoon – ...**yn y prynhawn/pnawn**
...in the evening – ...**gyda'r hwyr/nos**
...at night – ...**yn y nos**
...at the weekend – ...**ar y penwythnos**
...on Sundays – ...**ar ddydd Sul**
...in the holidays – ...**yn y gwyliau**
...in summer – ...**yn yr haf**
...in winter – ...**yn y gaeaf**

***Ymateb** – Responses:*

Nine till seven. – **Naw tan saith.**
At nine o'clock. – **Am naw o'r gloch.**

Yes. (We are) – **Ydyn.**
No. (We are not) – **Na. / Nac ydyn.**
Yes. (It is/does) – **Ydy.**
No. (It isn't/doesn't) – **Na / Nac ydy.**

We're open from nine till seven. – **Rydyn ni ar agor o naw tan saith.**
We open early in summer. – **Rydyn ni'n agor yn gynnar yn yr haf.**
We close about six. – **Rydyn ni'n cau tua chwech.**
We're open late in the holidays. – **Rydyn ni ar agor yn hwyr yn y gwyliau.**

*For full list of vocabulary and phrases concerned with time see **PART C Section 3.***

MYNEDIAD
ADMISSION

Holi pris
Asking the cost

How much does it cost? – **Faint mae'n gostio?**
How much does it cost for one? – **Faint mae'n gostio i un?**
How much does it cost to go in? – **Faint mae'n gostio i fynd i mewn?**
How much does it cost to swim? – **Faint mae'n gostio i nofio?**
What's the price of admission? – **Beth ydy pris mynediad?**

Ymateb – *Responses:*

Seventy five pence… – **Saith deg pump ceiniog…**
Two pounds fifty… – **Dwy bunt pum deg…**

…for children under fifteen. – **…i blant dan bymtheg.**
…for adults. – **…i oedolion.**
…for senior citizens/OAPs. – **…i'r henoed.**

Tocynnau
Tickets

(i) Holi'r pris – Asking the price

How much is a ticket? – **Faint ydy tocyn?**
How much are tickets? – **Faint ydy tocynnau?**
How much is a season ticket? – **Faint ydy tocyn tymor?**
How much are family tickets? – **Faint ydy tocynnau teulu?**

Ymateb – *Responses:*

A pound each. – **Punt yr un.**
Fifty pence for children. – **Hanner can ceiniog i blant.**

(ii) Rhoi'r rhif – Stating the number

One please. – **Un os gwelwch yn dda.**
One adult and two children. – **Un oedolyn a dau blentyn.**
Two adults and one OAP. – **Dau oedolyn ac un henoed.**
A student ticket. – **Tocyn myfyriwr.**

Ymateb – *Responses:*

Three pounds twenty five, please. – **Tair punt dau ddeg pump, os gwelwch yn dda.**
Thank you (very much). – **Diolch (yn fawr).**

Nodyn – *Note*

'Ticed / Ticedi' *are also used instead of* **'tocyn/tocynnau'**.

For a complete list of numbers and money forms see ***PART C Section 3***.

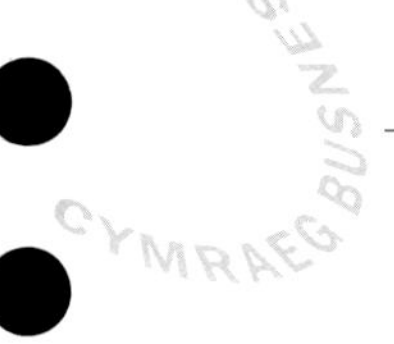

Gostyngiadau
Reductions

Are there reductions...

Oes gostyngiadau...
Oes 'na ostyngiadau...

...for children – **...i blant?**
...for OAPs – **...i'r henoed?**
...for students? – **...i fyfyrwyr?**
...for the unemployed? – **...i'r di-waith?**
...for a group? – **...i grŵp?**

Ymateb *– Responses:*

Yes. (There is/are) – **Oes.**
No. (There isn't/aren't) – **Na / Nac oes.**

How many? – **Faint?**
How many are there in the group? – **Faint sy yn y grŵp?**
How many children? – **Faint o blant?**
How many people? – **Faint o bobl?**

YMHOLIADAU A CHYFARWYDDIADAU
ENQUIRIES AND DIRECTIONS

Gofyn am help
Asking for help

Excuse me. – **Esgusodwch fi.**
Can you help? – **Allwch chi helpu?**
Can you help me? – **Allwch chi fy helpu i?**

(i) Ble? – Where?

Where are the toilets? – **Ble mae'r toiledau?**
Where is the Housing Department? – **Ble mae'r Adran Dai?**
Where are the changing rooms? – **Ble mae'r stafelloedd newid?**

(ii) Oes...? – Is there a.../ Are there any...?

Is there a toilet? – **Oes toiled?**
Is there a restaurant? – **Oes bwyty?**
Is there a place to eat? – **Oes lle bwyta?**

***Ymateb** – Responses:*

Yes. (There is/There are) – **Oes.**
No. (There isn't/There aren't) – **Na / Nac oes.**

I'm sorry.
– **Mae'n flin gyda fi.***
– **Mae'n ddrwg gen i.***

*You will also hear the phrase **'Oes 'na...?'** used, which causes a Soft Mutation of the next word.*

Is there a restaurant? – **Oes 'na fwyty?**

(iii) Oes... gyda chi? / Oes gynnoch chi...? – Have you got...?*

Have you got an events programme?
– **Oes rhaglen ddigwyddiadau gyda chi?***
– **Oes gynnoch chi raglen ddigwyddiadau?***
Have you got an information leaflet?
– **Oes taflen wybodaeth gyda chi?***
– **Oes gynnoch chi daflen wybodaeth?***

Ymateb – *Responses:*

Yes. (We have) – **Oes.**
No. (We haven't) – **Na / Nac oes.**

I'm sorry.
– **Mae'n flin gyda fi.***
– **Mae'n ddrwg gen i.***

(iv) Ydych chi'n...? – Do you...?

Do you organise/arrange courses for learners? – **Ydych chi'n trefnu cyrsiau i ddysgwyr?**
Do you run activities for senior citizens/OAPs?
– **Ydych chi'n rhedeg gweithgareddau ar gyfer yr henoed?**

Ymateb – *Responses:*

Yes. (We do) – **Ydyn.**
Of course. – **Wrth gwrs.**
Every Thursday night. – **Bob nos Iau.**
During the school holidays. – **Yn ystod gwyliau'r ysgol.**
No. (We don't) – **Na. / Nac ydyn.**
I'm sorry.
– **Mae'n flin gyda fi.***
– **Mae'n ddrwg gen i.***

Rhoi cyfarwyddiadau
Giving directions

There they are! – **Dyna nhw!**
There isn't one. – **Does dim un.**
There aren't any. – **Does dim.**

By the... – **Wrth y...**
Near the... – **Yn ymyl y...**
Next to the... **Nesa at y...**

On the left. – **Ar y chwith.**
On the right. – **Ar y dde.**
To the left by the entrance. – **I'r chwith wrth y fynedfa.**
To the right by the toilets. – **I'r dde wrth y toiledau.**

Downstairs. – **I lawr y grisiau.**
Upstairs. – **I fyny'r grisiau.**
On the ground floor. – **Ar y llawr isa.**
On the first floor. – **Ar y llawr cynta.**
On the second floor. – **Ar yr ail lawr.**
On the third floor. – **Ar y trydydd llawr.**
On the top floor. – **Ar y llawr ucha.**
On this floor. – **Ar y llawr yma.**

Down the corridor and to the right. – **I lawr y coridor ac i'r dde.**
Go up the stairs and turn left. – **Ewch i fyny'r grisiau a throwch i'r chwith.**

*For help with facilities, amenities etc., see **PART C Section 1**.*
Or use the Acen Helpline.

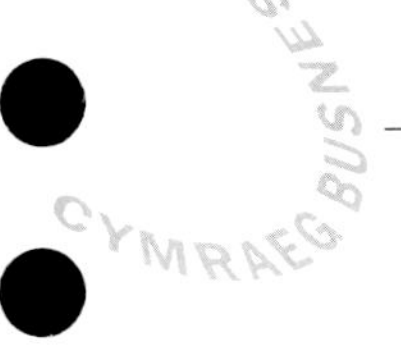

YMDRIN Â THREFNIADAU
DEALING WITH APPOINTMENTS

Cyfarch
Greeting

Good morning. – **Bore da.**
Good afternoon. – **Prynhawn da. / Pnawn da.**
Good evening. – **Noswaith dda.**
Can I help? – **Alla i helpu?**
May I help you? – **Ga i'ch helpu chi?**

Gofyn am rywun
Asking for someone

Mr Jones, please.
– **Mr Jones, os gwelwch yn dda.**
Is Mrs Evans in?
– **Ydy Mrs Evans i mewn?**
May I see Ms Williams, please?
– **Ga i weld Ms Williams, os gwelwch yn dda?**
May I see someone in the Personnel Department, please?
– **Ga i weld rhywun yn yr Adran Bersonél, os gwelwch yn dda?**

I've arranged to see Mrs Hughes.
– **Dw i wedi trefnu gweld Mrs Hughes**.
I've arranged to meet Mr Jones.
– **Dw i wedi trefnu cwrdd â Mr Jones.***
– **Dw i wedi trefnu cyfarfod (â) Mr Jones.***
We've arranged to see Mr Hughes.
– **Rydyn ni wedi trefnu gweld Mr Hughes.**
We've arranged to meet Miss Williams.
– **Rydyn ni wedi trefnu cwrdd â Miss Williams.***
– **Rydyn ni wedi trefnu cyfarfod (â) Miss Williams.***

Gwirio'r trefniadau
Checking the appointment

Derbynnydd – *Receptionist:*

Does Mr Jones know you're coming? – **Ydy Mr Jones yn gwybod (eich) bod chi'n dod?**
Is Mr Jones expecting you? – **Ydy Mr Jones yn eich disgwyl chi?**
Have you arranged to see Mr Jones? – **Ydych chi wedi trefnu gweld Mr Jones?**
Have you arranged to see her? – **Ydych chi wedi trefnu ei gweld hi?**
Have you arranged to see him? – **Ydych chi wedi trefnu ei weld e/o?***
Have you got an appointment?
– **Oes pwyntment gyda chi?***
– **Oes gynnoch chi bwyntment?***

Yes / No:

Ydy? is answered **Ydy/Nac ydy.**
Ydych chi? is answered **Ydw/Nac ydw** (I...) or **Ydyn/Nac ydyn** (We...)
Oes? is answered **Oes/Nac oes**

Gwirio'r enw
Checking the name:

Derbynnydd – *Receptionist:*

May I have your name, please? – **Ga i'r enw, os gwelwch yn dda?**
May I have your names, please? – **Ga i'r enwau, os gwelwch yn dda?**
What name is it, please? – **Beth ydy'r enw, os gwelwch yn dda?**
Are you Mrs James? – **Mrs James (ie)?**

Ymwelydd – *Visitor:*

Yes. (*in answer to* 'Mrs James, ie?') – **Ie.**
No. (*in answer to* 'Mrs James, ie?') – **Nage.**

Ymdrin â'r cais
Dealing with the request

I'll tell her you're here. – **Dweda i wrthi (eich) bod chi yma.**
I'll tell her assistant. – **Dweda i wrth ei chynorthwyydd.**
I'll tell her clerk. – **Dweda i wrth ei chlerc.**
I'll tell her secretary.
– **Dweda i wrth ei 'sgrifenyddes.** *(female)*
– **Dweda i wrth ei 'sgrifennydd.** *(male)*

I'll tell him you're here. – **Dweda i wrtho (eich) bod chi yma.**
I'll tell his assistant. – **Dweda i wrth ei gynorthwyydd.**
I'll tell his clerk. – **Dweda i wrth ei glerc.**
I'll tell his secretary.
– **Dweda i wrth ei 'sgrifenyddes.** *(female)*
– **Dweda i wrth ei 'sgrifennydd.** *(male)*

Dweud bod ymwelydd wedi cyrraedd
Saying that a visitor has arrived

Derbynnydd *– Receptionist:*

Miss Lewis is here. – **Mae Miss Lewis yma.**
Mr James and Mrs Gregory are here. – **Mae Mr James a Mrs Gregory yma.**

Mr Jones is in reception for you. – **Mae Mr Jones yn y dderbynfa i chi.**
Mrs Gregory has arrived. – **Mae Mrs Gregory wedi cyrraedd.**
Mr James and Mrs Gregory have arrived. – **Mae Mr James a Mrs Gregory wedi cyrraedd.**

Ymateb *– Responses:*

Thanks. I'll come down now.
 – **Diolch. Do i lawr nawr.***
 – **Diolch. Do i lawr rŵan.***
I'll send someone down. – **Anfona i rywun i lawr.**

Thank you. Will you send her up. – **Diolch. Wnewch chi ei hanfon hi i fyny.**
Thank you. Will you send him up. – **Diolch. Wnewch chi ei anfon e/o i fyny.***
Thank you. Will you send them up. – **Diolch wnewch chi eu hanfon nhw i fyny.**

I'm busy at the moment.
 – **Dw i'n brysur ar hyn o bryd.**
I won't be long.
 – **Fydda i ddim yn hir.**
Will you ask her to wait for a few minutes?
 – **Wnewch chi ofyn iddi aros am ychydig funudau?**
Will you ask him to wait for a few minutes?
 – **Wnewch chi ofyn iddo aros am ychydig funudau?**
Will you ask them to wait for a few minutes?
 – **Wnewch chi ofyn iddyn nhw aros am ychydig funudau?**

Derbynnydd *– Receptionist:*

O.K. – **Iawn.**
Of course. – **Wrth gwrs.**
Yes. (I will). – **Wna i.**

I'll send her down. – **Anfona i hi i lawr.**
I'll send him up.
 – **Anfona i e lan.***
 – **Anfona i o i fyny.***
I'll send them down. – **Anfona i nhw i lawr.**

Pasio neges yn ôl i'r ymwelydd
Passing a message back to the visitor

Derbynnydd *– Receptionist:*

Go through, please. – **Ewch drwodd, os gwelwch yn dda.**
Will you go up, please.
– **Wnewch chi fynd lan, os gwelwch yn dda.***
– **Wnewch chi fynd i fyny, os gwelwch yn dda.***
Would you like to go up?
– **Fasech chi'n hoffi mynd lan?***
– **Fasech chi'n hoffi mynd i fyny?***
Mr Hughes is on his way. – **Mae Mr Jones ar ei ffordd.**
Mrs Hughes won't be long. – **Fydd Mrs Hughes ddim yn hir.**
He won't be long . – **Fydd e/o ddim yn hir.***
She won't be long. – **Fydd hi ddim yn hir.**
There's someone on the way. – **Mae rhywun ar ei ffordd.**

Would you like to take a seat for a minute? – **Fasech chi'n hoffi eistedd am funud?**
Will you sign the book, please? – **Wnewch chi arwyddo'r llyfr, os gwelwch yn dda?**
Will you wear a badge please? – **Wnewch chi wisgo bathodyn, os gwelwch yn dda?**
You'll have to wear an ID badge. – **Bydd yn rhaid i chi wisgo bathodyn adnabod.**

Ymwelydd *– Visitor:*

Thanks very much. – **Diolch yn fawr**.
That's fine. – **Popeth yn iawn**.
Fine. / O.K. – **Iawn.**
Of course. – **Wrth gwrs**.

Holi am gyfleusterau
Enquiring about facilities

Ymwelydd *– Visitor:*

Is there a car park? – **Oes maes parcio?**
Is there a toilet here? – **Oes toiled yma?**

Derbynnydd *– Receptionist:*

Yes. (There is). – **Oes.**
No. (There isn't). – **Nac oes.**
On the right. – **Ar y dde.**
On the left. – **Ar y chwith.**
Behind the building. – **Tu ôl i'r adeilad.**

Nodyn *– Note:*

You will also hear **'Oes 'na ...?'** *followed by a Soft Mutation.*

Oes 'na faes parcio?
Oes 'na doiled?

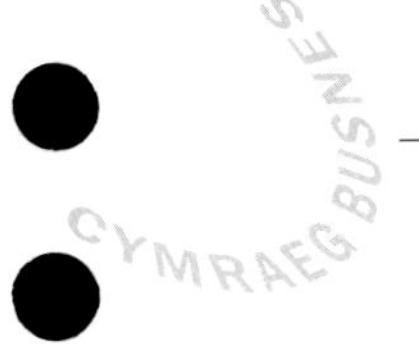

DIOLCH A FFARWELIO
THANKING AND SAYING GOODBYE

Thank you. – **Diolch.**
Thank you very much. – **Diolch yn fawr.**

Cheerio! – **Hwyl!**
Goodbye!
  – **Hwyl fawr!**
  – **Da bo chi!**

Ymateb – *Responses:*

Thank you. – **Diolch i chi.**
You're welcome. – **Croeso.**

Cheerio! – **Hwyl!**
Goodbye!
  – **Hwyl fawr!**
  – **Da bo chi!**

ADRAN 5
GWESTYAU, BWYTAI A SIOPAU

SECTION 6
HOTELS, RESTAURANTS AND SHOPS

Yn yr Adran hon – In this Section

CYFARCH
GREETING

Cyfarch
Greeting

Hello! – **Helo!**
Welcome! – **Croeso!**

Good morning. – **Bore da.**
Good afternoon. – **Prynhawn da. / Pnawn da.**
Good evening. – **Noswaith dda.**

May I help you? – **Ga i'ch helpu chi?**
Can I help? – **Alla i helpu?**

Trafod gafael ar y Gymraeg
Discussing command of Welsh

Do you speak Welsh? – **Ydych chi'n siarad Cymraeg?**

Ymateb *– Responses:*

Yes. (I do) – **Ydw.**
A little. – **Tipyn bach.**
I'm learning. – **Dw i'n dysgu.**

I'm sorry I don't speak Welsh.
Would you like a Welsh speaker?

GWESTYAU
HOTELS AND GUEST HOUSES

Trefnu dros y ffôn
Booking by phone

Gwestai *– Guest:*

I'd like to book a room... – **Baswn i'n hoffi bwcio stafell...**
I want to book a room... – **Dw i eisiau bwcio stafell...**
Do you have any rooms for Friday, May 11?
– **Oes stafelloedd gyda chi ar gyfer dydd Gwener, Mai 11?***
– **Oes gynnoch chi stafelloedd ar gyfer dydd Gwener, Mai 11?***

Staff:

Yes, sir/madam. (We do) – **Oes, syr/madam.**
No, I'm sorry.
– **Nac oes, mae'n flin gyda fi.***
– **Nac oes, mae'n ddrwg gen i.***
We're full. – **Rydyn ni'n llawn.**

A room for one? – **Stafell i un?**
A double or a single room? – **Stafell ddwbwl neu sengl?**

Gwestai *– Guest:*

A room for two. – **Stafell i ddau.**
Two single rooms. – **Dwy stafell sengl.**
A room with a shower. – **Stafell â chawod.**
A room with a cot. – **Stafell â chot.**

Nodyn *– Note:*

*You may also hear **'cadw'** being used for 'to book' (= to reserve).*

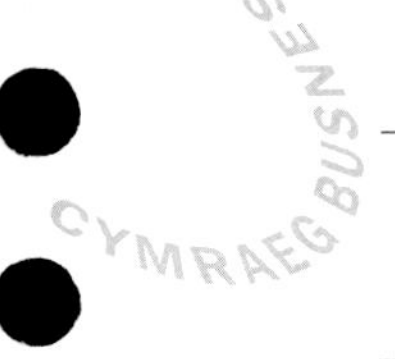

Cyrraedd
On arrival

(i) Stafelloedd – Rooms

Gwestai *– Guest:*

The name's Lewis. – **Lewis ydy'r enw.**
I've booked a room for two. – **Dw i wedi bwcio stafell i ddau.**
I've booked a single room – **Dw i wedi bwcio stafell ddwbl.**

Have you got a vacancy/room? – **Oes stafell ar gael?**
Have you got any vacancies/room? – **Oes stafelloedd ar gael?**
Have you got a single room?
– **Oes stafell sengl gyda chi?***
– **Oes gynnoch chi stafell sengl?***

Ymateb *– Responses:*

Yes. – **Oes**
No, I'm sorry we're full.
– **Na, mae'n flin gyda fi. Rydyn ni'n llawn.***
– **Na, mae'n ddrwg gen i. Rydyn ni'n llawn.***

(ii) Cofrestru – Registering

Staff *– Staff:*

Will you ..., please. – **Wnewch chi ..., os gwelwch yn dda.**

...sign the registration book – **...arwyddo'r llyfr cofrestru**
...complete a registration form – **...lenwi ffurflen gofrestru**
...sign this – **...lofnodi hwn**

Trafod prydau
Discussing meals

Cwestiynau *– Questions:*

When is breakfast? – **Pryd mae brecwast?**
What time do you serve dinner? – **Faint o'r gloch rydych chi'n gweini swper?**
When does the bar close? – **Pryd mae'r bar yn cau?**
Do you provide children's meals? – **Ydych chi'n darparu prydau plant?**
Is there a vegetarian menu? – **Oes bwydlen lysieuol?**
Is there room service? – **Oes gwasanaeth stafell?**

Ymateb *– Responses:*

From seven to nine thirty. – **O saith tan hanner awr wedi naw.**
There's room service all day. – **Mae gwasanaeth stafell drwy'r dydd.**
There's a full choice menu in the restaurant. – **Mae bwydlen lawn yn y bwyty.**
Snacks are available at the bar. – **Mae byrbrydau ar gael o'r bar.**
The bar is open until midnight. – **Mae'r bar ar agor tan hanner nos.**

Yes/No:

Ydych chi? is answered **YDYN / NAC YDYN** (We…)
Oes? is answered **OES / NAC OES**

For a full list of terms see ***PART B Section 3.***

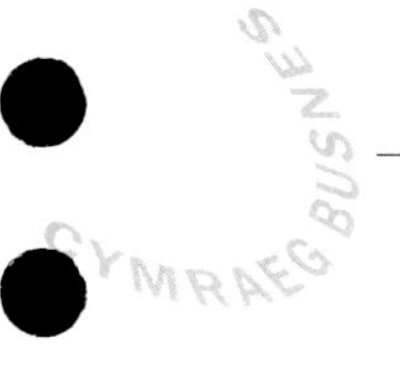

CAFFIS A BWYTAI
CAFES AND RESTAURANTS

Gofyn am fwrdd
Asking for a table

A table for two, please. – **Bwrdd i ddau, os gwelwch yn dda.**
May I have a table for three, please? – **Ga i fwrdd i dri, os gwelwch yn dda?**
Have you got a table for four, please?
  – **Oes bwrdd i bedwar gyda chi, os gwelwch yn dda?***
  – **Oes gynnoch chi fwrdd i bedwar, os gwelwch yn dda?***
I've reserved a table for eight o'clock. – **Dw i wedi cadw bwrdd am wyth o'r gloch.**
I've reserved a table in the name of Evans. – **Dw i wedi cadw bwrdd yn enw Evans.**

***Ymateb** – Responses:*
Come with me, please. – **Dewch gyda fi, os gwelwch yn dda.**
This way, please. – **Y ffordd yma, os gwelwch yn dda.**

Have you reserved a table, sir/madam? – **Ydych chi wedi cadw bwrdd, syr/madam?**

Yes. (I have) – **Ydw.**
No. (I haven't) – **Nac ydw.**

***Nodyn** – Note:*

*You will also hear **'bwcio'** being used for 'to book'.*

Cynnig bwrdd
Offering a table

A table for two, sir/madam? – **Bwrdd i ddau, syr/madam?**
Would you like a table in the corner? – **Fasech chi'n hoffi bwrdd yn y gornel?**
There's a table for four over here. – **Mae bwrdd i bedwar fan'ma.**
There's room for six by the window. – **Mae lle i chwech wrth y ffenest.**

Cymryd archebion
Taking orders

Are you ready to order? – **Ydych chi'n barod i archebu?**
Would you like to see the wine list? – **Fasech chi'n hoffi gweld y rhestr winoedd?**

The first course / The entrée...? – **Y cwrs cyntaf...?**
And the main course...? – **A'r prif gwrs...?**
And the next course...? – **A'r cwrs nesaf...?**

Would you like a sweet/dessert? – **Fasech chi'n hoffi pwdin?**
Would you like to see the sweet/dessert trolley? – **Fasech chi'n hoffi gweld y troli pwdin?**

Ymateb *– Responses:*

Yes (I am). – **Ydw.**
Yes (we are). – **Ydyn.**
Yes (I would) please. – **Baswn, os gwelwch yn dda**.
Yes (we would) please. – **Basen, os gwelwch yn dda**.
No, thank you – **Dim diolch**
Not yet, thank you – **Dim eto, diolch.**

Nodyn *– Note:*

'Hoffech chi?' *is also used to ask* 'would you like?' *It causes a Soft Mutation.*

Hoffech chi weld y rhestr winoedd?
Hoffech chi bwdin?

The replies are: **Hoffwn** (Yes, I would) *or* **Hoffen** (Yes, we would)

Archebu
Ordering

May I have... – **Ga i...**
May we have... – **Gawn ni...**
I'd like to order... – **Baswn i'n hoffi archebu...**
I'd like to have... – **Baswn i'n hoffi cael...**

...to start/begin with. – **...i ddechrau.**
Then... – **Wedyn...**
And to finish... – **Ac i orffen...**

...for one. – **...i un.**
...for two. – **...i ddau.**

Do you have (any)...? / Have you got (any)...?
– **Oes... gyda chi?***
– **Oes gynnoch chi...?***

Ymateb – *Responses:*

Thank you, sir/madam. – **Diolch, syr/madam.**
Yes. (We do) – **Oes.**
No. (We don't) – **Nac oes.**

Nodiadau – *Notes:*

You will also hear ***'Hoffwn i'*** *(+ Soft Mutation) being used for 'I'd like (to) ...*
Hoffwn i archebu...
Hoffwn i gael...

For a full list of terms see ***PART B Section 3.***
Or use the ***Acen Helpline.***

YMHOLIADAU
ENQUIRIES

Gofyn am rywun
Asking for someone

Excuse me. – **Esgusodwch fi.**
May I see the manager, please? – **Ga i weld y rheolwr, os gwelwch yn dda?**

Gofyn am help
Asking for help

Excuse me. – **Esgusodwch fi.**
Can you help? – **Allwch chi helpu?**
Can you help me? – **Allwch chi fy helpu i?**

(i) Ble...? – Where...?
Where's the restaurant? – **Ble mae'r bwyty?**
Where are the Welsh books? – **Ble mae'r llyfrau Cymraeg?**

(ii) Oes...? – Is there a/Are there any...?
Is there a changing room? – **Oes stafell newid?**
Are there any toilets? – **Oes toiledau?**
Is there a kitchenware department? – **Oes adran offer cegin?**

Ymateb *– Responses:*

Yes. (There is/are) – **Oes.**
No. (There isn't/aren't) – **Na / Nac oes.**
I'm sorry.
– **Mae'n flin gyda fi.***
– **Mae'n ddrwg gen i.***

The phrase **Oes na...?** *is also used and causes a Soft Mutation of the next word. e.g.*
Are there any toilets? – **Oes 'na doiledau?**

(iii) Oes... gyda chi?/Oes gynnoch chi...? – Have you got...?

Have you got anything on local history?
- **Oes unrhyw beth ar hanes lleol gyda chi?***
- **Oes gynnoch chi unrhyw beth ar hanes lleol?***

Have you got any books for Welsh learners?
- **Oes llyfrau i ddysgwyr gyda chi?***
- **Oes gynnoch chi lyfrau i ddysgwyr?***

Ymateb:

Yes. – **Oes.**
No. – **Na. / Nac oes.**
I'm sorry.
- **Mae'n flin gyda fi.***
- **Mae'n ddrwg gen i.***

(iv) Ydych chi'n...? – Do you...?

Do you stock Welsh records?
- **Ydych chi'n cadw recordiau Cymraeg?**

Do you sell ice cream?
- **Ydych chi'n gwerthu hufen iâ?**

Ymateb – *Responses:*

Yes. (We do) – **Ydyn.**
No. (We don't) – **Na. / Nac ydyn.**
I'm sorry
- **Mae'n flin gyda fi.***
- **Mae'n ddrwg gen i.***

Rhoi cyfarwyddiadau
Giving directions

Here they are! – **Dyma nhw!**
There they are! – **Dyna nhw!**
There isn't one. – **Does dim un.**
There aren't any. – **Does dim.**

By the… – **Wrth y…**
Near the… – **Yn ymyl y…**
Next to the… – **Nesa at y…**
In the far corner. – **Yn y gornel bella.**

On the left. – **Ar y chwith.**
On the right. – **Ar y dde.**

Downstairs. – **I lawr y grisiau.**
Upstairs. – **I fyny'r grisiau.**

In the basement. – **Ar yr islawr.**
On this floor. – **Ar y llawr yma.**
On the ground floor. – **Ar y llawr isa.**
On the first floor. – **Ar y llawr cynta**
On the second floor. – **Ar yr ail lawr.**
On the third floor. – **Ar y trydydd llawr.**
On the top floor. – **Ar y llawr ucha.**

For help with specific departments or sections see ***PART C Section 1.***
Or use the ***Acen Helpline.***

TALU
PAYING

Trafod prisiau
Discussing prices

Cwestiynau – *Questions:*

How much is/are… please? – **Faint ydy… os gwelwch yn dda?**
How much is this? – **Faint ydy hwn?**
How much are these? – **Faint ydy'r rhain?**

Ymateb – *Responses:*

Eighty nine pence. – **Wyth deg naw ceiniog.**
One pound seventy five. – **Punt saith deg pump.**

Trafod dulliau talu
Discussing ways of paying

Staff:

How do you want to pay? – **Sut rydych chi eisiau talu?**
How would you like to pay? – **Sut basech chi'n hoffi talu?**

Ymateb – *Responses:*

Cash. – **Arian.**
Cheque. – **Siec.**
Access/Visa/Switch etc. – **Access/Visa/Switch etc.**
Banker's Card. – **Cerdyn Banc.**
Credit card. – **Cerdyn credyd.**
Credit. – **Credyd.**

Cwsmer/Gwestai *– Customer/Guest:*

Can I pay by cheque?
  – **Alla i dalu drwy siec?**
  – **Alla i dalu gyda/efo siec?***
Is Access/Visa all right? – **Ydy Access/Visa yn iawn?**
Is credit available? – **Oes credyd ar gael?**

Staff:

Yes, that's fine. – **Popeth yn iawn.**
Yes. (You can) – **Gallwch.**
Yes. (It is) – **Ydy.**
Yes. (There is) – **Oes.**
No, I'm sorry.
  – **Na, mae'n flin gyda fi.***
  – **Na, mae'n ddrwg gen i.***
We don't take credit cards. – **Dydyn ni ddim yn cymryd cardiau credyd.**
We don't offer credit. – **Dydyn ni ddim yn cynnig credyd.**

Nodyn *– Note:*

The phrase **'Sut hoffech chi dalu?'** *is also used to ask* 'How would you like to pay?'

*For a complete list of numbers and money forms see **PART C Section 3.***
*Or use the **Acen Helpline.***

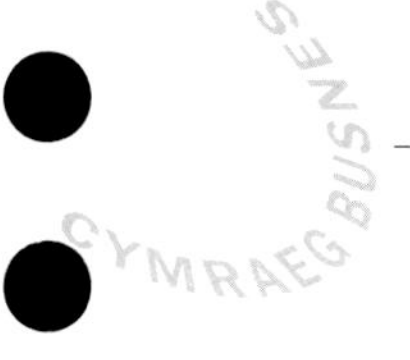

CYHOEDDIADAU
ANNOUNCEMENTS

These are announcements to hear and understand or bilingual messages to be announced. For advice on business or company specific announcements please consult the ***Acen Helpline.***

Gwybodaeth i staff
Staff information

Mr Davies to the Gardening Department, please.
– **Mr Davies i'r Adran Arddio, os gwelwch yn dda.**

Miss Hughes to the Office, please. – **Miss Hughes i'r Swyddfa, os gwelwch yn dda.**

Assistant to check-out three, please. – **Cynorthwyydd i gownter talu tri, os gwelwch yn dda.**

Shift two to lunch. – **Shifft dau i ginio.**

Gwybodaeth i gwsmeriaid
Customer information

Today, there are special offers in the Music Department.
– **Heddiw, mae bargeinion arbennig i'w cael yn yr Adran Gerddoriaeth.**

Will the owner of car number P 123 ABC please come to the information desk?
– **A wnaiff perchennog car, rhif P 123 ABC, ddod at y ddesg wybodaeth, os gwelwch yn dda?**

Will the parents of a five year old boy called Ceri please come to the information desk?
– **A wnaiff rhieni bachgen pump oed, o'r enw Ceri, ddod at y ddesg wybodaeth, os gwelwch yn dda?**

DIOLCH A FFARWELIO
THANKING AND SAYING GOODBYE

Gadael *– Leaving:*

Thank you. – **Diolch.**
Thank you very much. – **Diolch yn fawr.**

Cheerio! – **Hwyl!**
Goodbye! – **Hwyl fawr!/Da bo chi!**

Ymateb *– Responses:*

Thank you. – **Diolch i chi.**
Thank you for calling. – **Diolch am alw.**

I hope you've had an enjoyable stay/visit.
– **Gobeithio eich bod chi wedi mwynhau eich ymweliad.**
Have a good journey.
– **Siwrnai dda.**
– **Gobeithio cewch chi daith dda.**
Have a good day. / Enjoy your day. – **Mwynhewch eich diwrnod.**

Come back soon. – **Dewch nôl yn fuan.**
See you next time. – **Welwn ni chi y tro nesa.**

Cheerio! – **Hwyl!**
Goodbye! – **Hwyl fawr!/Da bo chi!**
Good night. – **Nos da.**

ADRAN 6
SGWRSIO ANFFURFIOL

SECTION 6
INFORMAL CONVERSATION

Yn yr Adran hon – In this Section

CYFARCH A CHYFLWYNO
GREETING AND INTRODUCTIONS

Cyfarch – Greeting
Cyflwyno – Introductions

Y TYWYDD
THE WEATHER

Sylwadau cyffredinol – General comments
Poeth ac oer – Hot and cold

IECHYD
HEALTH

Holi am iechyd rhywun
– Asking about someone's health
Sôn am gyflwr iechyd presennol
– Talking about your present state of health
Dweud beth oedd yn bod
– Saying what was the matter

CARTREF A THEULU
HOME AND FAMILY

Trafod ble mae pobl yn byw
– Discussing where people live
Trafod y teulu
– Discussing the family

HAMDDEN
LEISURE

Holi am ddiddordebau –
– Asking about interests
Holi am glybiau –
– Asking about clubs

GWAITH
WORK

Holi hynt
– Asking how things are
Mynegi teimladau am y gwaith
– Expressing feelings about the work
Mynegi teimladau am bobl
– Expressing feelings about people

GWYLIAU
HOLIDAYS

Edrych ymlaen – Looking forward
Edrych yn ôl – Looking back

BWRIADAU A DYMUNIADAU
INTENTIONS AND WISHES

Bwriadau – Intentions
Dymuniadau – Wishes

PROFIADAU'R GORFFENNOL
PAST EXPERIENCES

Siarad am brofiadau
– Talking about experiences
Holi am brofiadau
– Asking about experiences

DIGWYDDIADAU'R DYFODOL
FUTURE EVENTS

Siarad am drefniadau
– Talking about arrangements
Holi am drefniadau
– Asking about arrangements

DOD Â'R SGWRS I BEN
ENDING THE CONVERSATION

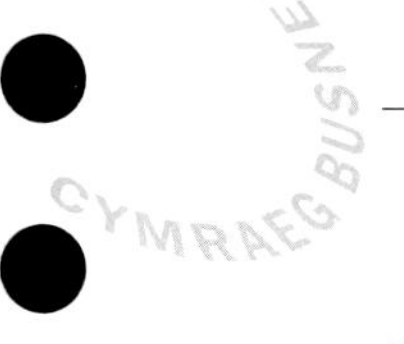

CYFARCH A CHYFLWYNO
GREETING AND INTRODUCTIONS

These are basic phrases. **CHI** forms are used to refer to more than one person or to one person where the relationship is more formal; **TI** forms are used with someone you know well or a young person.

Cyfarch
Greeting

Good morning. – **Bore da.**
Good afternoon. – **Prynhawn da/Pnawn da.**
Good evening. – **Noswaith dda.**

Hello there!
– **Shwmai!***
– **S'mae!***
Hello, how are you?
– **Helo, shwd ych chi?***
– **Helo, shwd wyt ti?***
– **Helo, sut dach chi?***
– **Helo, sut wyt ti?***

Ymateb – *Responses:*

Fine, thank you. – **Iawn, diolch.**
Very well, thank you. – **Da iawn, diolch.**
Quite well. – **Eitha da.**
And you?
– **A chithau?**
– **A tithau?**

Cyflwyno
Introductions

I'm Rhys. – **Rhys ydw i.**
This is Elen. – **Dyma Elen.**
John, this is Sara Evans. – **John, dyma Sara Evans.**
This is Cai, from Design. – **Dyma Cai, o'r Adran Ddylunio.**
Do you know... ?
– **Ydych chi'n nabod...?**
– **Wyt ti'n nabod...?**
Do you know each other? – **Ydych chi'n nabod eich gilydd?**

Cwestiynau – *Questions:*

Who are you? – **Pwy ydych chi?**
Who is he? – **Pwy ydy e/o?***
Who is she? – **Pwy ydy hi?**
Who are they? – **Pwy ydyn nhw?**

Yes / No:

Ydych chi? *is answered* **YDW / NAC YDW** (I...) *or* **YDYN / NAC YDYN** (We...)
Wyt ti? *is answered* **YDW / NAC YDW** (I...)

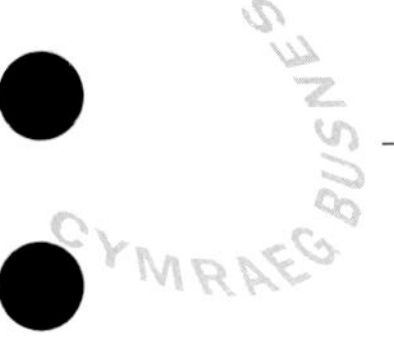

Y TYWYDD
THE WEATHER

Sylwadau cyffredinol
General comments

It's fine. – **Mae'n braf.**
It's cold. – **Mae'n oer.**
It's hot today.
– **Mae'n dwym heddiw.***
– **Mae'n boeth heddiw.***

It's a fine day. – **Mae'n ddiwrnod braf.**
It's an awful day. – **Mae'n ddiwrnod ofnadwy.**

It's fine, isn't it?
– **Mae'n braf, on'd ydy?**
– **Mae'n braf, on'd yw hi?***
– **Mae'n braf, tydi?***

By Jove, it's hot!
– **Jiw, jiw, mae'n dwym!***
– **'Rargian, mae'n boeth!***

Ymateb – *Responses*:

Yes. (It is) – **Ydy.**
Yes, indeed! – **Ydy, wir!**

Poeth ac oer
Hot and cold

This room is cold.
– **Mae'r stafell 'ma'n oer.**
This room is hot.
– **Mae'r stafell 'ma'n dwym.***
– **Mae'r stafell 'ma'n boeth.***
It's warm in here.
– **Mae'n dwym yma.***
– **Mae'n gynnes yma.***

Is the heating on?
– **Ydy'r gwres ymlaen?**
Is there heating in this place?
– **Oes gwres yn y lle 'ma?**
– **Oes 'na wres yn y lle 'ma?**
Is the air conditioning working?
– **Ydy'r system awyru'n gweithio?**

Yes / No:

Ydy? *is answered* **YDY / NAC YDY**.
Oes? *is answered* **OES / NAC OES**.

Nodyn *– Note:*

Twym *is used for* 'hot' *and* 'warm' *in some parts of South Wales.*

IECHYD
HEALTH

These are Statements and Question and Answer patterns for basic conversations. They are not intended to cover all situations. **CHI** forms are used to ask about more than one person or where the relationship is more formal; **TI** forms are used to question someone you know well or a young person.

Holi am iechyd rhywun
Asking about someone's health

Are you better?
- **Ydych chi'n well?**
- **Wyt ti'n well?**

How are you feeling by now?
- **Sut rydych chi'n teimlo erbyn hyn?**
- **Sut rwyt ti'n teimlo erbyn hyn?**

What have you done?
- **Beth rydych chi wedi'i wneud?**
- **Beth rwyt ti wedi'i wneud?**

How's the cold? – **Sut mae'r annwyd?**
How's your hand? – **Sut mae'r llaw?**
How's your back? – **Sut mae'r cefn?**

Is your back better? – **Ydy'r cefn yn well?**
Are your eyes all right – **Ydy'r llygaid yn iawn?**

Nodyn – *Note:*

Referring in Welsh to **'y cefn'** (the back), **y llygaid** (the eyes) *avoids using* **'eich'** (your – formal) *and* **'dy'** (your – informal) + *mutations.*

Sôn am gyflwr iechyd presennol
Talking about your present state of health

I don't feel well. – **Dw i ddim yn teimlo'n dda.**
I've got a headache.
  – **Mae pen tost gyda fi.***
  – **Mae gen i gur pen.***
I've got a bad cold.
  – **Mae annwyd trwm arna i.***
  – **Mae gen i annwyd trwm.***
I've hurt my hand. – **Dw i wedi brifo fy llaw.**
I've strained my back. – **Dw i wedi sigo (fy) nghefn.**
I've hurt my wrist. – **Dw i wedi brifo fy arddwrn.**
I've sprained my ankle.
  – **Dw i wedi troi fy migwrn.***
  – **Dw i wedi troi fy ffêr.***
I've had a car accident. – **Dw i wedi cael damwain car.**

I'm better, thank you. – **Dw i'n well, diolch.**
Much better, thank you. – **Llawer gwell, diolch.**

Yes / No:

Ydych chi? *and* **Wyt ti?** *are both answered* **YDW / NAC YDW** (I…)
Ydy? *is answered* **YDY / NAC YDY** (It…) *or* **YDYN / NAC YDYN** (They…)

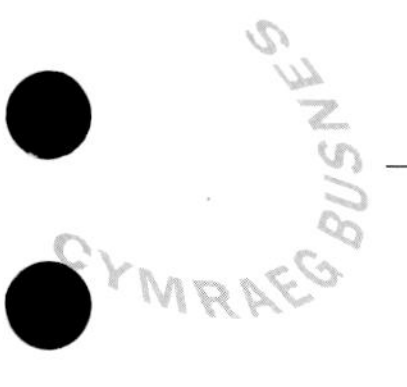

DWEUD BETH OEDD YN BOD
SAYING WHAT THE MATTER WAS

***Cwestiynau** – Questions:*

Have you been ill?
– **Ydych chi wedi bod yn dost/sâl?***
– **Wyt ti wedi bod yn dost/sâl?***
What was the matter?
– **Beth oedd yn bod?**
What was the matter with you?
– **Beth oedd yn bod arnoch chi?**
– **Beth oedd yn bod arnat ti?**

***Ymateb** – Responses:*

A bad cold. – **Annwyd trwm.**
The flu. – **Y ffliw.**
Food poisoning. – **Gwenwyn bwyd.**
I had a heavy cold.
– **Roedd annwyd trwm arna i.***
– **Roedd gen i annwyd trwm.***
I had a car accident. – **Ces i ddamwain car.**

Yes / No:

Ydych chi? *and* **Wyt ti?** *are both answered* **YDW / NAC YDW** (I…)

CARTREF A THEULU
HOME AND FAMILY

These are Statements and Question and Answer patterns for basic conversations. They are not intended to cover all situations. **CHI** forms are used to ask about more than one person or where the relationship is more formal; **TI** forms are used to question someone you know well or a young person.

Trafod ble mae pobl yn byw
Discussing where people live

I live in... – **Dw i'n byw yn...**
I come from... – **Dw i'n dod o...**
I've just moved to... – **Dw i newydd symud i...**
We live in... – **Rydyn ni'n byw yn...**
We've just moved to live in... – **Rydyn ni newydd symud i fyw yn...**

Cwestiynau *– Questions:*

Where do you live?
- **Ble rydych chi'n byw?**
- **Ble rwyt ti'n byw?**

Do you live locally?
- **Ydych chi'n byw yn lleol?**
- **Wyt ti'n byw yn lleol?**

Yes / No:

Ydych chi? *is answered* **YDW / NAC YDW** (I...) *or* **YDYN / NAC YDYN** (We...)
Wyt ti? *is answered* **YDW / NAC YDW** (I...)

Nodyn *– Note:*

Place names following **YN** (in) *will take the Nasal Mutation if they begin in* **P, T, C, B, D, G.**
Place names following **O** (from) *will take the Soft Mutation if they begin in* **P, T, C, B, D, G, M, LL, RH.**

Trafod y teulu
Discussing the family

Cwestiynau *– Questions:*

How's the family? – **Sut mae'r teulu?**
How's your husband? – **Sut mae'r gŵr?**
How's your wife? – **Sut mae'r wraig?**
How's your partner? – **Sut mae'r partner?**
How are the children? – **Sut mae'r plant?**
How's your father? – **Sut mae'ch tad? / Sut mae dy dad?**
How's your mother? – **Sut mae'ch mam? / Sut mae dy fam?**

Is… better? – **Ydy… yn well?**
Is your… better? – **Ydy'ch… yn well? / Ydy dy… yn well?**

Ymateb *– Responses:*

Very well, thank you. – **Da iawn, diolch.**
He hasn't been too well recently.
  – **Dydy e/o ddim wedi bod yn rhy dda yn ddiweddar.***
She hasn't been too well recently. – **Dydy hi ddim wedi bod yn rhy dda yn ddiweddar.**
Still growing! – **Dal i dyfu!**

Yes / No:

Ydy? *is answered* **YDY / NAC YDY** (He/She…) *or* **YDYN / NAC YDYN** (They…)

Sylwadau pellach – *Further comment:*

I'm sorry to hear that.
- **Mae'n flin gyda fi glywed hynny.***
- **Mae'n ddrwg gen i glywed hynny.***

Give him my regards.
- **Cofiwch fi ato (fe/fo).***
- **Cofia fi ato (fe/fo).** *

Give her my regards.
- **Cofiwch fi ati (hi).**
- **Cofia fi ati (hi).**

Give my regards to your...
- **Cofiwch fi at eich...**
- **Cofia fi at dy...**

Nodiadau – *Notes:*

'Sut' *is usually pronounced* '**Shwd'** *in the South.*

Use **'Cofiwch'** *(+* **'eich'***) in a formal situation and* **'Cofia'** *(+***'dy'***) in an informal situation.*

Using **'dy'** *(your – informal) causes a Soft Mutation.*

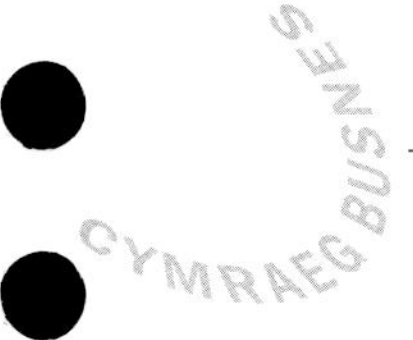

HAMDDEN
LEISURE

These are Statements and Question and Answer patterns for basic conversations. They are not intended to cover all situations. **CHI** forms are used to ask about more than one person or where the relationship is more formal; **TI** forms are used to question someone you know well or a young person.

Holi am ddiddordebau
Asking about interests

Do you like…?
- **Ydych chi'n hoffi…?**
- **Wyt ti'n hoffi…?**

Do you enjoy…?
- **Ydych chi'n mwynhau…?**
- **Wyt ti'n mwynhau…?**

Do you play…?
- **Ydych chi'n chwarae…?**
- **Wyt ti'n chwarae…?**

Yes / No:

Ydych chi? *is answered* **YDW / NAC YDW** (I…) *or* **YDYN / NAC YDYN** (We…)
Wyt ti? *is answered* **YDW / NAC YDW** (I…)

Holi am glybiau
Asking about clubs

Are you a member of a club?
– **Ydych chi'n aelod o glwb?**
– **Wyt ti'n aelod o glwb?**
Do you go to …club?
– **Ydych chi'n mynd i glwb…?**
– **Wyt ti'n mynd i glwb…?**
What do you think of it?
– **Beth rydych chi'n feddwl ohono fo/fe?***
– **Beth rwyt ti'n feddwl ohono fo/fe?***
What are the facilities like? – **Sut gyfleusterau sy 'na?**
Is it expensive? – **Ydy e/o'n ddrud?***

***Ymateb** – Responses:*

It's very good. – **Mae'n dda iawn.**
They're excellent. – **Maen nhw'n ardderchog.**
There's a swimming pool, a sauna, squash courts…
– **Mae pwll nofio, sauna, cyrtiau sboncen…**
– **Mae 'na bwll nofio, sauna, cyrtiau sboncen…**
It costs £30 a month. – **Mae'n costio tri deg punt y mis.**

Yes / No:

Ydych chi? *is answered* **YDW / NAC YDW** (I…) *or* **YDYN / NAC YDYN** (We…)
Wyt ti? *is answered* **YDW / NAC YDW** (I…)
Ydy? *is answered* **YDY / NAC YDY**

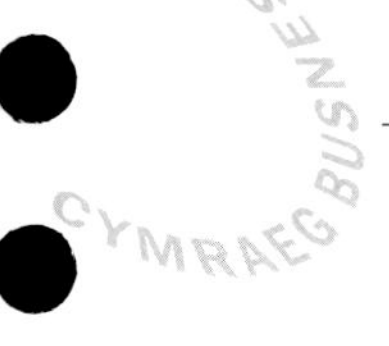

GWAITH
WORK

These are Statements and Question and Answer patterns for basic conversations. They are not intended to cover all situations. **CHI** forms are used to ask about more than one person or where the relationship is more formal; **TI** forms are used to question someone you know well or a young person.

Holi hynt
Asking how things are

How's the work going? – **Sut mae'r gwaith yn mynd?**
How are things in the Personnel Department? – **Sut mae pethau yn yr Adran Bersonél?**
How's the new assistant? – **Sut mae'r cynorthwyydd newydd?**
How's the boss? – **Sut mae'r bòs?**
How's the new member of staff? – **Sut mae'r aelod newydd o'r staff?**
How are you getting/do you get on with...?
– **Sut rydych chi'n dod ymlaen â...?**
– **Sut rwyt ti'n dod ymlaen â...?**

Ymateb – *Responses:*

Fine. / All right. – **Iawn.**
Excellent. – **Ardderchog.**
Busy. – **Prysur.**
He's a pain! – **Mae e/o'n boen!***
She's a fuss-pot! – **Mae hi'n ffyslyd!**

Mynegi teimladau am y gwaith
Expressing feelings about the work

I'm tired! – **Dw i wedi blino!**
I'm exhausted! – **Dw i wedi blino'n lân!**

I'm fed up! – **Dw i wedi cael llond bol!**
I'm fed up with this!
 – **Dw i wedi cael llond bol ar hwn!**
 – **Dw i wedi alaru ar hwn!**

I've got a lot to do.
 – **Mae llawer gyda fi i'w wneud.***
 – **Mae gen i lawer i'w wneud.***
I've got too much to do.
 – **Mae gormod gyda fi i'w wneud!***
 – **Mae gen i ormod i'w wneud!***
I'm behind with the work.
 – **Dw i ar ei hôl hi gyda'r gwaith.***
 – **Dw i ar ei hôl hi efo'r gwaith.***
The work is boring. – **Mae'r gwaith yn ddiflas.**
This job (post) is very boring. – **Mae'r swydd yma'n ddiflas iawn.**
It's boring work. – **Mae'n waith diflas.**
It's a boring job (post). – **Mae'n swydd ddiflas.**

The work is interesting. – **Mae'r gwaith yn ddiddorol.**
The job (post) is very interesting. – **Mae'r swydd yn un ddiddorol iawn.**
It's interesting work. – **Mae'n waith diddorol.**
It's an interesting job (post). – **Mae'n swydd ddiddorol.**

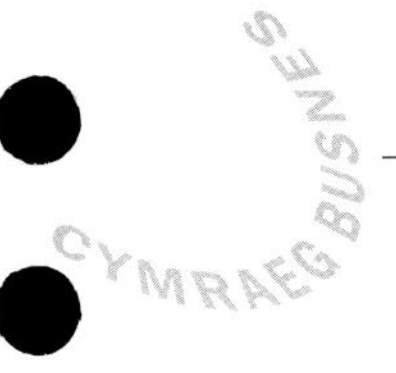

Mynegi teimladau am bobl
Expressing feelings about people

The boss is a pain!
– **Mae'r bòs yn boen!**

...is great!
– **Mae... yn grêt!**
– **Mae... yn wych!**

...is lazy.
– **Mae... yn ddiog.**

...is a waster!
– **Mae... yn bwdryn!***
– **Mae... yn ddiogyn!***

...is a fuss-pot!
– **Mae... yn (un) ffyslyd!**

GWYLIAU
HOLIDAYS

These are Statements and Question and Answer patterns for basic conversations. They are not intended to cover all situations. **CHI** forms are used to ask about more than one person or where the relationship is more formal; **TI** forms are used to question someone you know well or a young person.

Edrych ymlaen
Looking forward

Gosodiadau *– Statements:*

I'm looking forward to the holidays. – **Dw i'n edrych ymlaen at y gwyliau.**
I'm looking forward to going away. – **Dw i'n edrych ymlaen at fynd i ffwrdd.**
I'm going on holiday next week. – **Dw i'n mynd ar wyliau yr wythnos nesa.**
I'm going to France in the summer. – **Dw i'n mynd i Ffrainc yn yr haf.**
I'm going away with friends. – **Dw i'n mynd i ffwrdd gyda ffrindiau.**
I'll be away for ten days. – **Bydda i i ffwrdd am ddeg diwrnod.**

I'm not going abroad this year.
– **Dw i ddim yn mynd dramor eleni.**
I won't be going.
– **Fydda i ddim yn mynd.**

We're having a fortnight in July.
– **Rydyn ni'n cael pythefnos ym mis Gorffennaf.**
We'll be staying with the family in Aberystwyth.
– **Byddwn ni'n aros gyda'r teulu yn Aberystwyth.**

We're not going away this year.
– **Dydyn ni ddim yn mynd i ffwrdd eleni.**
We won't be going.
– **Fyddwn ni ddim yn mynd.**

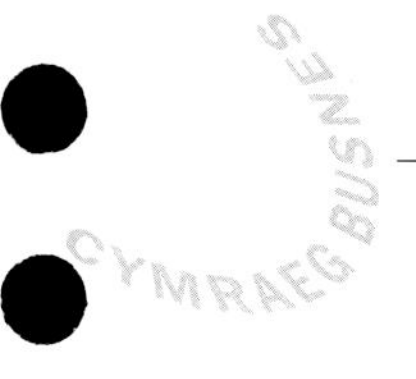

***Cwestiynau** – Questions:*

When are you on holiday?
- **Pryd rydych chi ar wyliau?**
- **Pryd rwyt ti ar wyliau?**

When do you go away?
- **Pryd rydych chi'n mynd i ffwrdd?**
- **Pryd rwyt ti'n mynd i ffwrdd?**

Where are you going?
- **Ble rydych chi'n mynd?**
- **Ble rwyt ti'n mynd?**

How long are you going for?
- **Am faint rydych chi'n mynd?**
- **Am faint rwyt ti'n mynd?**

How long for? / For how long?
- **Am faint?**

Are you going away?
- **Ydych chi'n mynd i ffwrdd?**
- **Wyt ti'n mynd i ffwrdd?**

Will you be away for long?
- **Fyddwch chi i ffwrdd yn hir?**
- **Fyddi di i ffwrdd yn hir?**

Will you be going as a family?
- **Fyddwch chi'n mynd fel teulu?**

Yes / No:

Ydych chi? *is answered* **YDW / NAC YDW** (I…) *or* **YDYN / NAC YDYN** (We…)
Wyt ti? *is answered* **YDW / NAC YDW** (I…)
Fyddwch chi? *is answered* **BYDDA / NA FYDDA** (I…) *or* **BYDDWN / NA FYDDWN** (We…)
Fyddi di? *is answered* **BYDDA / NA FYDDA** (I…)

Edrych yn ôl
Looking back

I had an excellent holiday. – **Ces i wyliau ardderchog.**
The weather was glorious. – **Roedd y tywydd yn fendigedig.**
We enjoyed ourselves very much. – **Mwynheuon ni yn fawr.**
We had a great time. – **Cawson ni amser gwych.**

It was awful! – **Roedd yn ofnadwy!**
It was a disaster! – **Roedd yn drychinebus!**

Cwestiynau *– Questions:*

How was the holiday?
– **Sut roedd y gwyliau?**
How did it go?
– **Sut aeth hi?**
What was the hotel like?
– **Sut un oedd y gwesty?**
How did you go?
– **Sut aethoch chi?**
– **Sut est ti?**
Where did you stay?
– **Ble arhosoch chi?**
– **Ble arhosaist ti?**
What did you do?
– **Beth wnaethoch chi?**
– **Beth wnest ti?**

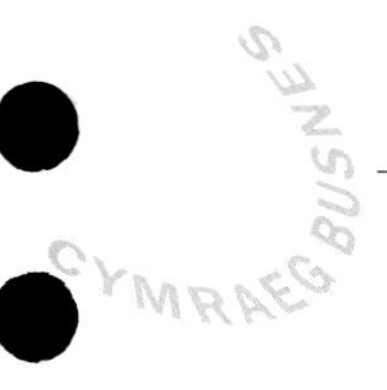

Did you have a good time?
– **Gawsoch chi amser da?**
– **Gest ti amser da?**
Did you enjoy yourself/yourselves?
– **Fwynheuoch chi?**
– **Fwynheuaist ti?**

Was the weather good? – **Oedd y tywydd yn dda?**
Were you there for long?
– **Oeddech chi yno'n hir?**
– **Oeddet ti yno'n hir?**

Yes / No:

All 'Did you…?' *questions are answered* **DO / NADDO**
Oeddech chi? *is answered* **OEDDWN / NAC OEDDWN** (I…) *or* **OEDDEN / NAC OEDDEN** (We…)
Oeddet ti? *is answered* **OEDDWN / NAC OEDDWN** (I…)
Oedd? *is answered* **OEDD / NAC OEDD**

BWRIADAU A DYMUNIADAU
INTENTIONS AND WISHES

These are Statements and Question and Answer patterns for basic conversations. They are not intended to cover all situations. **CHI** forms are used to ask about more than one person or where the relationship is more formal; **TI** forms are used to question someone you know well or a young person.

Bwriadau
Intentions

I'm going home early today. – **Dw i'n mynd adref yn gynnar heddiw.**
I'm going to leave early.
– **Dw i'n mynd i adael yn gynnar.**
– **Dw i am adael yn gynnar.**
I'll be working late tonight – **Bydda i'n gweithio'n hwyr heno.**
I intend to finish this first. – **Dw i'n bwriadu gorffen hwn yn gyntaf.**
I'm not going to do this today.
– **Dw i ddim yn mynd i wneud hyn heddiw.**
– **Dw i ddim am wneud hyn heddiw.**
I won't be available for the rest of the week.
– **Fydda i ddim ar gael am weddill yr wythnos.**

Cwestiynau – *Questions:*

Are you going early?
– **Ydych chi'n mynd yn gynnar?**
– **Wyt ti'n mynd yn gynnar?**
Do you intend working late?
– **Ydych chi'n bwriadu gweithio'n hwyr?**
– **Wyt ti'n bwriadu gweithio'n hwyr?**

Yes / No:

Ydych chi? *is answered* **YDW / NAC YDW** (I…) *or* **YDYN / NAC YDYN** (We…)
Wyt ti? *is answered* **YDW / NAC YDW** (I…)

Dymuniadau
Wishes

I want to leave early. – **Dw i eisiau gadael yn gynnar.**
I'd like to have a day off next week. – **Baswn i'n hoffi cael diwrnod rhydd yr wythnos nesa.**
I'd like to get/find a new job (post). – **Baswn i'n hoffi cael swydd newydd.**
I'd like to retire early. – **Baswn i'n hoffi ymddeol yn gynnar.**

Cwestiynau – *Questions:*

Do you want to go early?
– **Ydych chi eisiau mynd yn gynnar?**
– **Wyt ti eisiau mynd yn gynnar?**
Would you like to retire early?
– **Fasech chi'n hoffi ymddeol yn gynnar?**
– **Faset ti'n hoffi ymddeol yn gynnar?**

Nodiadau – *Notes:*

Ydych chi? / Wyt ti? *are answered* **YDW / NAC YDW** (I...)
Fasech chi? / Faset ti? *are answered* **BASWN / NA FASWN** (I...)

HOFFWN I *is an alternative way of expressing* 'I would like (to)...' *It is followed by a Soft Mutation.*
e.g.
Hoffwn i gael diwrnod rhydd yr wythnos nesa.

'Eisiau' *is pronounced in many different ways throughout Wales; the main variations are* <**ishe**> *and* <**eishe**> *in the South and* <**isho**> *in the North.*
The alternative expression **'Dw i'n moyn'** *or* **'Wi moyn'** *(I want) is frequently used in the South.*

PROFIADAU'R GORFFENNOL
PAST EXPERIENCES

These are Statements and Question and Answer patterns for basic conversations. They are not intended to cover all situations. **CHI** forms are used to ask about more than one person or where the relationship is more formal; **TI** forms are used to question someone you know well or a young person.

Siarad am brofiadau
Talking about experiences

I had a good time last night. – **Ces i amser da neithiwr.**
I watched a good programme on television. – **Gwyliais i raglen dda ar y teledu.**
I went to the club Friday night. – **Es i i'r clwb nos Wener.**
I stayed in. – **Arhosais i yn y tŷ.**

We went to the cinema/pictures to see... – **Aethon ni i'r sinema/pictiwrs i weld...**
We didn't go out. – **Aethon ni ddim allan.**

It was a good game. – **Roedd hi'n gêm dda.**
It was an awful ffilm. – **Roedd hi'n ffilm ofnadwy.**
It was great. – **Roedd hi'n grêt/wych.**

Holi am brofiadau
Asking about experiences

What did you do?
- **Beth wnaethoch chi?**
- **Beth wnest ti?**

What did you watch?
- **Beth wylioch chi?**
- **Beth wyliaist ti?**

What did you see?
- **Beth weloch chi?**
- **Beth welaist ti?**

Where did you go?
- **Ble aethoch chi?**
- **Ble est ti?**

How did you go?
- **Sut aethoch chi?**
- **Sut est ti?**

Who did you go with?
- **Gyda pwy aethoch chi?***
- **Efo pwy aethoch chi?***
- **Gyda pwy est ti?***
- **Efo pwy est ti?***

Did you have a good time?
- **Gawsoch chi amser da?**
- **Gest ti amser da?**

Did you enjoy it?
- **Fwynheuoch chi?**
- **Fwynheuaist ti?**

Did you see the match?
- **Weloch chi'r gêm?**
- **Welaist ti'r gêm?**

What sort of game was it? – **Sut gêm oedd hi?**
Was it a good game? – **Oedd hi'n gêm dda?**
Were you late?
– **Oeddech chi'n hwyr?**
– **Oeddet ti'n hwyr?**

Yes / No:

All 'Did you...?' *questions are all answered* **DO / NADDO**
Oedd? *is answered* **OEDD / NAC OEDD**
Oeddet ti? *is answered* **OEDDWN / NAC OEDDWN**
Oeddech chi? *is answered* **OEDDWN / NAC OEDDWN** (I...) *or* **OEDDEN / NAC OEDDEN** (We...)

Nodyn Arbennig
Special Note

An alternative method of relating past experiences is to use these patterns followed by a Soft Mutation:

Wnes i... (I...) / **Wnaethon ni...** (We...)
Ddaru mi... (I...) / **Ddaru ni...** (We...)

In the negative, **'ddim'** *is used and there is no Soft Mutation.*

Wnes i ddim... (I didn't...) / **Wnaethon ni ddim...** (We didn't...)
Ddaru mi ddim... (I didn't...) / **Ddaru ni ddim...** (We didn't...)

In the question, the patterns again cause a Soft Mutation:

Wnaethoch chi...? (Did you...?) – **Do / Naddo** (Yes/No)
Ddaru chi... (Did you...?) – **Do / Naddo** (Yes/No)
Wnest ti...? (Did you...?) – **Do / Naddo** (Yes/No)
Ddaru ti... (Did you...?) – **Do / Naddo** (Yes/No)

e.g.

I went for a walk.
- **Wnes i fynd am dro.**
- **Ddaru mi fynd am dro.**

We played squash.
- **Wnaethon ni chwarae sboncen.**
- **Ddaru ni chwarae sboncen.**

I didn't watch television.
- **Wnes i ddim gwylio'r teledu.**
- **Ddaru mi ddim gwylio'r teledu.**

We didn't go out.
- **Wnaethon ni ddim mynd allan.**
- **Ddaru ni ddim mynd allan.**

Did you see the match? – Yes.
- **Wnaethoch chi weld y gêm? – Do.**
- **Ddaru chi weld y gêm? – Do.**

Where did you stay?
- **Ble wnest ti aros?**
- **Ble ddaru ti aros?**

DIGWYDDIADAU'R DYFODOL
FUTURE EVENTS

These are Statements and Question and Answer patterns for basic conversations. They are not intended to cover all situations. **CHI** forms are used to ask about more than one person or where the relationship is more formal; **TI** forms are used to question someone you know well or a young person.

Siarad am drefniadau
Talking about arrangements

I'm going to a conference on Friday. – **Dw i'n mynd i gynhadledd ddydd Gwener.**
I'll be away all day tomorrow. – **Bydda i i ffwrdd drwy'r dydd yfory.**
I've got to go to a meeting at two o'clock.
– **(Mae'n) rhaid i mi fynd i gyfarfod am ddau o'r gloch.**
We're going to see a play tonight. – **Rydyn ni'n mynd i weld drama heno.**
There's a party of visitors coming here next week.
– **Mae parti o ymwelwyr yn dod yma yr wythnos nesa.**

Holi am drefniadau
Asking about arrangements

What are you doing tonight?
– **Beth rydych chi'n wneud heno?**
– **Beth rwyt ti'n wneud heno?**
What will you be doing there?
– **Beth fyddwch chi'n wneud yno?**
– **Beth fyddi di'n wneud yno?**

Are you available tomorrow afternoon?
– **Ydych chi ar gael brynhawn yfory?**
– **Wyt ti ar gael brynhawn yfory?**
Will you be free on Thursday?
– **Fyddwch chi'n rhydd ddydd Iau?**
– **Fyddi di'n rhydd ddydd Iau?**

Ymateb – *Responses:*

Going out. – **Mynd allan.**
I'm going to the club. – **Dw i'n mynd i'r clwb.**
We're staying in. – **Rydyn ni'n aros i mewn/yn y tŷ**

Yes / No:

Ydych chi? *is answered* **YDW / NAC YDW** (I…) *or* **YDYN / NAC YDYN** (We…)
Wyt ti? *is answered* **YDW / NAC YDW**
Fyddwch chi? *is answered* **BYDDA / NA FYDDA** (I…) *or* **BYDDWN / NA FYDDWN** (We…)
Fyddi di? *is answered* **BYDDA / NA FYDDA** (I…)

DOD Â'R SGWRS I BEN
ENDING A CONVERSATION

These are basic phrases. **CHI** forms are used to refer to more than one person or to one person where the relationship is more formal; **TI** forms are used with someone you know well.

'Bye for now. – **Hwyl am y tro.**
I've got to go. – **(Mae'n) rhaid i mi fynd.**

I'll see you later.
– **Wela i chi nes ymlaen.**
– **Wela i di nes ymlaen.**
I'll see you tomorrow.
– **Wela i chi yfory.**
– **Wela i di yfory.**
I'll meet you in the canteen.
– **Gwrdda i chi yn y cantîn/ffreutur.**
– **Gwrdda i di yn y cantîn/ffreutur.**

ADRAN 7

O GWMPAS Y SWYDDFA

SECTION 7

AROUND THE OFFICE

Yn yr Adran hon – In this Section

GOFYN AM WYBODAETH
ASKING FOR INFORMATION

Ble?
– Where?
Pwy?
– Who?
Pryd?
– When?
Oes?
– Is there/Are there?
Oes gyda chi/gynnoch chi?
– Have you got?

TRAFOD PROBLEMAU
DISCUSSING PROBLEMS

Dweud fod problem
– Saying a problem exists
Gofyn a oes problem
– Asking if there's a problem
Datrys y broblem
– Solving the problem
Tawelu'r pryder
– Calming anxiety
Diolch
– Thanking

DEFNYDDIO OFFER
USING EQUIPMENT

Gofyn sut i ddefnyddio offer
– Asking how to use equipment
Defnyddio'r ffôn
– Using the phone
Defnyddio'r llungopïwr
– Using the photocopier
Defnyddio'r prosesydd geiriau
– Using the word processor
Defnyddio'r peiriant ffrancio
– Using the franking machine
Cynnig cymorth cyffredinol
– Offering general help

TREFNU GWNEUD TASGAU
GETTING TASKS DONE

Gorchmynion uniongyrchol
– Direct commands
Ceisiadau
– Requests

SICRHAU BOD TASG WEDI'I CHYFLAWNI
MAKING SURE A TASK HAS BEEN COMPLETED

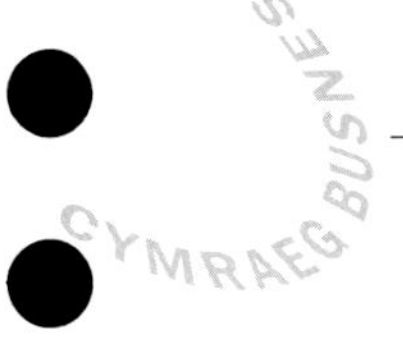

RHAN A – PART A
7

GOFYN AM WYBODAETH
ASKING FOR INFORMATION

Excuse me… – **Esgusodwch fi…**

Ble…?
Where…?

Where is the duplicating paper? – **Ble mae'r papur dyblygu?**
Where are the toilets? – **Ble mae'r toiledau?**
Where does Ms Lewis work? – **Ble mae Ms Lewis yn gweithio?**

Nodyn *– Note:*

Lle mae…? *is used in some areas instead of* '**Ble mae…?**'.

Pwy…?
Who…?

Who is responsible for the post? – **Pwy sy'n gyfrifol am y post?**
Who makes the coffee? – **Pwy sy'n gwneud y coffi?**

Who is the head of the department? – **Pwy ydy pennaeth yr adran?**
Who is Mr Williams' secretary? – **Pwy ydy ysgrifennydd/ysgrifenyddes Mr Williams?**

Expressing 'Whose?' *with* **pwy**, *in the sense of belonging to someone:*

Whose is this? – **Pwy biau hwn?**
Whose are these? – **Pwy biau'r rhain?**

Whose car is this? – **Car pwy ydy hwn?**
Whose papers are these? – **Papurau pwy ydy'r rhain?**

Pryd...?
When...?

When is lunchtime? – **Pryd mae amser cinio?**

When does the office close? – **Pryd mae'r swyddfa'n cau?**

When are you leaving? – **Pryd rydych chi'n gadael?**

Oes...?
Is there...?/Are there...?

Is there (any) A4 paper? – **Oes papur A4?**

Are there registration forms here? – **Oes ffurflenni cofrestru yma?**

Nodyn *– Note:*

'Oes 'na...?' *is an alternative to* '**Oes...?**', *but it causes a Soft Mutation of whatever follows:*

Oes 'na bapur A4?
Oes 'na ffurflenni cofrestru yma?

Oes... gyda chi?/Oes gynnoch chi...?*
Have you got...?

Have you got any paper?
– **Oes papur gyda chi?***
– **Oes gynnoch chi bapur?***

TRAFOD PROBLEMAU
DISCUSSING PROBLEMS

Dweud fod problem
Saying a problem exists

Drat! – **Daro!**
Damn! – **Damia!**

Excuse me… – **Esgusodwch fi…**
I'm sorry…
– **Mae'n flin gyda fi…***
– **Mae'n ddrwg gen i…***

I don't understand this. – **Dw i ddim yn deall hwn.**
I can't do this. – **Dw i ddim yn gallu gwneud hwn.**

I haven't been able to complete these. – **Dw i ddim wedi gallu cwblhau'r rhain.**
I haven't finished this. – **Dw i ddim wedi gorffen hwn.**
I haven't had time to do this. – **Dw i ddim wedi cael amser i wneud hwn.**

Gofyn a oes problem
Asking if there's a problem

Is there a problem? – **Oes problem?**
Is something the matter? – **Oes rhywbeth yn bod?**
Is there something wrong? – **Oes rhywbeth o'i le?**
Is everything all right? – **Ydy popeth yn iawn?**

Can I help?
– **Alla i helpu?**
– **Alla i fod o gymorth?**

***Ymateb** – Responses:*

Oes? *is answered* **OES** / **NAC OES**.
Ydy? *is answered* **YDY** / **NAC YDY**.
Alla i helpu? *is answered* **GALLWCH** / **NA ALLWCH** *(formal) or* **GELLI** / **NA ELLI** *(informal)*

Datrys y broblem
Solving the problem

It's broken. – **Mae e/o wedi torri.***
I think it's broken. – **Dw i'n meddwl ei fod e/o wedi torri.***
It needs an engineer. – **Mae angen peiriannydd.**
You have to call the maintenance department. – **Rhaid galw'r adran cynnal a chadw.**
Phone for a cleaner. – **Ffoniwch am lanhäwr.**
Ask... – **Gofynnwch i...**

Tawelu'r pryder
Calming anxiety

Don't worry!
– **Peidiwch becso!***
– **Peidiwch â phoeni!***
It doesn't matter! – **Does dim ots!**
There's no hurry. – **Does dim brys.**

Diolch
Thanking

Thank you (very much). – **Diolch (yn fawr).**
Thanks for helping. – **Diolch am helpu.**
Thanks for you help.
– **Diolch am yr help.**
– **Diolch am eich cymorth.**

Ymateb *– Responses:*

You're welcome! – **Croeso!**
Don't mention it!
– **Popeth yn iawn!**
– **Peidiwch â sôn!**

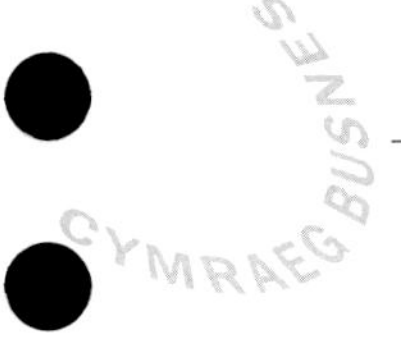

DEFNYDDIO OFFER
USING EQUIPMENT

Gofyn sut i ddefnyddio offer
Asking how to use equipment

Excuse me. – **Esgusodwch fi.**
How does this work? – **Sut mae hwn yn gweithio?**
How do you use this? – **Sut mae defnyddio hwn?**
I've (got) a problem.
– **Mae problem 'da fi.***
– **Mae gen i broblem.***
I've done something wrong. – **Dw i wedi gwneud rhywbeth o'i le.**
I've lost everything. – **Dw i wedi colli popeth.**

***Nodyn** – Note:*

Sut *is often pronounced as* '**Shwd/Shwt**' *in the South.*

Defnyddio'r ffôn
Using the phone

There are two lines.
– **Mae dwy lein.**
– **Mae 'na ddwy lein.**
There's only one line. – **Dim ond un lein sy 'na.**
When the phone rings, press the button which is flashing.
– **Pan fydd y ffôn yn canu, pwyswch y botwm sy'n fflachio.**
To transfer a call, press... – **I drosglwyddo galwad, pwyswch...**
To get an outside line, press... and dial... – **I gael lein allan, pwyswch... a deialwch...**

Defnyddio'r llungopïwr
Using the photocopier

Place the document to be copied face down.
– **Rhowch y ddogfen i'w chopïo wyneb i waered.**
Select the number of copies you want. – **Dewiswch faint o gopïau rydych chi eisiau.**
To enlarge the copy, press this button. – **I wneud y copi yn fwy, pwyswch y botwm yma.**
To reduce the copy, press this button. – **I wneud y copi yn llai, pwyswch y botwm yma.**
Press this to make a copy. – **Pwyswch hwn i wneud copi.**
Remember to retrieve your original copy. – **Cofiwch fynd â'ch copi gwreiddiol.**

Defnyddio'r prosesydd geiriau
Using the word processor

To switch the machine on, press this. – **I droi'r peiriant ymlaen, pwyswch hwn.**
To get into the system... – **I fynd i mewn i'r system...**
To open a document... – **I agor dogfen...**
To save a document... – **I gadw dogfen...**
To look at the index... – **I edrych ar y mynegai...**
To print a document... – **I brintio dogfen...**
To close down... – **I gau i lawr...**
To turn the machine off... – **I ddiffodd y peiriant...**

Defnyddio'r peiriant ffrancio
Using the franking machine

Turn the machine on here. – **Trowch y peiriant ymlaen fan'ma.**
Check that the date is right.
– **Gwiriwch y dyddiad.**
– **Gwnewch yn siwr fod y dyddiad yn iawn.**
You can change the date like this. – **Mae'n bosib newid y dyddiad fel hyn.**
Press 'reset'. – **Pwyswch 'reset'.**
Decide how much you want to pay. – **Penderfynwch faint rydych chi eisiau'i dalu.**
There's a chart on the wall. – **Mae siart ar y wal.**
There's a chart in the book. – **Mae siart yn y llyfr.**
Feed the envelopes in. – **Bwydwch yr amlenni i mewn.**
One by one. – **Fesul un.**

Cynnig cymorth cyffredinol
Offering general help

If there's a problem, go and see... – **Os oes problem ewch i weld...**
If there's any problem I'll be in my room. – **Os oes unrhyw broblem, bydda i yn fy stafell.**
Come and tell me if there's a problem. – **Dewch i ddweud os oes problem.**
I'll be back soon. – **Bydda i nôl yn fuan.**
I'll be back to see how you're coping. – **Bydda i nôl i weld sut rydych chi'n ymdopi.**
I'll be back to see how you're getting on – **Bydda i nôl i weld sut rydych chi'n dod ymlaen.**

Nodyn – *Note:*

In formal office situations **'CHI'** *forms for statements and instructions ending in* **–WCH** *will be used. In less formal situations* **'TI'** *forms will be used for statements and* **–A** *endings in instructions,* **Pwysa, Cofia, Dewisa** *etc. but* **Rho** *(put),* **Gwna** *(make),* **Dere / Tyrd*** *(come),* **Paid** *(don't).*

TREFNU GWNEUD TASGAU
GETTING TASKS DONE

As in most languages, there is no one way in Welsh of giving commands. Some go for a direct approach, others prefer to make requests. Two lists are given here so that you can choose your own style.

Gorchmynion uniongyrchol
Direct commands

These all use the formal (– **wch***) forms of the verb.*
This direct approach can be softened by the addition of **'os gwelwch yn dda'** – please.

Arrange a conference. – **Trefnwch gynhadledd.**
Arrange a meeting with… – **Trefnwch gyfarfod â…**
Arrange accommodation for 5 people. – **Trefnwch lety i bump o bobl.**
Arrange accommodation for Mrs Hughes and me. – **Trefnwch lety i Mrs Hughes a fi.**
Arrange accommodation for… – **Trefnwch lety i…**
Arrange accommodation in a 3/4 star hotel.
– **Trefnwch lety mewn gwesty tair/pedair seren.**
Arrange an agenda. – **Trefnwch agenda.**
Arrange coffee for 6 people. – **Trefnwch goffi i chwech o bobl.**
Ask Brenda to come in. – **Gofynnwch i Brenda ddod i mewn.**

Book a plane ticket for me to… – **Trefnwch docyn awyren i mi i…**
Book a table for 8pm. – **Trefnwch fwrdd am wyth o'r gloch.**
Book a theatre ticket for me. – **Trefnwch docyn theatr i mi.**
Book a train ticket for me to… – **Trefnwch docyn trên i mi i…**
Book theatre tickets. – **Trefnwch docynnau theatr.**
Book train tickets. – **Trefnwch docynnau trên.**
Book flight tickets. – **Trefnwch docynnau awyren.**
Bring me a print-out. – **Dewch ag allbrint i mi.**

Collect the post on the way. – **Ewch i nôl y post ar y ffordd.**
Come in. – **Dewch i mewn.**
Copy the document onto a floppy disk. – **Gwnewch gopi o'r ddogfen ar ddisg meddal.**
Copy the document onto another disk. – **Gwnewch gopi o'r ddogfen ar ddisg arall.**
Copy the document onto the hard disk. – **Gwnewch gopi o'r ddogfen ar y disg caled.**

Do the post. – **Gwnewch y post.**
Download onto floppy disk. – **Llwythwch i lawr ar ddisg meddal.**

Fax this to (person). – **Cyfluniwch/Ffacsiwch hwn at...**
Fax these to (place). – **Cyfluniwch/Ffacsiwch y rhain i...**
File these. – **Ffeiliwch y rhain.**
File this under... – **Ffeiliwch hwn dan...**
File this. – **Ffeiliwch hwn.**
Finish these. – **Gorffennwch y rhain.**
Finish this. – **Gorffennwch hwn.**

Get the file on... – **Ewch i nôl y ffeil ar...**
Go and get me a... – **Ewch i nôl... i mi.**

Hire a room. – **Llogwch stafell.**
Hire the Board Room. – **Llogwch Stafell y Bwrdd.**

Leave a message for Mrs Charles. – **Gadewch neges i Mrs Charles.**
Leave a message for me. – **Gadewch neges i mi.**
Leave a message on the machine. – **Gadewch neges ar y peiriant.**
Leave it till tomorrow. – **Gadewch e/o tan yfory.***

Make 8 copies of this. – **Gwnewch wyth copi o hwn.**
Make 9 copies of these. – **Gwnewch naw copi o'r rhain.**
Make me a cup of coffee. – **Gwnewch ddisgled/baned o goffi i mi.***
Make me a cup of tea. – **Gwnewch ddisgled/baned o de i mi.***
Make sure that everyone can come. – **Gwnewch yn siŵr bod pawb yn gallu dod.**

Open a file for... – **Agorwch ffeil i...**
Open a file on... – **Agorwch ffeil ar...**
Open a window. – **Agorwch ffenest.**
Open the post first. – **Agorwch y post yn gyntaf.**
Open the windows. – **Agorwch y ffenestri.**
Order more paper. – **Archebwch ragor o bapur.**

Phone Mr Humphreys. – **Ffoniwch Mr Humphreys.**
Phone for a courier. – **Ffoniwch am gludydd.**
Photocopy these. – **Llungopïwch y rhain.**
Photocopy this. – **Llungopïwch hwn.**
Post this on the way out. – **Postiwch hwn ar y ffordd allan.**
Prepare a report about... – **Paratowch adroddiad am...**
Prepare a report for me. – **Paratowch adroddiad i mi.**
Prepare a report for... – **Paratowch adroddiad i...**
Prepare a report on... – **Paratowch adroddiad ar...**
Prepare for a meeting. – **Paratowch ar gyfer cyfarfod.**
Print the document. – **Argraffwch/Printiwch y ddogfen.**
Print the page. – **Argraffwch/Printiwch y dudalen.**
Print the sheet. – **Argraffwch/Printiwch y ddalen.**

Remember to make a copy. – **Cofiwch wneud copi.**
Remember to make two copies for the file. – **Cofiwch wneud dau gopi i'r ffeil.**

Save the document. – **Cadwch y ddogfen.**
Send the minutes out. – **Anfonwch y cofnodion allan.**
Send the papers to the members. – **Anfonwch y papurau at yr aelodau.**
Send these second class. – **Anfonwch y rhain ail ddosbarth.**
Send this first class. – **Anfonwch hwn dosbarth cyntaf.**
Shut the door. – **Caewch y drws.**

Take a message. – **Cymerwch neges.**
Take these to the post. – **Ewch â'r rhain i'r post.**
Take this to the Finance Department. – **Ewch â hwn i'r Adran Gyllid.**
Take this to (person). – **Ewch â hwn at ...**

Take this to (place). – **Ewch â hwn i ...**
Tell Mr Jones to come in. – **Dwedwch wrth Mr Jones am ddod i mewn.**
Tell... there's someone in reception for her.
– **Dwedwch wrth... fod rhywun yn y dderbynfa iddi (hi).**
Tell... there's someone in reception for him.
– **Dwedwch wrth... fod rhywun yn y dderbynfa iddo (fe/fo).***
Tell... there's a fax for her. – **Dwedwch wrth... fod neges gyflun/ffacs iddi (hi).**
Tell... there's a fax for him. – **Dwedwch wrth... fod neges gyflun/ffacs iddo (fe/fo).***
Travel to... – **Teithiwch i...**
Try and get hold of John Hughes. – **Ceisiwch gael gafael ar John Hughes.**
Type these letters. – **Teipiwch y llythyrau 'ma.**
Type this fax. – **Teipiwch y neges gyflun/ffacs 'ma.**
Type this letter. – **Teipiwch y llythyr 'ma.**
Type this note. – **Teipiwch y nodyn 'ma.**

Wash these cups/mugs. – **Golchwch y cwpanau/mygiau 'ma.**
Wash these dishes. – **Golchwch y llestri 'ma.**
Wash this cup/mug. – **Golchwch y cwpan/myg 'ma.**
Write a paper for... – **Ysgrifennwch bapur i...**
Write a speech. – **Ysgrifennwch araith.**

***Nodyn** – Note:*

Trefnu – *'to book' literally means 'to arrange' or 'to organise'.* **Bwcio** *is also used. You may also hear* **cadw** *(to reserve) and* **codi** *(with tickets) being used.*

Ceisiadau
Requests

Will you...? – **Wnewch chi...?.**
Would it be possible for you to...? – **Fasai'n bosib i chi...?**
Remember to... – **Cofiwch...**

Each of these requests causes a Soft Mutation of the next word:

...arrange a conference. – **...drefnu cynhadledd.**
...arrange a meeting with... – **...drefnu cyfarfod â...**
...arrange accommodation for 5 people. – **...drefnu llety i bump o bobl.**
...arrange accommodation for Mrs Hughes and me. – **...drefnu llety i Mrs Hughes a fi.**
...arrange accommodation for... – **...drefnu llety i...**
...arrange accommodation in a 3/4 star hotel.
– **...drefnu llety mewn gwesty tair/pedair seren.**
...arrange an agenda. – **...drefnu agenda.**
...arrange coffee for 6. – **...drefnu coffi i chwech.**
...ask Brenda to come in. – **...ofyn i Brenda ddod i mewn.**

...book a plane ticket for me. – **...drefnu tocyn awyren i mi.**
...book a table for 8pm. – **...drefnu bwrdd am wyth.**
...book a theatre ticket for me. – **...drefnu tocyn theatr i mi.**
...book a train ticket for me. – **...drefnu tocyn trên i mi.**
...book theatre tickets. – **...drefnu tocynnau theatr.**
...book train tickets. – **...drefnu tocynnau trên.**
...book flight tickets. – **...drefnu tocynnau awyren.**
...bring me a print-out. – **...ddod ag allbrint i mi.**

...collect the post on the way. – **...fynd i nôl y post ar y ffordd.**
...come in. – **...ddod i mewn.**
...copy the document onto a floppy disk. – **...wneud copi o'r ddogfen ar ddisg meddal.**
...copy the document onto another disk. – **... wneud copi o'r ddogfen ar ddisg arall.**
...copy the document onto the hard disk. – **...wneud copi o'r ddogfen ar y disg caled.**

...do the post. – **...wneud y post.**
...download onto floppy disk. – **...lwytho i lawr ar ddisg meddal.**

...fax this to (person). – **...gyflunio/ffacsio hwn at...**
...fax this to (place). – **...gyflunio/ffacsio hwn i...**
...file these – **...ffeilio'r rhain**
...file this under... – **...ffeilio hwn dan...**
...file this – **...ffeilio hwn...**
...finish these tomorrow. – **...orffen y rhain yfory.**
...finish this by Friday. – **...orffen hwn erbyn dydd Gwener.**

...get/fetch the file. – **...fynd i nôl y ffeil.**
...go and get/fetch me a... – **...fynd i nôl... i mi.**

...hire a room. – **...logi stafell.**
...hire the Board Room. – **...logi Stafell y Bwrdd.**

...leave a message for Mrs Charles. – **...adael neges i Mrs Charles.**
...leave a message for me. – **...adael neges i mi.**
...leave a message on the machine. – **...adael neges ar y peiriant.**
...leave it till tomorrow. – **...ei adael e/o tan yfory.***

...make 9 copies of these. – **...wneud naw copi o'r rhain.**
...make eight copies of this. – **...wneud wyth copi o hwn.**
...make me a cup of coffee. – **...wneud disgled/paned o goffi i mi.***
...make me a cup of tea. – **...wneud disgled/paned o de i mi.***
...make sure that everyone can come. – **...wneud yn siŵr bod pawb yn gallu dod.**

...open a file for... – **...agor ffeil i...**
...open a file on... – **...agor ffeil ar...**
...open a window. – **...agor ffenest.**
...open the post first. – **...agor y post yn gynta.**
...open the windows. – **...agor y ffenestri.**
...order more paper. – **...archebu rhagor o bapur.**
...phone Mr Humphreys. – **...ffonio Mr Humphreys.**

...phone for a courier. – **...ffonio am gludydd.**
...photocopy these. – **...lungopïo'r rhain.**
...photocopy this. – **...lungopïo hwn.**
...post this on the way out. – **...bostio hwn ar y ffordd allan.**
...prepare a report about... – **...baratoi adroddiad am...**
...prepare a report for me. – **... baratoi adroddiad i mi.**
...prepare a report for... – **...baratoi adroddiad i...**
...prepare a report on... – **...baratoi adroddiad ar...**
...prepare for a meeting. – **...baratoi ar gyfer cyfarfod.**
...print the document.– **...argraffu'r/brintio'r ddogfen.**
...print the page.– **...argraffu'r/brintio'r dudalen.**
...print the sheet.– **...argraffu'r/brintio'r ddalen.**

...remember to make a copy. – **...gofio gwneud copi.**
...remember to make two copies for the file. – **...gofio gwneud dau gopi i'r ffeil.**

...save the document. – **...gadw'r ddogfen.**
...send the minutes out. – **...anfon y cofnodion allan.**
...send the papers to the members. – **...anfon y papurau at yr aelodau.**
...send these second class. – **...anfon y rhain ail ddosbarth.**
...send this first class. – **...anfon hwn dosbarth cyntaf.**
...shut the door – **...gau'r drws.**

...take a message. – **...gymryd neges.**
...take these to the post. – **...fynd â'r rhain i'r post.**
...take this to the Finance Department. – **...fynd â hwn i'r Adran Gyllid.**
...take this to (person). – **...fynd â hwn at...**
...take this to (place). – **...fynd â hwn i...**
...tell Mr Jones to come in. – **...ddweud wrth Mr Jones am ddod i mewn.**
...tell... there's someone in reception for her.
– **...ddweud wrth... fod rhywun yn y dderbynfa iddi (hi).**

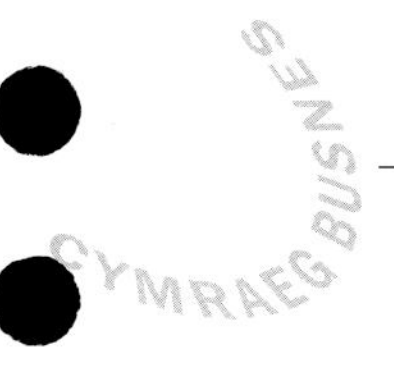

...tell... there's someone in reception for him.
– **...ddweud wrth... fod rhywun yn y dderbynfa iddo (fe/fo).***
...tell... there's a fax for her.
– **...ddweud wrth... fod neges gyflun/ffacs iddi (hi).**
...tell... there's a fax for him.
– **...ddweud wrth... fod neges gyflun/ffacs iddo (fe/fo).***
...travel to... – **...deithio i...**
...try to get hold of John Hughes. – **...geisio cael gafael ar John Hughes.**
...type these letters. – **...deipio'r llythyrau 'ma.**
...type this fax. – **...deipio'r neges gyflun/ffacs 'ma.**
...type this letter. – **...deipio'r llythyr 'ma.**
...type this note. – **... deipio'r nodyn 'ma.**

...wash these cups/mugs. – **...olchi'r cwpanau/mygiau 'ma.**
...wash these dishes. – **...olchi'r llestri 'ma.**
...wash this cup/mug. – **...olchi'r cwpan/myg 'ma.**
...write a paper for... – **...sgrifennu papur i...**
...write a speech. – **...sgrifennu araith.**

Nodyn *– Note*

Trefnu – *'to book' literally means 'to arrange' or 'to organise'.* **Bwcio** *is also used. You may also hear* **cadw** *(to reserve) and* **codi** *(with tickets) being used.*

However, using these patterns causes a Soft Mutation,
bwcio *becomes* **fwcio**, **cadw** *becomes* **gadw** *and* **codi** *becomes* **godi**.

Nodyn – *Note 2:*

i chi – *for you*
iddo fe / iddo fo – *for him**
iddi hi – *for her*
i Mr Jones – *for Mr Jones*
i ni – *for us*
iddyn nhw – *for them*
i Mr Jones a fi – *for Mr Jones and me*

Ymateb – *Responses:*

Of course. – **Wrth gwrs.**
O.K. / Right. – **Iawn.**
Now? – **Nawr / Rŵan?***
I'll go now. – **Â i nawr / rŵan***
Is it urgent? – **Oes brys?**
By when? – **Erbyn pryd?**
On plain paper? – **Ar bapur plaen?**
On headed paper? – **Ar bapur pennawd?**
Do you know the number? – **Ydych chi'n gwybod y rhif?**

SICRHAU BOD TASG WEDI'I CHYFLAWNI
MAKING SURE A TASK HAS BEEN COMPLETED

Have you... – **Ydych chi wedi...**
Did you remember to... – **Wnaethoch chi gofio...**

...arranged/arrange a conference? – **...trefnu cynhadledd?**
...arranged/arrange a meeting with...? – **...trefnu cyfarfod â...?**
...arranged/arrange accommodation for 5 people? – **...trefnu llety i bump o bobl?**
...arranged/arrange accommodation for Mrs Hughes and me?
– **...trefnu llety i Mrs Hughes a fi?**
...arranged/arrange accommodation for...? – **...trefnu llety i...?**
...arranged/arrange accommodation in a 3/4 star hotel?
– **...trefnu llety mewn gwesty tair/pedair seren?**
...arranged/arrange an agenda? – **...trefnu agenda?**
...arranged/arrange coffee for 6? – **...trefnu coffi i chwech?**
...asked/ask Brenda to come in? – **...gofyn i Brenda ddod i mewn?**

...booked/book a plane ticket for me? – **...trefnu tocyn awyren i mi?**
...booked/book a table for 8pm? – **...trefnu bwrdd am wyth o'r gloch?**
...booked/book a theatre ticket for me? – **...trefnu tocyn theatr i mi?**
...booked/book a train ticket for me? – **...trefnu tocyn trên i mi?**
...booked/book theatre tickets? – **...trefnu tocynnau theatr?**
...booked/book train tickets? – **...trefnu tocynnau trên?**
...booked/book flight tickets? – **...trefnu tocynnau awyren?**
...brought/bring me a print-out? – **...dod ag allbrint i mi?**

...collected/collect the post on the way? – **...mynd i nôl y post ar y ffordd?**
...copied/copy the document onto a floppy disk?
– **...gwneud copi o'r ddogfen ar ddisg meddal?**
...copied/copy the document onto another disk?
– **... gwneud copi o'r ddogfen ar ddisg arall?**
...copied/copy the document onto the hard disk?
– **...gwneud copi o'r ddogfen ar y disg caled?**

...done/do the post? – **...gwneud y post?**
...downloaded onto floppy disk? – **...llwytho i lawr ar ddisg meddal?**

...faxed/fax this to (person)? – **...cyflunio/ffacsio at...?**
...faxed/fax this to (place)? – **...cyflunio/ffacsio i...?**
...fetched/fetch the file? – **...nôl y ffeil?**
...filed/file it? – **...ei ffeilio fe/fo?***
...filed/file them? – **...eu ffeilio nhw?**

...got/get hold of John Hughes? – **...ceisio cael gafael ar John Hughes?**

...hired/hire a room? – **...llogi stafell?**
...hired/hire the Board Room? – **...llogi Stafell y Bwrdd?**

...left/leave a message for Mrs Charles? – **...gadael neges i Mrs Charles?**
...left/leave a message on the machine? – **...gadael neges ar y peiriant?**

...made/make 9 copies of these? – **...gwneud naw copi o'r rhain?**
...made/make eight copies of this? – **...gwneud wyth copi o hwn?**
...made/make me a cup of coffee? – **...gwneud disgled/paned o goffi i mi?**
...made/make me a cup of tea? – **...gwneud disgled/paned o de i mi?**
...made/make sure that everyone can come? – **...gwneud yn siŵr bod pawb yn gallu dod?**

...opened/open a file for...? – **...agor ffeil i...?**
...opened/open a file on...? – **...agor ffeil ar...?**
...opened/open a window? – **...agor ffenest?**
...opened/open the post first? – **...agor y post yn gynta?**
...opened/open the windows? – **...agor y ffenestri?**
...ordered/order more paper? – **...archebu rhagor o bapur?**

...phoned/phone Mr Humphreys? – **...ffonio Mr Humphreys?**
...phoned/phone for a courier? – **...ffonio am gludydd?**
...photocopied/photocopy these? – **...llungopïo'r rhain?**
...photocopied/photocopy this? – **...llungopïo hwn?**

...posted/post it? – **...ei bostio fe/fo?***
...prepared/prepare a report about...? – **...paratoi adroddiad am...?**
...prepared/prepare a report for me? – **...paratoi adroddiad i mi?**
...prepared/prepare a report for...? – **...paratoi adroddiad i...?**
...prepared/prepare a report on...? – **...paratoi adroddiad ar...?**
...prepared/prepare for a meeting? – **...paratoi ar gyfer cyfarfod?**
...printed/print the document? – **...argraffu/printio'r ddogfen?**
...printed/print the page? – **...argraffu/printio'r dudalen?**
...printed/print the sheet? – **...argraffu/printio'r ddalen?**

...remembered/remember to make a copy? – **...cofio gwneud copi?**
...remembered/remember to make two copies for the file?
– **...cofio gwneud dau gopi i'r ffeil?**

...saved/save the document? – **...cadw'r ddogfen?**
...sent/send the minutes out? – **...anfon y cofnodion allan?**
...sent/send the papers to the members? – **...anfon y papurau at yr aelodau?**
...sent/send them second class? – **...eu hanfon nhw ail ddosbarth?**
...sent/send it first class? – **...ei anfon e/o dosbarth cyntaf?***
...shut the door? – **...cau'r drws?**

...taken/take a message? – **...cymryd neges?**
...taken/take them to the post? – **...mynd â nhw i'r post?**
...taken/take it to the Finance Department? – **...mynd â fe/fo i'r Adran Gyllid?***
...taken/take it to (person)? – **...mynd â fe/fo at...?***
...told/tell Mr Jones? – **...dweud wrth Mr Jones?**
...told/tell... there's a fax for her? – **...dweud wrth... fod neges gyflun/ffacs iddi (hi)?**
...told/tell... there's a fax for him? – **...dweud wrth... fod neges gyflun/ffacs iddo (fe/fo)?**
...typed/type these letters? – **...teipio'r llythyrau 'ma?**
...typed/type this letter? – **...teipio'r llythyr 'ma?**

...washed/wash the dishes? – **...golchi'r llestri?**
...written/write a paper for...? – **...sgrifennu papur i...?**
...written/write a speech? – **...sgrifennu araith?**

***Nodyn** – Note*

Trefnu – *'to book' literally means 'to arrange' or 'to organise'.* **Bwcio** *is also used. You may also hear* **cadw** *(to reserve) and* **codi** *(with tickets) being used.*

***Ymateb** – Replies:*

Yes. (I have) – **Ydw.**
No, (I haven't), not yet. – **Nac ydw, ddim eto.**
Yes. (I did) – **Do.**
No. (I didn't) – **Naddo.**

I haven't had time. – **Dw i ddim wedi cael amser.**
The phone has been engaged. – **Mae'r ffôn wedi bod yn brysur.**
I didn't know it was urgent. – **Doeddwn i ddim yn gwybod bod brys.**
It's on your desk. – **Mae e/o ar eich desg.***
They are on your desk. – **Maen nhw ar eich desg.**

ADRAN 8
YMDRIN Â RHIFAU A'R AMSER

SECTION 8
DEALING WITH NUMBERS AND THE TIME

Yn yr Adran hon – In this Section

RHIFAU
NUMBERS

Y rhifau cyfoes
– The modern numbers
Y rhifau traddodiadol
– The traditional numbers

YR AMSER
TIME

Holi'r amser
– Asking the time
Rhoi'r amser
– Giving the time

DEFNYDDIO RHIFAU
USING NUMBERS

Dyddiadau
– Dates
Arian a sieciau
– Money and cheques

HOLI AM DDIGWYDDIADAU
ASKING ABOUT EVENTS

Yn y presennol neu'r dyfodol agos
– In the present or near future
Yn y gorffennol
– In the past
Yn y dyfodol
– In the future

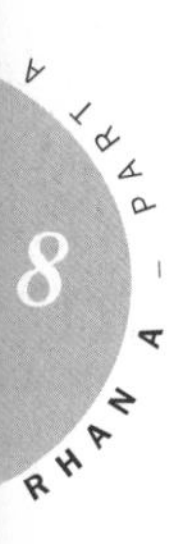

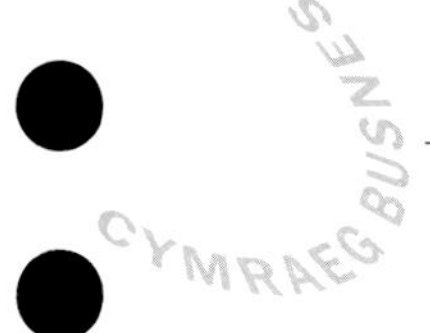

RHIFAU
NUMBERS

Y rhifau cyfoes
The modern numbers

Numbers 1 – 20:

1	**un**	11	**un deg un**
2	**dau**	12	**un deg dau**
3	**tri**	13	**un deg tri**
4	**pedwar**	14	**un deg pedwar**
5	**pump**	15	**un deg pump**
6	**chwech**	16	**un deg chwech**
7	**saith**	17	**un deg saith**
8	**wyth**	18	**un deg wyth**
9	**naw**	19	**un deg naw**
10	**deg**	20	**dau ddeg**

For multiples of ten, use the formula 'three ten, four ten' etc.

30	**tri deg**
40	**pedwar deg**
50	**pum deg**
60	**chwe deg**
70	**saith deg**
80	**wyth deg**
90	**naw deg**
100	**cant**
1000	**mil**

For numbers between the multiples of ten use the formula 'three ten one' = 31 etc.

33	**tri deg tri**
66	**chwe deg chwech**
94	**naw deg naw**

After one hundred, it is usual to use a brick by brick system when discussing high figures.

153	**cant, pum deg tri**
5,232	**pum mil, dau gant, tri deg dau**

For a complete list of modern numbers see ***PART C Section 3.***

Y rhifau traddodiadol
The traditional numbers

For a complete list of traditional numbers see ***PART C Section 3.***

Be aware particularly of the numbers 11 – 20, 30, 40, 50, 60, 80

11	**un ar ddeg**
12	**deuddeg**
13	**tri ar ddeg**
14	**pedwar ar ddeg**
15	**pymtheg**
16	**un ar bymtheg**
17	**dau ar bymtheg**
18	**deunaw**
19	**pedwar ar bymtheg**
20	**ugain**
30	**deg ar hugain**
40	**deugain**
50	**hanner cant**
60	**trigain**
80	**pedwar ugain**

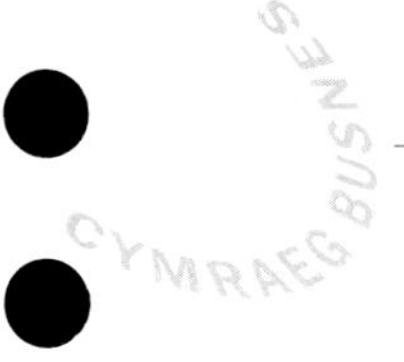

DEFNYDDIO RHIFAU
USING NUMBERS

Dyddiadau
Dates

The traditional forms of numbers are generally used as a basis for dates:

I've got a meeting on the fifteenth.
– **Mae cyfarfod gyda fi ar y pymthegfed.***
– **Mae gen i gyfarfod ar y pymthegfed.***
I'll be away on May the ninth. – **Bydda i i ffwrdd ar Fai y nawfed.**
Are you available on the twenty ninth – **Ydych chi ar gael ar y nawfed ar hugain?**

An alternative modern method when the month is also mentioned is:

I'll be away on May twenty three. – **Bydda i i ffwrdd ar Fai dau ddeg tri.**

*For a full list of dates, see **PART C Section 3.***

CYMRAEG BUSNES

Arian a sieciau
Money and cheques

Have you got five pounds?
– **Oes pum punt gyda chi?***
– **Oes gynnoch chi bum punt?***
Here's fifty pence.
– **Dyma hanner can ceiniog.**

I owe (you) twenty pounds.
– **Mae arna i ugain punt (i chi).**
– **Mae arna i ddau ddeg o bunnau (i chi).**
You owe (me) fifty pounds.
– **Mae arnoch chi hanner can punt (i mi).**
– **Mae arnoch chi bum deg o bunnau (i mi).**

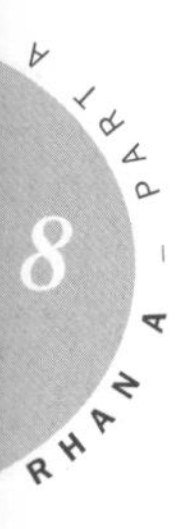

I need a cheque for two hundred and fifty pounds.
– **Dw i angen siec am ddau gant a hanner o bunnau.**
Will you sign this cheque for sixty pounds?
– **Wnewch chi arwyddo'r siec yma am drigain punt?**
– **Wnewch chi arwyddo'r siec yma am chwe deg o bunnau?**

Nodyn *– Note*

(i) 'pence' *is always* **ceiniog** *when used immediately after the number.*

(ii) 'pound/pounds' – **'punt'** *is always used immediately after the number;* **'o bunnau'** *is generally used with large figures. An alternative form is* **'o bunnoedd'.**

(iii) *For a fuller list of money forms, see* ***PART B Section 5.***

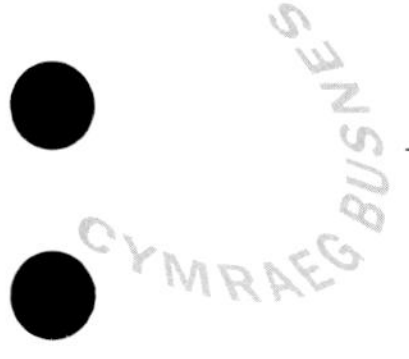

YR AMSER
THE TIME

Holi'r amser
Asking the time

What time is it?/What's the time?
– **Faint o'r gloch ydy hi?**
What time is it now?
– **Faint o'r gloch ydy hi nawr?***
– **Faint o'r gloch ydy hi rŵan?***

Nodyn *– Note:*

Faint o'r gloch yw hi? *is also used.*

Rhoi'r amser
Giving the time

It's...
– **Mae hi'n...**
– **Mae'n...**

Nodyn *– Note*

Both these phrases are followed by a Soft Mutation. e.g.

It's three o'clock. – **Mae hi'n dri o'r gloch.**

It's five past six. – **Mae'n bum munud wedi chwech.**

(i) Ar yr awr – On the hour

o'clock	– **o'r gloch**
one o'clock	– **un o'r gloch**
two o'clock	– **dau o'r gloch**
three o'clock	– **tri o'r gloch**
four o'clock	– **pedwar o'r gloch**
five o'clock	– **pump o'r gloch**
six o'clock	– **chwech o'r gloch**
seven o'clock	– **saith o'r gloch**
eight o'clock	– **wyth o'r gloch**
nine o'clock	– **naw o'r gloch**
ten o'clock	– **deg o'r gloch**
eleven o'clock	– **un ar ddeg o'r gloch**
twelve o'clock	– **deuddeg o'r gloch**

***Nodyn** – Note*

The modern terms for eleven (**un deg un**) *and twelve* (**un deg dau**) *are NOT used to tell the time. As in English, it is normal to leave the* **'o'r gloch'** *out when replying:*

Faint o'r gloch ydy hi? – Deg.

(ii) Y munudau – The minutes

five past	– **pum munud wedi**
ten past	– **deng munud wedi**
quarter past	– **chwarter wedi**
twenty past	– **ugain munud wedi**
twenty five past	– **pum munud ar hugain wedi**
half past	– **hanner awr wedi**
five to	– **pum munud i**
ten to	– **deng munud i**
quarter to	– **chwarter i**
twenty to	– **ugain munud i**
twenty five to	– **pum munud ar hugain i**

***Nodyn** – Note:*

i *(but not* **wedi***) is followed by a Soft Mutation. See **PART C – Section 3**. e.g.*

It's five to three. – **Mae'n bum munud i dri.**
It's five past three. – **Mae'n bum munud wedi tri.**

(iii) Trafod amser digwyddiad – Discussing the time of an event

The word for 'at' is **am***. It is followed by a Soft Mutation. See **PART C – Section 3**.*

The meeting will start at ten o'clock.
– **Bydd y cyfarfod yn dechrau am ddeg o'r gloch.**
The VAT officer is arriving at ten past.
– **Mae'r swyddog TAW yn cyrraedd am ddeng munud wedi.**
This fax came at twenty five past two.
– **Daeth y neges gyflun 'ma am bum munud ar hugain wedi dau.**
– **Daeth y ffacs 'ma am bum munud ar hugain wedi dau.**

(iv) Rhoi'r amser yn fras – Giving the approximate time

About (approximately) – **Tua**
Nearly; almost – **Bron yn**
Just gone – **Newydd droi**
Coffee time – **Amser coffi**

We'll be arriving about six. – **Byddwn ni'n cyrraedd tua chwech.**
It's nearly three. – **Mae hi bron yn dri.**
It's just turned five. – **Mae hi newydd droi pump.**

***Nodyn** – Note:*

'bron yn' *is followed by a Soft Mutation.*
'tua' *is followed by an Aspirate Mutation* (**tri > thri; pump > phump**) *in formal Welsh; but often in the spoken language it is ignored.*

(v) Mynegi ansicrwydd – Expressing uncertainty

No idea. – **Dim syniad.**
I don't know.
  – **Dw i ddim yn gwybod.**
  – **Sa i'n gwbod.***
  – **Dwn im.***
I'm not sure. – **Dw i ddim yn siŵr.**
I haven't the foggiest. – **Dim clem.**
There's a clock in the next room. – **Mae cloc yn y stafell nesaf.**
I haven't (got) a watch.
  – **Does dim wats/oriawr 'da fi.***
  – **Does gen i ddim wats/oriawr.***
I've left my watch at home. – **Dw i wedi gadael y wats/oriawr yn y tŷ.**
Ask John. – **Gofynnwch i John.**

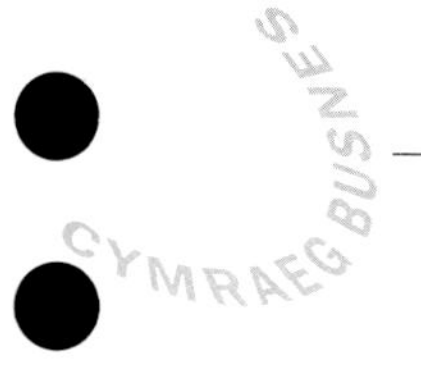

HOLI AM DDIGWYDDIADAU
ASKING ABOUT EVENTS

Yn y presennol neu'r dyfodol agos
In the present or near future

When... – **Pryd...**
At what time... – **Am faint o'r gloch...**

...am I seeing Mr Jones? – **...dw i'n gweld Mr Jones?**
...am I supposed to be there? – **...dw i i fod yno?**
...do I finish? – **...dw i'n gorffen?**
...do I start? – **...dw i'n dechrau?**

...are you having lunch? – **...rydych chi'n cael cinio?**
...are you leaving? – **...rydych chi'n gadael?**

...do you want these? – **...rydych chi eisiau'r rhain?**
...do you want this? – **...rydych chi eisiau hwn?**
...do we finish? – **...rydyn ni'n gorffen?**
...do we have dinner? – **...rydyn ni'n cael cinio?**
...do we have a break? – **...rydyn ni'n cael egwyl?**
...do we start? – **...rydyn ni'n dechrau?**

...are they arriving? – **...maen nhw'n cyrraedd?**
...do they want coffee? – **...maen nhw eisiau coffi?**

...is Mr Davies due? – **...mae Mr Davies i fod yma?**
...is Mr Evans coming? – **...mae Mr Evans yn dod?**
...is he arriving? – **...mae e/o'n cyrraedd?***

...is she due? – **...mae hi i fod yma?**
...is the interview? – **...mae'r cyfweliad?**
...is the meeting? – **...mae'r cyfarfod?**
...is the staff meeting? – **...mae'r cyfarfod staff?**
...is the next directors' meeting? – **...mae cyfarfod nesaf y cyfarwyddwyr?**

...does the post arrive? – **...mae'r post yn cyrraedd?**
...does the post go? – **...mae'r post yn mynd?**

Yn y gorffennol
In the past

When...? – **Pryd...?**
At what time...? – **Am faint o'r gloch...?**

...did you arrive? – **...cyrhaeddoch chi?**
...did you have lunch? – **...cawsoch chi ginio?**
...did you leave? – **...gadawoch chi? / gadawsoch chi?**
...did you phone? – **...ffonioch chi?**

...did Mr Jones go in? – **...aeth Mr Jones i mewn?**
...did Mrs Thomas arrive? – **...cyrhaeddodd Mrs Thomas?**
...did Mrs Thomas leave? – **...gadawodd Mrs Thomas?**
...did Mrs Thomas phone? – **...ffoniodd Mrs Thomas?**
...did he arrive? – **...cyrhaeddodd e/o?***
...did he/she go in? – **...aeth hi i mewn?**
...did he leave? – **...gadawodd e/o?***
...did she phone? – **...ffoniodd hi?**

...did the meeting finish? – **...gorffennodd y cyfarfod?**
...did the meeting start? – **...dechreuodd y cyfarfod?**
...did the post arrive? – **...cyrhaeddodd y post?**
...did the post come? – **...daeth y post?**

...did the post go? – **...aeth y post?**
...did this fax come?
– **...pryd daeth y neges gyflun 'ma?**
– **...pryd daeth y ffacs 'ma?**
...did this letter come? – **...daeth y llythyr 'ma?**
...did these come? – **...daeth y rhain?**

...did they arrive? – **...cyrhaeddon nhw?**
...did they go in? – **...aethon nhw i mewn?**
...did they leave? – **...gadawon nhw?**
...did they phone? – **...ffonion nhw?**

...did we arrive? – **...cyrhaeddon ni?**
...did we phone? – **...ffonion ni?**

Yn y dyfodol
In the future

When... – **Pryd...**
At what time... – **Am faint o'r gloch...**

...will Mr Evans be here? – **...bydd Mr Evans i mewn?**
...will he be here? – **...bydd e/o yma?***
...will she be here? – **...bydd hi yma?**

...will the machine be free? – **...bydd y peiriant yn rhydd?**
...will the office be closed? – **...bydd y swyddfa ar gau?**
...will the office be open? – **...bydd y swyddfa ar agor?**
...will the room be free? – **...bydd y stafell yn rhydd?**

...will we be there? – **...byddwn ni yna?**
...will we be leaving? – **...byddwn ni'n gadael?**

...will you be here? – **...byddwch chi yma?**
...will you be there? – **...byddwch chi yna/yno?**
...will you be in? – **...byddwch chi i mewn?**
...will you be ready? – **...byddwch chi'n barod?**

...will they be here? – **...byddan nhw yma?**
...will they be arriving? – **...byddan nhw'n cyrraedd?**

ADRAN 9
YMDRIN Â LLUNIAETH

SECTION 9
DEALING WITH REFRESHMENTS

Yn yr Adran hon – In this Section

CYNNIG TE A CHOFFI
OFFERING TEA AND COFFEE

Anffurfiol
– Informal

Ffurfiol
– Formal

Cynnig llaeth/llefrith a siwgwr
– Offering milk and sugar

TRAFOD CINIO
DISCUSSING LUNCH

Y bwyd
– The food

Cynnig diodydd eraill
– Offering other drinks

GWNEUD CYHOEDDIADAU FFURFIOL
MAKING FORMAL ANNOUNCEMENTS

CYNNIG TE A CHOFFI
OFFERING TEA AND COFFEE

Anffurfiol
Informal

Cwestiynau *– Questions:*

Tea? Coffee? – **Te? Coffi?**
(Do you want) a cuppa?
– **Disgled?***
– **Paned?***
Right, who wants a cuppa? – **Iawn, pwy sy eisiau disgled/paned?***
Do you want a cuppa? (more than one person) – **Ydych chi eisiau disgled/paned?** *
Do you want a cuppa? (one person) – **Wyt ti eisiau disgled/paned?***
Whose turn is it to make a cuppa?
– **Tro pwy ydy e i wneud disgled?***
– **Tro pwy ydy o i wneud paned?***

Ymateb *– Responses:*

Coffee for me. – **Coffi i mi.**
Me! – **Fi!**
Yes. (I do) – **Ydw.**
No thanks. – **Dim diolch.**
I did it last time. – **Fi wnaeth y tro diwethaf.**

Nodyn *– Note:*

Questions containing **eisiau** *in North Wales are often, for historical reasons, answered with* **Oes** (Yes) *or* **Nac oes** (No).

Ffurfiol
Formal

Cwestiynau – *Questions:*

Tea? Coffee? – **Te? Coffi?**
What about (some) coffee/tea? – **Beth am goffi/de?**
Would you like a cup of tea?
– **Fasech chi'n hoffi disgled o de?***
– **Fasech chi'n hoffi paned o de?** *
May I offer you a cup of coffee?
– **Ga i gynnig disgled o goffi i chi?***
– **Ga i gynnig paned o goffi i chi?***
May I offer you a cup of coffee while you're waiting?
– **Ga i gynnig disgled o goffi i chi tra rydych chi'n aros?**
– **Ga i gynnig paned o goffi i chi tra rydych chi'n aros?**

Ymateb – *Responses:*

Thank you very much. – **Diolch yn fawr.**
Tea, please. – **Te, os gwelwch yn dda.**
No, thanks. – **Dim diolch.**
I've just had one. – **Dw i newydd gael un.**

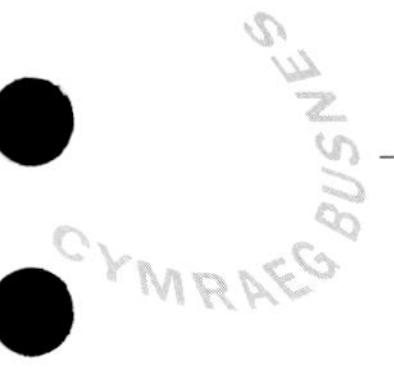

Cynnig llaeth/llefrith a siwgwr
Offering milk and sugar

Cwestiynau – *Questions:*

Milk?
  – **Llaeth?***
  – **Llefrith?***
Sugar? – **Siwgwr?**
Milk and sugar? – **Llaeth/Llefrith a siwgwr?***

Ymateb – *Responses:*

Milk and sugar, please. – **Llaeth/Llefrith a siwgwr, os gwelwch yn dda.***
Milk, but no sugar. – **Llaeth/Llefrith, ond dim siwgwr.***
Black coffee please. – **Coffi du, os gwelwch yn dda.**
May I have it black please?
  – **Ga i e'n ddu os gwelwch yn dda?***
  – **Ga i o'n ddu os gwelwch yn dda?***

Cwestiynau atodol – *Supplementary questions:*

Do you take milk? – **Ydych chi'n cymryd llaeth/llefrith?***
Do you take sugar? – **Ydych chi'n cymryd siwgwr?**
How much sugar? – **Faint o siwgwr?**
Weak or strong? – **Gwan neu gryf?**

Ymateb – *Responses:*

Yes (I do), please. – **Ydw, os gwelwch yn dda.**
No thank you. – **Dim diolch.**

Just a drop. – **Dim ond diferyn.**
A little drop of milk. – **Diferyn bach o laeth/lefrith.***

Half a spoonful. – **Hanner llwyaid.**
One spoonful. – **Un llwyaid.**
Two spoonfuls. – **Dwy lwyaid.**

As it comes! – **Fel mae'n dod!**
Weak. – **Gwan.**
Strong. – **Cryf.**

Nodyn *– Note:*

Using numbers on their own, you will hear both masculine and feminine forms being used.

1	**un**	
2	**dau**	**dwy**
3	**tri**	**tair**
4	**pedwar**	**pedair**

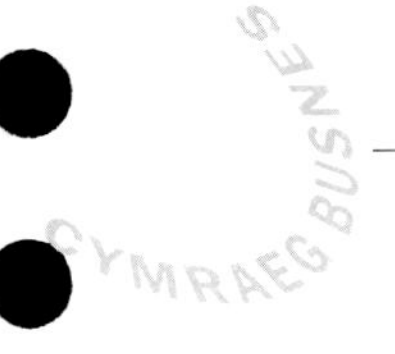

TRAFOD CINIO
DISCUSSING LUNCH

Y bwyd
The food

Cwestiynau – *Questions:*

Would you like to come for lunch? – **Fasech chi'n hoffi dod i ginio?**
Would you like to go for lunch? – **Fasech chi'n hoffi mynd am ginio?**
What about (some) lunch? – **Beth am ginio?**
I'm sure you're ready for something to eat.
– **Dw i'n siwr (eich) bod chi'n barod am rywbeth i'w fwyta.**
They do light meals in the canteen.
– **Maen nhw'n gwneud prydau ysgafn yn y ffreutur.**
What about going somewhere else? – **Beth am fynd i rywle arall?**
We've arranged a light buffet. – **Rydyn ni wedi trefnu bwffe ysgafn.**
We've arranged a full meal. – **Rydyn ni wedi trefnu pryd llawn.**

Ymateb – *Responses:*

Thank you very much – **Diolch yn fawr.**
Is there time? – **Oes amser?**

No, there's no time. – **Na, does dim amser.**
No, I haven't enough time.
– **Na, does dim digon o amser 'da fi.***
– **Na, does gen i ddim digon o amser.***
I'm supposed to be somewhere else by two. – **Na, dw i i fod yn rhywle arall erbyn dau.**

CYMRAEG BUSNES

Cynnig diodydd eraill
Offering other drinks

***Cwestiynau** – Questions:*

White wine? – **Gwin gwyn?**
Red wine? – **Gwin coch?**
A glass of wine? – **Gwydraid o win?**
Red or white? – **Coch neu wyn?**
Would you like a glass of wine? – **Fasech chi'n hoffi gwydraid o win?**
Would you like something from the bar? – **Fasech chi'n hoffi rhywbeth o'r bar?**
Something else? – **Rhywbeth arall?**
What about (some) orange juice? – **Beth am sudd oren?**
May I offer you a …? – **Ga i gynnig …i chi?**

***Ymateb** – Responses:*

Thank you. – **Diolch**
Red/White wine, please. – **Gwin coch/gwyn, os gwelwch yn dda.**
Red/White for me. – **Coch/Gwyn i mi.**
Is there (any) water? – **Oes dŵr?**

No thank you. – **Dim diolch.**
I've just had one. – **Dw i newydd gael (un).**
I've had enough. – **Dw i wedi cael digon.**
I'm driving. – **Dw i'n gyrru.**

GWNEUD CYHOEDDIADAU FFURFIOL
MAKING FORMAL ANNOUNCEMENTS

The coffee is ready. – **Mae'r coffi yn barod.**
The tea is ready. – **Mae'r te yn barod.**
Lunch is ready now. – **Mae cinio yn barod nawr/rŵan.***
There will be a coffee break at eleven. – **Bydd egwyl goffi am un ar ddeg.**
We have arranged for you to have tea and coffee at three o'clock.
– **Rydyn ni wedi trefnu i chi gael te a choffi am dri o'r gloch.**
Tea and coffee will be available in the canteen.
– **Bydd te a choffi ar gael yn y ffreutur.**
Lunch will be at one o'clock in the refectory.
– **Bydd cinio am un o'r gloch yn y ffreutur.**

Ymateb – *Responses:*

Thank you – **Diolch.**
Thank you very much – **Diolch yn fawr.**
O.K. – **Iawn.**
I'm coming now – **Dw i'n dod nawr/rŵan.***
We're on our way – **Rydyn ni ar y ffordd.**

ADRAN 10
YMDRIN Â CHYFARFODYDD

SECTION 10
DEALING WITH MEETINGS

Yn yr Adran hon – In this Section

CYFARCH A CHYFLWYNO
GREETINGS AND INTRODUCTIONS

Cyfarch
– Greetings
Cyflwyno
– Introductions

MÂN SIARAD
SMALL TALK

Trafod y tywydd
– Discussing the weather
Trafod teithio
– Discussing travel
Trafod bro
– Discussing home area
Trafod y teulu a iechyd
– Discussing the family and health
Trafod gwaith
– Discussing work
Trafod smygu
– Discussing smoking
Trafod gwneud galwad ffôn
– Discussing making a phone call
Dod â'r sgwrs i ben
– Ending a conversation

CADEIRIO CYFARFODYDD
CHAIRING MEETINGS

Dechrau cyfarfod
– Starting the meeting
Ymdrin ag eitemau ar yr agenda
– Dealing with items on the agenda
Ymdrin ag ymddiheuriadau
– Dealing with apologies for absence
Ymdrin â chofnodion
– Dealing with minutes
Cyflwyno siaradwyr
– Introducing speakers
Ymdrin â chynigion ffurfiol
– Dealing with formal motions
Ethol swyddogion
– Electing officers
Diolch i siaradwyr
– Thanking speakers
Diolch i bawb
– Thanking all present
Trefnu cyfarfod y prynhawn
– Arranging the afternoon session
Ailddechrau cyfarfod
– Restarting a meeting
Trefnu amser gorffen
– Arranging a finishing time
Trafod dyddiad y cyfarfod nesaf
– Discussing the date of the next meeting

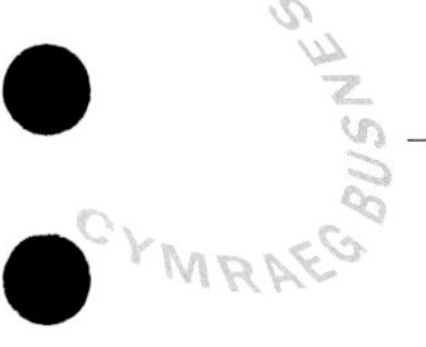

CYFARCH A CHYFLWYNO
GREETINGS AND INTRODUCTIONS

The word for a meeting is always the same – **cyfarfod**. You may, however, hear two words for 'to meet' – **cwrdd** and **cyfarfod**. The former is more usual in the South, the latter in the North.

Cyfarch
Greetings

Good morning. – **Bore da.**
Good afternoon. – **Prynhawn da / Pnawn da.**
Good evening. – **Noswaith dda.**
Hello, how are you?
– **Helo, shwd ych chi?***
– **Helo, sut dach chi?***
Welcome. – **Croeso.**
Welcome to... – **Croeso i...**
It's nice to see you again. – **Mae'n braf eich gweld chi eto.**
It's nice to meet you.
– **Mae'n braf cwrdd â chi.***
– **Mae'n braf eich cyfarfod chi.***
I'm pleased to meet you.
– **Mae'n dda 'da fi gwrdd â chi.***
– **Mae'n dda gen i'ch cyfarfod chi.***

Ymateb – *Responses:*

Fine, thank you. – **Iawn, diolch.**
Very well, thank you. – **Da iawn, diolch.**
Quite well. – **Eitha da.**
And you? – **A chithau?**

Cyflwyno
Introductions

I'm John Owen, the Head of the Department.
– **John Owen ydw i, Pennaeth yr Adran.**
I'm Gwenda Griffith, the bank manager.
– **Gwenda Griffith ydw i, rheolwr y banc.**
(I'm) Elen Haf, Mr Ogwen's secretary.
– **Elen Haf (ydw i), ysgrifenyddes Mr Ogwen.**

John, this is Sara Evans.
– **John, dyma Sara Evans.**
May I introduce… ?
– **Ga i gyflwyno… i chi?**
I'd like you to meet…
– **Baswn i'n hoffi i chi gwrdd â…** *
– **Baswn i'n hoffi i chi gyfarfod (â)…** *
Have you met… ?
– **Ydych chi wedi cwrdd â… ?***
– **Ydych chi wedi cyfarfod (â)… ?***

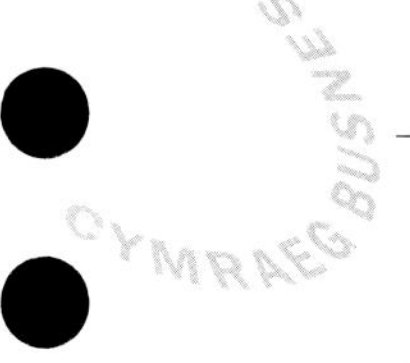

YMDRIN Â MÂN SIARAD
DEALING WITH SMALL TALK

Trafod y tywydd
Discussing the weather

It's fine.
– **Mae'n braf.**
It's cold.
– **Mae'n oer.**
It's wet.
– **Mae'n wlyb.**
It's a fine day.
– **Mae'n ddiwrnod braf.**
It's an awful day.
– **Mae'n ddiwrnod ofnadwy.**

It's fine, isn't it?
– **Mae'n braf, on'd ydy?**
– **Mae'n braf, on'd yw hi?***
– **Mae'n braf, tydi?***

***Ymateb** – Responses:*

Yes. (It is) – **Ydy.**
Yes, indeed! – **Ydy, wir!**

Trafod teithio
Discussing travel

Cwestiynau – *Questions:*

Did you have a good journey? – **Gawsoch chi daith dda?**
You're not too tired, I hope? – **Dydych chi ddim wedi blino gormod, gobeithio?**

Ymateb – *Responses:*

Yes (I did), thank you. – **Do, diolch.**
No, I'm fine, thanks. – **Na, dw i'n iawn, diolch.**

The train was late leaving Bangor. – **Roedd y trên yn hwyr yn gadael Bangor.**
The train was late arriving at Cardiff. – **Roedd y trên yn hwyr yn cyrraedd Caerdydd.**

There was (some) snow on the road. – **Roedd eira ar y ffordd.**
The fog was terrible – **Roedd y niwl yn ofnadwy.**

I had an awful journey. – **Ces i daith ofnadwy.**
I had a lovely journey on the train. – **Ces i daith hyfryd ar y trên.**
I was (stuck) behind a lorry for miles. – **Bues i'n dilyn lori am filltiroedd.**
I stopped at the Little Chef to have coffee. – **Arhosais i yn y Little Chef i gael coffi.**

We had an awful journey. – **Cawson ni daith ofnadwy.**
We had a lovely journey on the train. – **Cawson ni daith hyfryd ar y trên.**
We were (stuck) behind a lorry for miles. – **Buon ni yn dilyn lori am filltiroedd.**
We stopped at the Little Chef to have coffee. – **Arhoson ni yn y Little Chef i gael coffi.**

Nodyn – *Note:*

'Siwrnai' *is also used for* 'journey'.

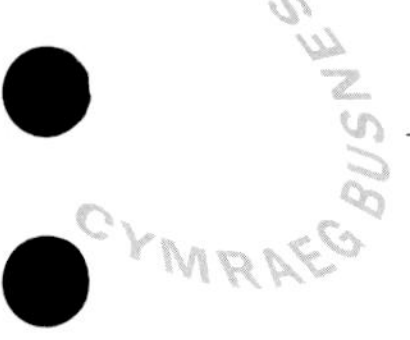

Trafod bro
Discussing home area

Cwestiynau – *Questions:*

Have you come far? – **Ydych chi wedi dod o bell?**
Where do you live? – **Ble rydych chi'n byw?**
Do you still live in...? – **Ydych chi'n dal i fyw yn...?**

Ymateb – *Responses:*

From Tenby. – **O Ddinbych-y-Pysgod.**
In Bangor. – **Ym Mangor.**
I live in Aberystwyth – **Dw i'n byw yn Aberystwyth.**

Cwestiynau pellach – *Further questions:*

How is...? – **Sut mae...?**
How are things in...? – **Sut mae pethau yn...?**
How's the new house? – **Sut mae'r tŷ newydd?**

Ymateb – *Responses:*

Fine. /O.K. – **Iawn.**
Busy. – **Prysur.**
Very quiet. – **Tawel iawn. / Distaw iawn.**
It's lovely. – **Mae'n hyfryd.**

Trafod y teulu a iechyd
Discussing family and health

Cwestiynau – *Questions:*

How's the family? – **Sut mae'r teulu?**
How's your husband? – **Sut mae'ch gŵr? / Sut mae'r gŵr?**
How's your wife? – **Sut mae'ch gwraig? / Sut mae'r wraig?**
How's your partner? – **Sut mae'ch partner? / Sut mae'r partner?**
How's your father? – **Sut mae'ch tad?**
How's your mother? – **Sut mae'ch mam?**
How are the children? – **Sut mae'r plant?**
How's the baby? – **Sut mae'r babi?**

Ymateb – *Responses:*

Very well, thank you. – **Da iawn, diolch.**
He hasn't been too well recently. – **Dydy e/o ddim wedi bod yn rhy dda yn ddiweddar.***
She hasn't been too well recently. – **Dydy hi ddim wedi bod yn rhy dda yn ddiweddar.**
Still growing! – **Dal i dyfu!**

Sylwadau pellach – *Further comment:*

I'm sorry to hear that.
– **Mae'n flin gyda fi glywed hynny.***
– **Mae'n ddrwg gen i glywed hynny.***
Give him my regards. – **Cofiwch fi ato (fe/fo).***
Give her my regards. – **Cofiwch fi ati (hi).**
Give my regards to your… – **Cofiwch fi at eich…**

Nodyn – *Note:*

'Sut' *is usually pronounced* **'Shwd'** *in the South.*

Trafod gwaith
Discussing work

***Cwestiynau** – Questions:*

Are you still in the same place?
 – **Ydych chi yn yr un lle o hyd?/Ydych chi'n dal yn yr un lle?**
Are you still with the same company?
 – **Ydych chi'n gweithio i'r un cwmni o hyd?**
Is the work going well?
 – **Ydy'r gwaith yn mynd yn iawn?**
How many of you work there now?
 – **Faint ohonoch chi sy'n gweithio yno erbyn hyn?**

***Ymateb** – Responses:*

Yes.
 – **Ydw.** (I am)
 – **Ydyn.** (We are)
 – **Ydy.** (It is)

No.
 – **Na.**
 – **Nac ydw.** (I am not)
 – **Nac ydyn.** (We are not)
 – **Nac ydy.** (It isn't)

About fifteen.
 – **Tua pymtheg.**
Almost fifty.
 – **Bron i hanner cant.**
I'm still there.
 – **Dw i yno o hyd/Dw i'n dal yno.**
I left last year.
 – **Gadawais i y llynedd.**
I work for...
 – **Dw i'n gweithio i...**

Trafod smygu
Discussing smoking

Cwestiynau – *Questions:*

May I smoke? – **Ga i smygu?**
Is it all right for me to smoke? – **Ydy'n iawn i mi smygu?**

Ymateb – *Responses:*

No. – **Na.**
No. (You may not) – **Na chewch.**
No. (It isn't) – **Nac ydy.**

I'm sorry.
– **Mae'n flin 'da fi.***
– **Mae'n ddrwg gen i.***

We're in a no smoking room. – **Rydyn ni mewn stafell dim smygu.**
There's a sign on the wall. – **Mae arwydd ar y wal.**
Fire regulations. – **Rheolau tân.**

Yes. (it is) – **Ydy.**
No problem. – **Popeth yn iawn.**
I'll get you an ashtray. – **Â i nôl blwch llwch i chi.**
It's O.K. to smoke in... – **Mae'n iawn i smygu yn...**

Nodyn – *Note:*

You will also hear people using **'smocio'** *as well as* **'smygu'**.

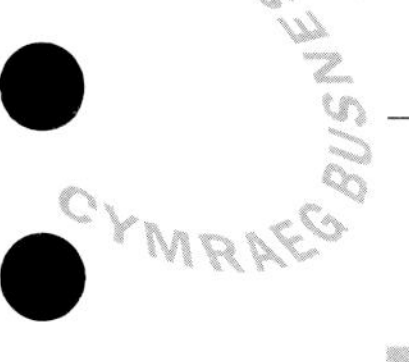

Trafod gwneud galwad ffôn
Discussing making a phone call

Cwestiynau *– Questions:*

May I make a phone call, please?
– **Ga i ffonio, os gwelwch yn dda?**
May I phone for a taxi, please?
– **Ga i ffonio am dacsi, os gwelwch yn dda?**
May I phone the office, please?
– **Ga i ffonio'r swyddfa, os gwelwch yn dda?**

Ymateb *– Responses:*

Yes. (you may)
– **Cewch.**
Yes, you're welcome.
– **Cewch, â chroeso.**

Press... for an outside line.
– **Pwyswch... i gael lein allan.**
There's a phone in my room.
– **Mae ffôn yn fy stafell i.**
There's a phone in the next room.
– **Mae ffôn yn y stafell nesaf.**

Dod â'r sgwrs i ben
Ending a conversation

'Bye for now.
– **Hwyl am y tro.**

I've got to go.
– (**Mae'n) rhaid i mi fynd.**

The Chairman's ready to begin.
– **Mae'r Cadeirydd yn barod i ddechrau.**

We can have a chat over dinner.
– **Gawn ni sgwrs dros ginio.**

We can have a chat at the end.
– **Gawn ni sgwrs ar y diwedd.**

CADEIRIO CYFARFODYDD
CHAIRING MEETINGS

Dechrau'r cyfarfod
Starting the meeting

Dear friends...
– **Annwyl gyfeillion...**
Welcome to the meeting and thank you for coming.
– **Croeso i'r cyfarfod a diolch am ddod.**
I'd like to welcome you all to the meeting.
– **Hoffwn i'ch croesawu chi i gyd i'r cyfarfod.**
To begin, may I welcome you to the conference?
– **I ddechrau, ga i'ch croesawu chi i'r gynhadledd?**
It's good to see so many new faces.
– **Mae'n braf gweld cymaint o wynebau newydd.**
It's good to see so many old faces.
– **Mae'n braf gweld cymaint o hen wynebau.**
I'd like to welcome the new members, especially...
– **Hoffwn i groesawu'r aelodau newydd, yn arbennig...**
There is one new member present.
– **Mae un aelod newydd yn bresennol.**
There are a number of new members present.
– **Mae nifer o aelodau newydd yn bresennol.**

Ymdrin ag eitemau ar yr agenda
Dealing with the items on the agenda

The first item on the agenda is... – **Yr eitem gyntaf ar yr agenda ydy...**
The next item on the agenda is... – **Yr eitem nesaf ar yr agenda ydy...**
Let's move on to the next item. – **Gawn ni symud ymlaen at yr eitem nesa.**

Ymdrin ag ymddiheuriadau
Dealing with apologies for absence

We have received apologies from…
– **Rydyn ni wedi derbyn ymddiheuriadau gan…**
Mr Willliams is apologising that he cannot be present.
– **Mae Mr Williams yn ymddiheuro nad ydy e'n gallu bod yn bresennol.***
– **Mae Mr Williams yn ymddiheuro nad ydy o'n gallu bod yn bresennol.***
Ms Williams is apologising that she cannot be present.
– **Mae Ms Williams yn ymddiheuro nad ydy hi'n gallu bod yn bresennol.**
Mr Rhys has phoned to say that he will not be at the meeting.
– **Mae Mr Rhys wedi ffonio i ddweud na fydd e/o yn y cyfarfod.***
Ms Rhys has phoned to say that she will not be at the meeting.
– **Mae Ms Rhys wedi ffonio i ddweud na fydd hi yn y cyfarfod.**
Mr Owen has written to say that he will not be at the meeting.
– **Mae Mr Owen wedi sgrifennu i ddweud na fydd e/o yn y cyfarfod.***
Ms Owen has written to say that she will not be at the meeting.
– **Mae Ms Owen wedi sgrifennu i ddweud na fydd hi yn y cyfarfod.**
Mrs Jones will be late.
– **Bydd Mrs Jones yn hwyr.**
Mr Hughes will be here for the afternoon session.
– **Bydd Mr Hughes yma ar gyfer sesiwn y prynhawn.**
Mr Richards is at another meeting.
– **Mae Mr Richards mewn cyfarfod arall.**

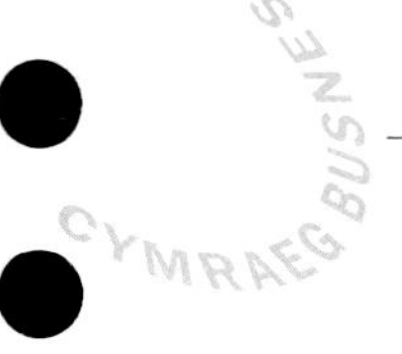

Ymdrin â chofnodion
Dealing with minutes

Cwestiynau – *Questions:*

Has everyone received the minutes? – **Ydy pawb wedi derbyn y cofnodion?**
Has everyone received the minutes of the last meeting?
– **Ydy pawb wedi derbyn cofnodion y cyfarfod diwethaf?**
Are the minutes correct? – **Ydy'r cofnodion yn gywir?**
Are there any matters arising from the minutes? – **Oes materion yn codi o'r cofnodion?**

Ymateb – *Responses:*

Yes.
– **Ydyn.** (We have)
– **Ydyn.** (They are)
– **Oes.** (There are)

No.
– **Nac ydyn.** (We have not)
– **Nac ydyn.** (They have not)
– **Nac oes.** (There are not)

I haven't.
– **Dw i ddim.**
I haven't received everything.
– **Dw i ddim wedi derbyn popeth.**

Cyflwyno siaradwyr
Introducing speakers

Please welcome...
– **Rhowch groeso, os gwelwch yn dda, i...**
I'm sure we're very pleased to welcome...
– **Dw i'n siŵr ein bod ni'n falch iawn o groesawu...**
I'd like to introduce our guest speaker *(male)*,...
– **Hoffwn gyflwyno ein gŵr gwadd,...**
I'd like to introduce our guest speaker *(female)*,...
– **Hoffwn gyflwyno ein gwraig wadd,...**
Professor John Webster.
– **Yr Athro John Webster.**
Dr Huw Lloyd.
– **Y Doctor Huw Lloyd.**
Councillor Sara Jones.
– **Y Cynghorydd Sara Jones.**

Ymdrin â chynigion ffurfiol
Dealing with formal motions

There's a formal motion in front of you. – **Mae cynnig ffurfiol o'ch blaen.**
The motion is... – **Y cynnig ydy...**
Does anybody want to second that? – **Oes rhywun yn mynd i eilio?**
Who is going to second? – **Pwy sy'n mynd i eilio?**
Could we move to a vote? – **Gawn ni symud at bleidlais?**
Those in favour. – **Pawb o blaid.**
Those against. – **Pawb yn erbyn.**
Those in favour of the motion. – **Pawb o blaid y cynnig.**
The motion has been passed. – **Mae'r cynnig wedi'i dderbyn.**
The motion has been defeated. – **Mae'r cynnig wedi'i wrthod.**

Ethol swyddogion
Electing officers

The nominations are… – **Yr enwebiadau ydy…**
The nominations which have come in are… – **Yr enwebiadau sy wedi dod i law ydy…**
…(male) has been nominated for… – **Mae… wedi'i enwebu fel…**
…(female) has been nominated for… – **Mae… wedi'i henwebu fel…**
Are there any other nominations? – **Oes unrhyw enwebiadau eraill?**

Ymateb *– Responses:*

Yes (there is/are). – **Oes.**
No (there isn't/aren't). – **Nac oes.**

Diolch i siaradwyr
Thanking speakers

I'd like to thank… – **Baswn i'n hoffi diolch i…**

…for his contribution. – **…am ei gyfraniad.**
…for her contribution. – **…am ei chyfraniad.**
…for their contributions. – **…am eu cyfraniadau.**
…for his work. – **…am ei waith.**
…for her work. – **…am ei gwaith.**
…for their work. – **…am eu gwaith.**
…for his address. – **…am ei anerchiad.**
…for her address. – **…am ei hanerchiad.**
…for their address. – **…am eu hanerchiadau.**

Diolch i bawb
Thanking all present

Thank you all for coming.
– **Diolch i chi i gyd am ddod.**
Thanks to all present.
– **Diolch i bawb sy'n bresennol.**

Trefnu cyfarfod y prynhawn
Arranging the afternoon session

We shall be restarting after lunch at two o'clock.
– **Byddwn ni'n ailddechrau ar ôl cinio am ddau o'r gloch.**
The afternoon session will commence at quarter to two.
– **Bydd sesiwn y prynhawn yn dechrau am chwarter i ddau.**
Would it be possible for you to return by two o'clock, please?
– **Fasai'n bosib i chi ddod yn ôl erbyn dau o'r gloch, os gwelwch yn dda?**

Ailddechrau cyfarfod
Restarting a meeting

Welcome back.
– **Croeso nôl.**
I hope you enjoyed the lunch.
– **Gobeithio i chi fwynhau'r cinio.**
– **Gobeithio eich bod (chi) wedi mwynhau'r cinio.**
It's time for us to restart.
– **Mae'n bryd i ni ailddechrau.**

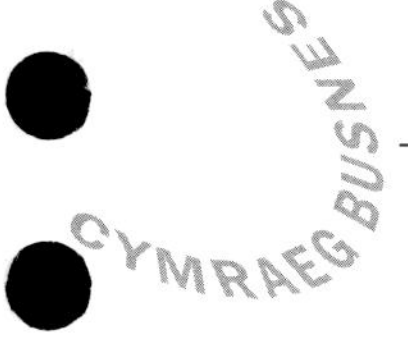

Trefnu amser gorffen
Arranging a finishing time

We hope to finish by four.
– **Rydyn ni'n gobeithio gorffen erbyn pedwar.**
The conference will end at five o'clock.
– **Bydd y gynhadledd yn dod i ben am bump o'r gloch.**

Trafod dyddiad y cyfarfod nesaf
Discussing the date of the next meeting

Can we arrange the date of the next meeting, please?
– **Gawn ni drefnu dyddiad y cyfarfod nesaf, os gwelwch yn dda?**
May I suggest... ?
– **Ga i awgrymu... ?**
The next meeting will be on Monday, the 5th of February at half past two.
– **Bydd y cyfarfod nesaf ddydd Llun, y pumed o Chwefror am hanner awr wedi dau.**
We shall be confirming the date by letter.
– **Byddwn yn cadarnhau'r dyddiad trwy lythyr.**

Expressing times and dates see ***PART C Section 3.***

CYMRAEG BUSNES

RHAN B

CYFATHREBU YSGRIFENEDIG

PART B

WRITTEN COMMUNICATION

B

Cynnwys – Content

RHAGARWEINIAD

DEFNYDDIO'R IAITH YSGRIFENEDIG

Bydd angen i gwmnïau, busnesau a sefydliadau roi sylw i'r agweddau hynny ar eu gwaith lle y gellir ac y dylid defnyddio'r Gymraeg yn ysgrifenedig. Mae'r defnydd o'r iaith ysgrifenedig yn cwmpasu arwyddion, ffurflenni, marchnata nwyddau a gwasanaethau, dogfennau swyddogol a gohebu.

STAFF CYMWYS

Mae'n bwysig sylweddoli nad oes rhaid i bob aelod o'r staff fod yn rhugl yn y Gymraeg a'r Saesneg er mwyn cyflwyno mesur o ddwyieithrwydd ysgrifenedig. Bydd yr angen am staff sy'n gyfarwydd â'r Gymraeg ac yn ei medru yn amrywio o dasgau sy'n golygu deall a defnyddio penawdau ac ymadroddion elfennol i dasgau sy'n gofyn rhuglder llwyr a gafael sicr ar ramadeg a chystrawen.

GAIR I GALL

Rhaid cymryd gofal arbennig wrth gyflwyno ffurfiau ysgrifenedig y Gymraeg. Ni fyddai arddangos arwyddion gwallus neu ffurflenni a dogfennau'n llawn gwallau iaith yn dderbyniol yn y Saesneg; nid ydynt ychwaith yn dderbyniol yn y Gymraeg. Mae'r broses gyfieithu yn golygu mwy na throsi geiriau unigol a gellir mynd i ddyfroedd dyfnion wrth bori mewn geiriadur. Argymhellir gofyn cyngor arbenigwyr iaith cyn mynd ati i argraffu unrhyw beth.

INTRODUCTION

USING WRITTEN WELSH

Companies, businesses and organisations will need to examine and address those aspects of their work where written Welsh can be used and will need to be used. The use of the written language encompasses signage, forms, goods and service marketing, official documents and correspondence.

COMPETENT STAFF

It is important to realise that not every member of staff needs to be fluent in Welsh and English in order to introduce a measure of bilingualism into daily routine. The need for staff who have a knowledge of and competency in written Welsh will vary according to the tasks to be performed and the situations encountered. Understanding and using written Welsh will range from tasks requiring recognition and use of headings and basic words and phrases to those tasks where full and fluent use of Welsh is required.

A WORD TO THE WISE

Particular care needs to be taken in presenting written Welsh to the public. Displaying signs and presenting forms and documents which contain incorrect use of English would be unacceptable; they are just as unacceptable in Welsh. Producing material in Welsh means more than just translating individual words and phrases; many have produced embarrassing results by relying simply on a dictionary! We strongly recommend that you consult Welsh language experts or agencies before going to print.

ADRAN 1
ARWYDDION

SECTION 1
SIGNAGE

Yn yr Adran hon – In this Section

DOSBARTHIAD
CLASSIFICATION

Enwau
– Names
Mewn meysydd parcio
– In car parks
Yn y dderbynfa
– In reception
Arwyddion nwyddau
– Product indicators
Gwybodaeth a chyfarwyddiadau
– Information and directions

TERMAU
TERMS

Termau cyffredinol
– General terms
Termau arbenigol
– Specific Terms

Ers y saithdegau, bu cynnydd yn y defnydd o'r Gymraeg ar arwyddion o bob math. Yn y sectorau cyhoeddus a phreifat defnyddir yr iaith ar arwyddion ffyrdd, ar adeiladau a swyddfeydd, i roi gwybodaeth a chyfarwyddyd ac i hysbysebu nwyddau a gwasanaethau.

Since the 1970s the Welsh language has been used increasingly on all kinds of signage. In both the public and private sectors it is used on road signs, on buildings and offices, to give information and directions and to advertise goods and services.

DOSBARTHIAD
CLASSIFICATION

Enwau
Names

B. Jones Cigydd/Butcher
T. Owen a'i Feibion – T. Owen & Sons
Popty Rhosgoch – Rhosgoch Bakery
Y Llew Du – The Black Lion
Gwesty'r Parc – Park Hotel
Amgueddfa Werin Cymru – The Museum of Welsh Life

Mewn meysydd parcio
In car parks

Maes Parcio – Car Park
Parcio Preifat – Private Parking
I mewn – In
Dim Mynediad – No Entry
Talu ac Arddangos – Pay and Display

Yn y dderbynfa
In reception

Derbynfa – Reception
Ymholiadau – Enquiries
Gwasanaeth i Gwsmeriaid – Customer Services
Mynedfa – Entrance
Allanfa – Exit

Arwyddion nwyddau
Product indicators

Bwyd – Food
Nwyddau Trydan – Electrical Goods
Dillad Dynion – Menswear
Celfi / Dodrefn – Furniture*
Arwerthiant – Sale

Gwybodaeth a chyfarwyddiadau
Information and directions

Taler Yma – Pay Here
Gwasanaeth – Service
Ar agor – Open
Dihangfa Dân – Fire Escape
Rheolwr – Manager
Yr Adran Gyllid – The Finance Department
Swyddi ar Gael – Job Vacancies
Dim Smygu – No Smoking
Staff yn unig – Staff Only

CYMRAEG BUSNES

TERMAU
TERMS

Termau cyffredinol
General terms

Accommodation – **Llety**
Advice Centre – **Canolfan Cynghori; Canolfan Gynghori***
Assembly Point – **Man Ymgynnull**

Badge must be worn – **Rhaid gwisgo bathodyn**
Bar – **Bar**
Basement – **Islawr**
Bed and Breakfast – **Gwely a Brecwast**
Block B – **Adeilad B**
Boardroom – **Ystafell y Bwrdd**
Booking Office – **Swyddfa Docynnau**
Building A – **Adeilad A**
Business Centre – **Canolfan Busnes; Canolfan Fusnes***

Café – **Bwyty; Caffi**
Canteen – **Ffreutur; Cantîn**
Car Park – **Maes Parcio**
  Car park closes at 6.00
  – **Mae'r maes parcio'n cau am 6.00**
  Car park for visitors only –
  – **Maes parcio i ymwelwyr yn unig**
Caretaker – **Gofalwr**
Cash – **Arian**
Chairman's Room – **Ystafell y Cadeirydd**
Changing Rooms – **Ystafelloedd Newid**
Closed – **Ar gau; Wedi cau**
Coffee bar – **Bar Coffi**
Conference Room – **Ystafell Gynadledda**
Courier – **Cludydd**
  Courier Service – **Gwasanaeth Cludo**
Crèche – **Meithrinfa**
Customers – **Cwsmeriaid**
  Customers only – **Cwsmeriaid yn unig**
  Customer Services – **Gwasanaeth i Gwsmeriaid**

Danger – **Perygl**
Dial 823 for attention – **Deialwch 823 i gael sylw**
Disabled – **Anabl**
  Disabled vehicles only
  – **Cerbydau'r anabl yn unig**
Display on windscreen
  – **Arddangoswch ar y ffenest flaen.**
Down – **I Lawr**

Elevator/-s – **Esgynnydd/Esgynyddion; Lifft/-iau**
Emergency Exit – **Allanfa Frys**
Empty – **Gwag**
Enquiries – **Ymholiadau**
Entertainment – **Adloniant**
Entrance – **Mynedfa**
  Entrance in use day and night
  – **Defnyddir y fynedfa ddydd a nos**
  Entrance D – **Mynedfa D**
  Goods Entrance – **Mynedfa Nwyddau**
  Main Entrance – **Prif Fynedfa**

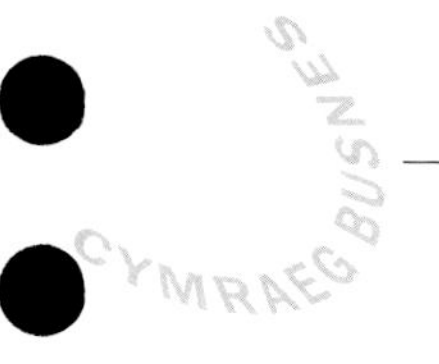

Entry (Entrance) – **Mynedfa**
Entry (Admittance) – **Mynediad**
Escalator/-s – **Esgaladur/-on**
  Escalator down – **Esgaladur i lawr**
  Escalator up – **Esgaladur i fyny**
Except for loading – **Ac eithrio llwytho**
Exhibition/-s – **Arddangosfa/Arddangosfeydd**
Exit – **Allanfa**
  Emergency Exit – **Allanfa Frys**
Extinguisher/-s – **Diffoddwr/Diffoddwyr**
  Extinguish when not being used
  – **Diffoddwch pan nad yw'n cael ei ddefnyddio**

Fire – **Tân**
  Fire Door/-s – **Drws Tân/Drysau Tân**
  Fire Escape – **Dihangfa Dân**
  Fire Exit – **Allanfa Dân**
First Aid – **Cymorth Cyntaf**
Floods – **Llifogydd**
Floor – **Llawr**
  First Floor – **Llawr Cyntaf**
  1st Floor – **Llawr 1af**
  Ground Floor – **Llawr Isaf**
  Second Floor – **Ail Lawr**
  2nd Floor – **2il Lawr**
  Third Floor – **Trydydd Llawr**
  3rd Floor – **3ydd Llawr**
Footpath – **Llwybr Troed**
Footpath only – **Llwybr troed yn unig**
For Sale – **Ar Werth**
For sale here – **Ar werth yma**
Four Star – **Pedair Seren**
Foyer – **Cyntedd**

Free Entry – **Mynediad am ddim**
Full – **Llawn**

Garage – **Modurdy**
General Office – **Swyddfa Gyffredinol**
Gentlemen (Toilets) – **Dynion**
Goods to other entrance
  – **Nwyddau i'r fynedfa arall**
Ground Floor – **Llawr Isaf**
Guests – **Gwesteion**
  Guests Only – **Gwesteion yn Unig**

Harris Press – **Gwasg Harris**
Have you paid and displayed?
  – **Ydych chi wedi talu ac arddangos?**
Headquarters – **Pencadlys**
Here to help you – **Yma i'ch helpu**
Hotel – **Gwesty**
Hughes and Son – **Hughes a'i Fab**
Hughes and Sons – **Hughes a'i Feibion**

In – **I mewn**
Incoming Mail – **Post i mewn**
Indoor market – **Marchnad dan do**
Inland Revenue – **Cyllid y Wlad**
Internal mail – **Post mewnol**
Invoices – **Anfonebau**
Jobs – **Swyddi**
  Holiday Jobs – **Swyddi Gwyliau**
  Job Vacancies – **Swyddi ar Gael**
Jones Garage – **Modurdy Jones**

Keep... – **Cadwch...**
  Keep.... tidy – **Cadwch... yn daclus**

Keep away – **Cadwch draw**
Keep clear – **Cadwch yn glir**
Keep dogs on a lead – **Cadwch gŵn ar dennyn**
Keep left – **Cadwch i'r chwith; I'r Chwith**
Keep off the lawn – **Cadwch oddi ar y lawnt**
Keep right – **Cadwch i'r dde; I'r Dde**
Keep the lobby clear – **Cadwch y cyntedd yn glir**
Keep the stairs clear – **Cadwch y grisiau'n glir**
Lead-free Petrol – **Petrol Di-blwm**
Leaded Petrol – **Petrol â Phlwm**
Lecture Room – **Darlithfa**
Library – **Llyfrgell**
Lift/-s – **Lifft/Lifftiau; Esgynnydd/Esgynyddion**
Live music – **Cerddoriaeth fyw**
Low gear for 1.5 miles – **Gêr isel am 1.5 milltir**

Mail – **Post**
External mail – **Post allanol**
Incoming mail – **Post i mewn**
Internal mail – **Post mewnol**
Outgoing mail – **Post allan**
Main... – **Prif...**
Main building – **Prif adeilad**
Main office – **Prif swyddfa**
Main offices – **Prif swyddfeydd**
Manager – **Rheolwr**
Meeting Room/-s – **Ystafell Gyfarfod/Ystafelloedd Cyfarfod**
Medical gases – **Nwyon meddygol**
Men (Toilets) – **Dynion**
Men Only – **Dynion yn Unig**
Menu – **Bwydlen**
Mothers and Babies – **Mamau a Babanod**
Moved to – **Wedi symud i**

News – **Newyddion**
No... – **Dim...**
No admittance – **Dim mynediad**
No entry (admittance) – **Dim mynediad**
No entrance for vehicles – **Dim mynediad i gerbydau**
No food or drink – **Dim bwyd na diod**
No litter – **Dim ysbwriel**
No naked flame – **Dim fflam noeth**
No parking – **Dim parcio**
No parking caravans – **Dim parcio carafanau**
No rubbish – **Dim ysbwriel**
No signs on walls – **Dim arwyddion ar y waliau**
No smoking – **Dim ysmygu**
No unauthorised entry – **Dim mynediad heb awdurdod**
No way out – **Dim ffordd allan**
No way through – **Dim ffordd trwodd**
Notice Board – **Hysbysfwrdd**
Nursery (children) – **Meithrinfa**
Nursery (plants) – **Planhigfa; Meithrinfa**

Office/-s – **Swyddfa/Swyddfeydd**
One way – **Unffordd**
Open – **Ar agor**
Opening soon – **Yn agor yn fuan**
Out – **Allan**
Outgoing mail – **Post allan**

Parking – **Parcio**
Long term parking – **Parcio tymor hir**
Short term parking – **Parcio tymor byr**

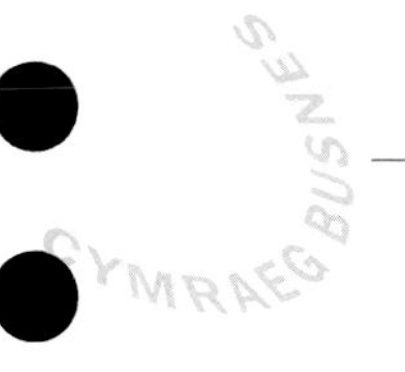

Parking for tenants only
– **Parcio i denantiaid yn unig**
Parking for more than 20 minutes prohibited
– **Gwaherddir parcio am fwy nag 20 munud**
Pay Here – **Talwch Yma; Taler Yma; Talu**
Pay and Display – **Talu ac Arddangos**
Paying in – **Talu i mewn**
Porter – **Porthor**
Pottery – **Crochendy**
Private – **Preifat**
Private parking – **Parcio preifat**
Pull – **Tynnwch**
Push – **Gwthiwch**
Push bar to open – **Gwthiwch y bar i agor**
Push to open – **Gwthiwch i agor**

Reception – **Derbynfa**
Refectory – **Ffreutur**
Refreshments – **Lluniaeth**
Refunds – **Ad-daliadau**
Reserved space/place – **Lle cadw**
Residents – **Preswylwyr**
Residents only – **Preswylwyr yn unig**
Residents' Car Park – **Maes Parcio Preswylwyr**
Rest Room – **Ystafell Orffwys**
Restaurant – **Bwyty; Tŷ Bwyta**
Ring bell for attention
– **Canwch y gloch i gael sylw**
Room/-s – **Ystafell/Ystafelloedd**
Rooms to let – **Ystafelloedd i'w gosod**

Safety clothing must be worn
– **Rhaid gwisgo dillad diogelwch**
Sale – **Sêl; Arwerthiant**
Save electricity – **Arbedwch drydan**
Second Floor – **Ail Lawr**
Secretary – **Ysgrifenyddes**
Senior staff only – **Staff hŷn yn unig**
Service/-s – **Gwasanaeth/Gwasanaethau**
Welsh Language Service – **Gwasanaeth Cymraeg**
Shop – **Siop**
Shut the gate – **Caewch y glwyd**
Sick Bay – **Clafdy**
Site – **Safle**
Slow – **Araf**
Slow down now – **Arafwch nawr**
Special offer – **Cynnig arbennig**
Special clothing must be worn
– **Rhaid gwisgo dillad arbennig**
Staff only – **Staff yn unig**
Stairs – **Grisiau**
Stairs down – **Grisiau i lawr**
Stairs down to car park
– **Grisiau i lawr i'r maes parcio**
Stairs up – **Grisiau i fyny**
Suggestions – **Awgrymiadau**

Take a leaflet – **Cymerwch daflen**
Take one – **Cymerwch un**
Taxi – **Tacsi**
Telephone/-s – **Ffôn/Ffonau**
Thank you for not smoking
– **Diolch am beidio ysmygu**
Thank you for shopping in...
– **Diolch am siopa yn...**
Third Floor – **Trydydd Llawr**
Tickets – **Tocynnau**

Ticket Office – **Swyddfa Docynnau**
Toilets – **Toiledau**
To the Beach – **I'r Traeth**
Toll-free Parking – **Parcio di-dâl**
Top Floor – **Llawr Uchaf**
Tourist Centre – **Canolfan Ymwelwyr**
Tourist Information – **Gwybodaeth i Ymwelwyr; Gwybodaeth i Dwristiaid**
Tradesmen only – **Masnachwyr yn unig**
Tolleys – **Trolïau**
Trolley Park – **Parc Trolïau**
Turn left – **Trowch i'r chwith**
Turn right – **Trowch i'r dde**
Two star – **Dwy seren**

Up – **I Fyny**

Visitors' car park – **Maes parcio ymwelwyr**
Visitors only – **Ymwelwyr yn unig**
Visitors – **Ymwelwyr**

Waiting room – **Ystafell aros**
Wanted – **Yn eisiau**
Way out – **Ffordd allan**
Welcome – **Croeso**
Welcome to... – **Croeso i...**
Welsh Speaker – **Siaradwr Cymraeg**
Welsh (is) spoken here – **Siaredir Cymraeg yma**
Women (Toilets) – **Merched**
Women Only – **Merched yn Unig**

Termau arbenigol
Specific terms

a) Nwyddau ac Offer – *Goods and Equipment*

audio equipment – **offer sain**

baby wear – **dillad babanod**
bathrooms – **ystafelloedd ymolchi**
bedding – **llieiniau gwely**
beds – **gwelyau**
books – **llyfrau**

cameras – **camerâu**
camping equipment – **offer gwersylla**
cards – **cardiau**
carpets – **carpedi**
curtains – **llenni**
children's wear – **dillad plant**
clothing – **dillad**
computers – **cyfrifiaduron**
cookers – **ffyrnau**

D.I.Y. – **gwella'r cartref**
dining room – **ystafell fwyta**

electric; electricity – **trydan**
electrical – **trydanol**
electrical equipment – **offer trydan**
electrical goods – **nwyddau trydan**
equipment – **offer**

flooring – **lloriau**
flowers – **blodau**

freezers – **rhewgelloedd**
frigdes – **oergelloedd**
furniture – **celfi; dodrefn***

games – **gêmau**
gas – **nwy**
garden furniture
– **celfi gardd***
– **dodrefn gardd***
gardening – **garddio**
gifts – **anrhegion**

hair care – **gofal gwallt**
house and home – **y tŷ a'r cartref**
household cleansers – **glanhawyr cartref**
household equipment – **offer tŷ**
household goods – **nwyddau'r tŷ**

jewellery – **gemau**

kitchen – **cegin**
kitchen equipment – **offer cegin**
kitchens – **ceginau**
kitchenware – **llestri cegin**

ladies' wear – **dillad merched**
lighting – **goleuo**
linen – **llieiniau**
lounge – **lolfa**

magazines – **cylchgronau**
menswear – **dillad dynion**
makeup – **colur**
motoring – **moduro**

paint – **paent**
perfume – **persawr**
pharmacy – **fferyllfa**
photography – **ffotograffiaeth**
plants – **planhigion**

shampoo – **siampŵ**
stationery – **papurach**

tableware – **llestri bwrdd**
televisions – **teledu**
toiletries – **nwyddau ymolchi**
tools – **offer**
...tools – **offer...**
toys – **teganau**
travel – **teithio**

video equipment – **offer fideo**

washing machines – **peiriannau golchi**

b) Bwyd a Diod – *Food and Drink*

beer – **cwrw**
biscuits – **bisgedi**
bread – **bara**
butcher – **cigydd**

cakes – **teisennau; cacennau**
canned... – **... can**
canned drinks – **diodydd can**
cheese – **caws**
confectionery – **melysion**

crisps – **creision**
dairy produce – **cynnyrch llaeth**
delicatessen – **delicatessen**
drinks – **diodydd**

fish – **pysgod**
frozen food – **rhewfwyd**
fruit – **ffrwythau**

home baking – **pobi cartref**

ice cream – **hufen iâ**

meats – **cigoedd**

nuts – **cnau**

petfood – **bwyd anifeiliaid**

soft drinks – **diodydd ysgafn**
spirits – **gwirodydd**

tinned... – ...**tun**
tinned fruit – **ffrwythau tun**

vegetables – **llysiau**

wine – **gwin**
wines – **gwinoedd**

ADRAN 2

ADNABYDDIANT BUSNES A CHWMNI

SECTION 2

BUSINESS AND COMPANY IDENTITY

Yn yr Adran hon – In this Section

PAPURACH
STATIONERY

Dosbarthiad
– Classification

Termau
– Terms

GWAHODDIADAU
INVITATIONS

Geiriad
– Wording

CALENDRAU
CALENDARS

Dyddiau'r wythnos
– Days of the week

Y misoedd
– The months

Gwyliau banc
– Bank holidays

Termau
– Terms

DEUNYDDIAU COFRESTRU
REGISTRATION MATERIALS

Isbenawdau
– Subheadings

Heddiw, mewn marchnad fwy-fwy cystadleuol, mae hybu adnabyddiant yn fater o bwys i unrhyw fusnes, cwmni neu sefydliad sydd am lwyddo. Y ffordd rwyddaf i dynnu sylw'r cyhoedd yw defnyddio logo trawiadol neu enw cofiadwy.

I fusnesau yng Nghymru, mae defnyddio'r ddwy iaith yn ffordd amlwg o hybu adnabyddiant. Yn hyn o beth, gellir defnyddio'r Gymraeg ar lefel syml iawn i hyrwyddo Cymreictod.

Today, in an ever more competitive market, any business, company or organisation which wants to succeed must promote its own corporate identity. The easiest way to draw the public's attention is by using a striking logo or a memorable name.

For businesses in Wales, using both languages is an obvious and immediate way of promoting one's identity. To this end, the Welsh language can be used at a very simple level to further promote a Welsh identity.

GWESTY **PORTMEIRION** HOTEL
FFURFLEN GOFRESTRU · REGISTRATION FORM

CYFENW *SURNAME*	DYDDIAD CYRRAEDD *ARRIVAL DATE*
ENWAU *FORENAMES*	DYDDIAD YMADAEL *DEPARTURE DATE*
CYFEIRIAD CARTREF *HOME ADDRESS*	PRIS Y LLOFFT *ROOM RATE*
	LLOFFT *ROOM*
RHIF FFÔN *TEL. NO*	Ymwelwyr Tramor yn unig *Overseas Visitors only*

PAPURACH
STATIONERY

Dosbarthiad
Classification

a) Deunyddiau gydag adnabyddiant y busnes neu'r cwmni ynghyd ag unrhyw isbenawdau wedi'u hargraffu'n barod arnynt. Gall y sawl sy'n eu defnyddio ddewis ym mha iaith i gyfathrebu.

Materials with the business or company identity together with any relevant subheadings already printed on them. The communication which follows can be in the chosen language of the person sending the communication.

facsimile messages – **negeseuon cyflun/ffacs**
headed notepaper – **papur pennawd**
memoranda – **memoranda**

b) Deunyddiau gydag adnabyddiant y busnes neu'r cwmni ynghyd ag unrhyw neges wedi'u hargraffu'n barod arnynt.

Materials with the business or company identity together with any relevant messages already printed on them.

business cards – **cardiau busnes**
complimentary slips – **nodion cyfarch**

Termau
Terms

answerphone – **peiriant ateb**
date – **dyddiad**
department – **adran**
details – **manylion**
direct line – **llinell uniongyrchol**
e-mail – **e-bost**
extension (ext) – **estyniad (est)**
fax – **neges gyflun; ffacs**
fax message – **neges gyflun; neges ffacs**
fax number – **rhif cyflunydd; rhif ffacs**
f.a.o. – **at**
from (person) – **gan; oddi wrth**
invitation – **gwahoddiad**
message – **neges**
memo – **memo**
memorandum – **memorandwm**
no. of pages including this – **nifer y tudalennau gan gynnwys hon**
phone – **ffôn**
phone number – **rhif ffôn**
telephone – **ffôn**
telephone number – **rhif ffôn**
telex number – **rhif telecs**
to (person) – **at**
with compliments – **gyda chyfarchion**

GWAHODDIADAU
INVITATIONS

Gellir argraffu gwahoddiadau ar gyfer achlysuron ffurfiol neu anffurfiol yn ddwyieithog, naill ai ochr yn ochr neu gyda'r naill iaith o dan y llall. I osgoi dangos blaenoriaeth ieithyddol, gellir argraffu'r manylion yn y Gymraeg ar un ochr ac yn Saesneg ar yr ochr arall.

Invitations to formal or informal occasions can be printed bilingually with the languages either side by side or one above the other. To avoid showing a language preference, details can be printed in Welsh on one side and in English on the other.

Geiriad
Wording

You are invited – **Fe'ch gwahoddir**

to a business breakfast – **i frecwast busnes**
to an awards evening – **i noson wobrwyo**
to an exhibition of... – **i arddangosfa o...**
to an open day – **i ddiwrnod agored**
to ...'s retirement function – **i ddathlu ymddeoliad...**
to the annual general meeting – **i'r cyfarfod cyffredinol blynyddol**
to the launch of... – **i lansiad; i lansio...**
to the official opening of... – **i agoriad swyddogol...**

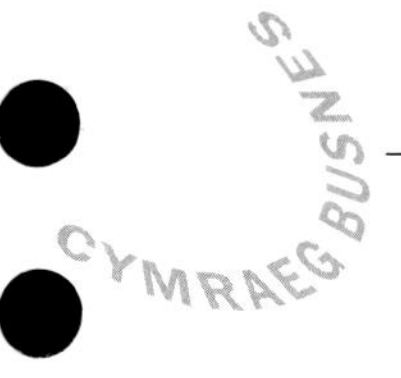

CALENDRAU
CALENDARS

Mae calendrau yn ddull effeithiol o atgoffa cwsmeriaid am fanylion cwmni, ei nwyddau a'i wasanaethau drwy'r flwyddyn. I gwmnïau Cymreig mae'n ffordd o hybu Cymru a Chymreictod, nid yn unig o fewn Cymru ond hefyd wrth ymwneud â chwmnïau o'r tu allan.

Calendars are an effective way of making customers aware of company details, its products and services throughout the year. They can also be used to promote Wales and Welshness, not only with Welsh customers but also with customers in other countries.

Dyddiau'r wythnos
Days of the week

Sunday – **Dydd Sul; Sul**
Monday – **Dydd Llun; Llun**
Tuesday – **Dydd Mawrth; Mawrth**
Wednesday – **Dydd Mercher; Mercher**
Thursday – **Dydd Iau; Iau**
Friday – **Dydd Gwener; Gwener**
Saturday – **Dydd Sadwrn; Sadwrn**

Y misoedd
The months

January – **Ionawr**
February – **Chwefror**
March – **Mawrth**
April – **Ebrill**
May – **Mai**
June – **Mehefin**
July – **Gorffennaf**
August – **Awst**
September – **Medi**
October – **Hydref**
November – **Tachwedd**
December – **Rhagfyr**

Gwyliau banc
Banc holidays

bank holiday – **gŵyl banc; gŵyl y banc**
bank holidays – **gwyliau banc**
New Year's Day – **Dydd Calan**
St David's Day – **Gŵyl Dewi**
Good Friday – **(Dydd) Gwener y Groglith**
Easter Monday – **(Dydd) Llun y Pasg**
May Day Holiday – **Gŵyl Calan Mai**
Whitsun Bank Holiday – **Gŵyl Banc y Sulgwyn**
Spring Bank Holiday – **Gŵyl Banc y Gwanwyn**
August Bank Holiday – **Gŵyl Banc Awst**
Christmas Day – **Dydd Nadolig**
Boxing Day – **Gŵyl San Steffan**

Termau
Terms

at your service – **at eich gwasanaeth**
a view of... – **golygfa o...** (+ Soft Mutation)
direct line – **llinell uniongyrchol**
e-mail – **e-bost**
extension – **estyniad**
fax number – **rhif cyflunydd; rhif ffacs**
in autumn – **yn yr hydref**
in spring – **yn y gwanwyn**
in summer – **yn yr haf**
in winter – **yn y gaeaf**
phone; telephone – **ffôn**
phone number – **rhif ffôn**
telex number – **rhif telecs**
view from... – **golygfa o...** (+ Soft Mutation)
with compliments – **gyda chyfarchion**

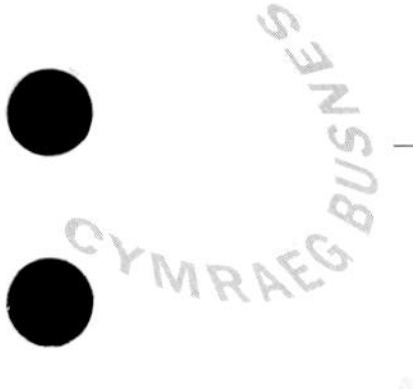

DEUNYDDIAU COFRESTRU
REGISTRATION MATERIALS

Gellir argraffu'r deunyddiau hyn â phenawdau ac isbenawdau dwyieithog fel y gall gwesteion ac ymwelwyr eu llenwi yn eu dewis iaith. Maent yn cynnwys llyfrau a ffurflenni cofrestru.

These can be materials with printed bilingual headings and subheadings that guests and visitors can complete in the language of their choice. They include registration books and forms.

Isbenawdau
Subheadings

address – **cyfeiriad**
arrival time – **amser cyrraedd**
car number – **rhif car**
comments – **sylwadau**
company – **cwmni**
date – **dyddiad**
department – **adran**
departure time – **amser gadael**
details – **manylion**
first name(s) – **enw(au) cyntaf**
name – **enw**
name in full – **enw (yn) llawn**
phone number – **rhif ffôn**
post code – **côd post**
reason for visit – **rheswm dros yr ymweliad**
signature – **llofnod**
surname – **cyfenw**
telephone number – **rhif ffôn**
time in – **i mewn**
time out – **allan**
visiting – **yn ymweld â; i weld**

ADRAN 3
MARCHNATA A CHYSYLLTIADAU CYHOEDDUS

SECTION 3
MARKETING AND PUBLIC RELATIONS

Yn yr Adran hon – In this Section

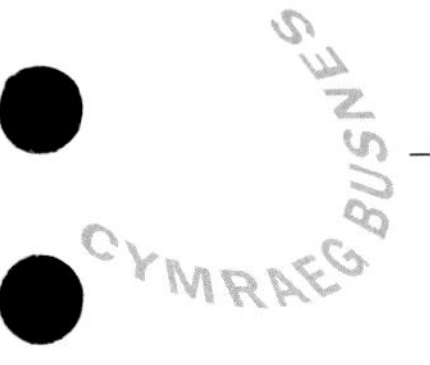

Yn unol â Deddf yr Iaith Gymraeg, disgwylir i wasanaethau cyhoeddus a'r cyfleusdodau ddarparu gwybodaeth i'w cwsmeriaid yn Gymraeg a Saesneg. Yn y sector preifat, bu cynnydd yn y defnydd o'r Gymraeg ar gyfer marchnata, gan gynnwys hysbysebu yn y wasg a'r cyfryngau. Mae cyfleoedd di-ri i fusnesau, cwmnïau a sefydliadau ddefnyddio'r Gymraeg fel rhan o'u strategaeth farchnata ac hefyd i dynnu sylw'r rhai sy'n gweithio trwy gyfrwng y Gymraeg yn y cyfryngau torfol. Mae nifer y defnyddwyr o Gymru sy'n deall ac yn gallu defnyddio'r Gymraeg bellach yn cynyddu.

Yn y diwydiant ymwelwyr, mae defnyddio'r Gymraeg ar daflenni, posteri a phaneli gwybodaeth nid yn unig yn diwallu anghenion siaradwyr Cymraeg, ond hefyd yn rhoi statws i'r iaith. Yn ogystal, mae'n ddull unigryw o farchnata a hybu atyniadau o bob math. Mae'r iaith ei hun yn rhan o'r profiad unigryw o ymweld â Chymru.

Yn y diwydiant llety a lluniaeth, gall yr iaith ychwanegu at y ddelwedd bod gan Gymru rywbeth arbennig i'w gynnig. Mae gan Gymru nifer fawr o fwydydd a danteithion traddodiadol y dylid gwneud yn fawr ohonynt a'u cyflwyno ar fwydlenni yn Gymraeg neu'n ddwyieithog. Onid yr un egwyddor a ddefnyddir yn y bwytai bwyd-estron di-ri a welir drwy'r wlad ac a dderbynnir yn ddi-lol gan giniawyr? Dylid gochel hefyd rhag defnyddio termau megis "full English breakfast" neu "English meals" am fwydydd a phrydau sy'n rhan o'r profiad Prydeinig.

In accordance with the Welsh Language Act, public services and the utilities are expected to provide information for their customers in both Welsh and English. In the private sector, there is a growing trend to using Welsh as a marketing tool, including advertising in the press and in the media. There are many opportunities for businesses, companies and organisations to use Welsh as part of their marketing strategy and also to attract the attention of those who work through the medium of Welsh in the mass media. The number of Welsh consumers who understand and can use Welsh is now increasing.

For those involved in tourism, using Welsh in pamphlets and on posters and information panels not only serves the needs of Welsh speakers, but also gives status to the language. It is furthermore a unique way of marketing and promoting attractions of all kinds. The language itself is and should be seen as a part of the unique experience of a visit to Wales.

For those involved in the accommodation and food industry, using the language can help promote Wales' image as a country with something extra to offer. There are a great many traditional Welsh dishes which restauranteurs should make the most of and present in Welsh or bilingually on menus. (Is this not what we see in action in countless foreign-food restaurants throughout the country?) Terms such as "full English breakfast" and "English meals" should be avoided when referring to courses and meals which are part of a British experience.

NEWYDDION

PRESS RELEASE

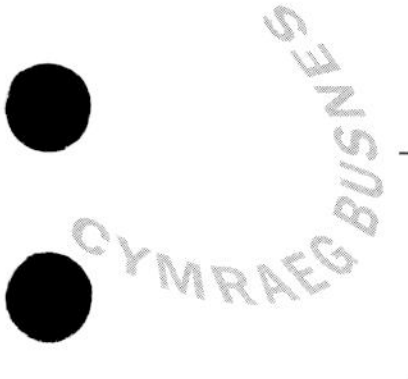

DEUNYDDIAU HYSBYSEBU
PROMOTIONAL MATERIALS

Dosbarthiad
Classification

(i) **Hysbysebu drwy'r Cyfryngau** – Media Advertising

In the press – **Yn y wasg**
On television – **Ar y teledu**
On the radio – **Ar y radio**
On bill-boards – **Ar bosteri stryd**

(ii) **Catalogau** – Catalogues

(iii) **Taflenni Gwybodaeth a Hysbysebu** – Information and Promotional Leaflets

(iv) **Gwybodaeth am Wasanaethau** – Information about Services

Health Services – **Y Gwasanaethau Iechyd**
Local Government Services – **Gwasanaethau Llywodraeth Leol**
Postal & Banking Services – **Gwasanaethau Post a Bancio**
Telecommunications – **Telathrebu**
Utilities' Services – **Gwasanaethau'r Cyfleusdodau**

Termau
Terms

available – **ar gael**
  available from (person/company) – **ar gael gan**
  available from (date/place) – **ar gael o**
  available soon – **ar gael yn fuan**
by fax – **trwy'r cyflunydd/ffacs**
by phone – **dros y ffôn**
by post – **trwy'r post**
content/-s – **cynnwys**
customers – **cwsmeriaid**
  customer help – **cymorth i gwsmeriaid**
direct debit – **debyd uniongyrchol**
discount/-s – **disgownt/-iau**
distribution – **dosbarthu**
e-mail – **e-bost**
guarantee – **gwarant**
helpline – **llinell gymorth**
how to complain – **sut i gwyno**
invoicing – **anfonebu**
orders – **archebion**
order form – **ffurflen archebu**
payment – **tâl; taliad**
  minimum payment – **isafswm tâl; isafswm taliad**
postage and packing – **cludiant**
  free p & p – **cludiant am ddim**
reductions – **gostyngiadau**
retailers – **manwerthwyr**
terms – **telerau**
overseas distribution – **dosbarthu tramor**
overseas sales – **gwerthiant tramor**
VAT – **TAW**
wholesalers – **cyfanwerthwyr**

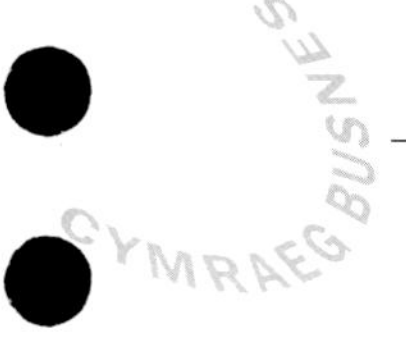

TWRISTIAETH, HAMDDEN AC ADLONIANT
TOURISM, LEISURE AND ENTERTAINMENT

Dosbarthiad
Classification

Hotel & guest house leaflets and brochures – **Taflenni a llyfrynnau gwestyau a lletyau**

Holiday leaflets and brochures – **Taflenni a llyfrynnau gwyliau**

Local attraction leaflets – **Taflenni atyniadau lleol**

Leisure and Entertainment Materials – **Deunyddiau Hamdden ac Adloniant**

Restaurant, café and public house menus – **Bwydlenni bwytai a thafarnau**

Termau
Terms

accommodation – **llety; lle**
  sheltered accommodation – **llety amnodd**
admission – **mynediad**
  free admission – **mynediad am ddim**
adventure centre – **canolfan antur**
ancient monument/-s – **heneb/-ion**
art gallery – **oriel gelf**
atmosphere – **awyrgylch**
  friendly atmosphere – **awyrgylch cartrefol**
  homely atmosphere – **awyrgylch cartrefol**
attraction/-s – **atyniad/-au**
available – **ar gael**

B & B – **G a B**
  Bed and Breakfast – **Gwely a Brecwast**
babysitting – **gwarchod plant**
bar/-s – **bar/-au**
  café bar – **bar caffis; café bar**
  coffee bar – **tafarn goffi; bar coffi**
  lounge bar – **bar lolfa**
  milk bar – **tafarn laeth/lefrith; bar llaeth/llefrith**
  private bar – **bar preifat**
  public bar – **bar cyhoeddus**
  snack bar – **bar byrbrydau**
bathing – **ymdrochi**
  no bathing – **dim ymdrochi**
  safe bathing – **ymdrochi diogel**
bay/-s – **bae/-au**
  quiet bay – **bae tawel**
  secluded bay – **bae diarffordd**
beach/-s – **traeth/-au**
  private beach – **traeth preifat**
  safe beach – **traeth diogel**
  sheltered beach – **traeth cysgodol**
bedroom/-s
  – **ystafell wely/ystafelloedd gwely; llofft/-ydd**
boating – **cychod**
book (to): **bwcio** *(but note also:)*
  book a holiday (to) – **trefnu gwyliau**
  book place/-s (to) – **cadw lle/-oedd**
  book room/-s (to) – **cadw ystafell/-oedd**
  book seat/-s (to) – **cadw sedd/-au**
  book table (to) – **cadw bwrdd**
booking office – **swyddfa docynnau**
breakfast – **brecwast**
  continental breakfast – **brecwast cyfandirol**
  full breakfast – **brecwast llawn**
bridlepath/-s – **llwybr/-au ceffylau**
brochure/-s – **llyfryn/-nau**
  colour brochure – **llyfryn lliw**
  free brochure – **llyfryn am ddim**
  full colour brochure – **llyfryn lliw llawn**
  illustrated brochure – **llyfryn darluniadol**

cable car/-s – **car/ceir cebl**
café/-s – **caffi/-s; bwyty/bwytai**
cafeteria – **bwyty; ffreutur**
camp/-s – **gwersyll/-oedd**
camping – **gwersylla**
camp site – **safle gwersylla; gwersyllfa**
canoeing – **canwïo**
caravan/-s – **carafan/-au**

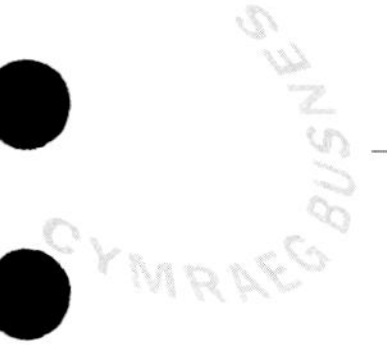

caravan site – **maes carafanau**
luxury caravan – **carafan moethus**
car parking – **parcio**
castle/-s – **castell/cestyll**
central heating – **gwres canolog**
central heating throughout – **gwres canolog drwodd**
full central heating – **gwres canolog llawn**
centre (place) – **canolfan**
amusement centre – **canolfan adloniant**
garden centre – **canolfan arddio**
leisure centre – **canolfan hamdden**
mountain centre – **canolfan fynydda**
shopping centre – **canolfan siopa**
ski centre – **canolfan sgïo**
sports centre – **canolfan chwaraeon**
sun centre – **heulfan**
visitor centre – **canolfan ymwelwyr**
charge/-s – **tâl/taliadau; cost/-au**
children – **plant**
children free – **plant am ddim**
children under... – **plant dan...**
no children under... – **dim plant dan...**
choice (of) – **dewis (o)**
choice of menus – **dewis o fwydlenni**
excellent choice – **dewis ardderchog**
cinema – **sinema/sinemâu**
club/-s – **clwb/clybiau**
nightclub/-s – **clwb/clybiau nos**
coal mine – **pwll glo; glofa**
coffee shop – **caban coffi**
complex – **canolfan**
entertainment complex – **canolfan adloniant**
leisure complex – **canolfan hamdden**

cooking (food) – **bwyd**
Welsh cooking – **bwyd Cymreig**
cottage/-s – **bwthyn/bythynod**
crafts – **crefftau**
craft centre – **canolfan grefftau**
craft siop/-s – **siop grefftau/siopau crefftau**

date/-s – **dyddiad/-au**
dinner – **cinio; swper**
disabled – **anabl**
disabled people – **yr anabl**
disco – **disgo**

entertainment – **adloniant**
evening meal/-s – **pryd/-au hwyr**
facilities – **cyfleusterau**
private facilities – **cyfleusterau preifat**
leisure facilities – **cyfleusterau hamdden**
shared facilities – **cyfleuesterau rhanedig**
sporting facilties – **cyfleusterau chwaraeon**
tea/coffee making facilities – **cyfleusterau te/coffi**
family/families – **teulu/teuluoedd**
families welcome – **croeso i deuluoedd**
flat/-s – **fflat/-iau**
fully furnished flat – **fflat llawn celfi/dodrefn**
luxury flat – **fflat moethus**
food – **bwyd**
vegetarian food – **bwyd llysieuol**
footpath/-s – **llwybr/-au**
public footpath – **llwybr cyhoeddus**
free – **am ddim; di–dâl**
free parking – **parcio am ddim; parcio di–dâl**
free admission – **mynediad am ddim**

gallery – **oriel**
art gallery – **oriel gelf**
games room – **ystafell chwaraeon**
golf – **golff**
golf course – **cwrs golff**
guest/-s – **gwestai/gwesteion**
guesthouse/-s – **gwesty/gwestyau**
guestroom/-s – **ystafell/-oedd gwesteion**
guide/-s (person) – **tywysydd/-ion**
guide/-s (book etc) – **tywyslyfr/-au**
guide dog/-s – **ci tywys/cŵn tywys**
guided tour/-s – **taith dywys/teithiau tywys**

holiday/-s – **gwyliau**
holiday home/-s – **tŷ haf/tai haf**
holiday resort – **lle/-oedd gwyliau**
holiday village/-s – **pentref/-i gwyliau**
home/-s – **cartref/-i**
home for the elderly – **cartref henoed**
nursing home – **cartref nyrsio**
residential home – **cartref preswyl**
retirement home – **cartref ymddeol; cartref henoed**
home cooking – **bwyd cartref**
hot & cold – **poeth ac oer**
hotel/-s – **gwesty/-au**
private hotel – **gwesty preifat**

ice-rink – **canolfan sglefrio**
ice-skating – **sglefrio**
including – **gan gynnwys**
information – **gwybodaeth; hysbysrwydd**

leaflet/-s – **taflen/-ni**
colour leaflet – **taflen liw**
free leaflet – **taflen am ddim**
illustrated leaflet – **taflen ddarluniadol**
leisure centre – **canolfan hamdden**
licence – **trwydded**
licenced – **trwyddedig**
fully licenced – **trwydded lawn**
lifeguard/-s – **achubwr/achubwyr (bywydau)**
lifeguard station – **canolfan achubwyr**
lounge – **lolfa**
lunch – **cinio**

maximum (price/charge) – **uchafbris**
menu/-s – **bwydlen/-ni**
Welsh menu – **bwydlen Gymreig**
mine/-s – **cloddfa/cloddfeydd; gwaith/gweithfeydd; mwynglawdd/mwyngloddiau**
coal mine – **glofa; pwll glo**
copper mine – **gwaith copor/copr; cloddfa gopor/gopr**
gold mine – **gwaith aur**
lead mine – **mwynglawdd plwm**
slate mine – **cloddfa lechi**
minimum (price/charge)– **isafbris**
modern – **modern; cyfoes**
motel/-s – **motél/motelau**
mountain/-s – **mynydd/-oedd**
mountain centre – **canolfan fynydda**
mountain views – **golygfeydd o'r mynyddoedd**
museum/-s – **amgueddfa/amgueddfeydd**

next week – **yr wythnos nesaf**
night life – **bywyd nos**

pamphlet/-s – **pamffled/-i**
illustrated pamphlet – **pamffled darluniadol**
park/-s – **parc/-iau**
amusement park – **parc adloniant**
country park – **parc gwledig**
leisure park – **parc hamdden**
wildlife park – **parc bywyd gwyllt**
parking – **parcio**
ample parking – **parcio digonol**
private parking – **parcio preifat**
payment/-s – **tâl/taliadau**
payment in advance – **rhagdaliad**
per – **y/yr**
per day – **y dydd**
per family – **y teulu**
per night – **y noson**
per person – **yr un; y person**
per room – **yr ystafell**
per week – **yr wythnos**
pets – **anifeiliaid (anwes)**
no pets – **dim anifeiliaid**
pets allowed – **caniateir anifeiliaid**
pets not allowed – **gwaherddir anifeiliaid**
pets welcome – **croeso i anifeiliaid**
playground – **lle chwarae**
adventure playground – **lle chwarae antur**
pony trekking – **merlota**
price/-s – **pris/-iau; cost/-au**
price list – **rhestr brisiau**
private – **preifat**
private beach – **traeth preifat**
private facilities – **cyfleusterau preifat**
private hotel – **gwesty preifat**
proprietor/-s – **perchennog/perchenogion**
quarry/quarries – **chwarel/-i**
slate quarry/quaries – **chwarel lechi/chwareli llechi**

railway – **rheilffordd**
minature railway – **lein fach; rheilffordd fach**
narrow-gauge railway/-s – **lein fach gul; rheilffordd gul/rheilffyrdd cul**
reduction/-s – **gostyngiad/-au**
refreshment/-s – **lluniaeth**
register – **cofrestr**
register (to) – **cofrestru**
residential – **preswyl**
restaurant/-s – **bwyty/bwytai; tŷ bwyta/tai bwyta**
riding – **marchogaeth**
roller-skating – **sglefrholio**
room/-s – **ystafell/-oedd**
double room – **ystafell ddwbl**
single room – **ystafell sengl**
room (place; space) – **lle**
route/-s (path) – **llwybr/-au**
route map – **map llwybrau**
route (road) – **ffordd/ffyrdd**
route map – **map ffyrdd**
scenic route – **ffordd i dwristiaid**
route (journey) – **taith/teithiau**
rowing – **rhwyfo**

sailing – **hwylio**
self catering – **hunan ddarpar**
senior citizens – **yr henoed**

service/-s – **gwasanaeth/-au**
no service charge – **dim tâl gwasanaeth**
room service – **gwasanaeth ystafell**
self-service – **hunanwasanaeth; hunanweini**
service charge – **tâl gwasanaeth**
service charge included – **tâl gwasanaeth yn gynwysedig**
shop/-s – **siop/-au**
short break holiday/-s – **gwyliau byr**
shower/-s – **cawod/-ydd**
sign (to) – **arwyddo**
signature/-s – **llofnod/-au**
site/-s – **safle/-oedd**
skateboarding – **sgrialu**
skating – **sglefrio**
skating rink – **canolfan sglefrio**
ski slope/-s – **llethr/-au sgïo**
skiing – **sgïo**
snack/-s – **byrbryd/-au**
snack bar – **bar byrbrydau**
squash – **sboncen**
squash court/-s – **cwrt/cyrtiau sboncen**
suite – **ystafelloedd**
surfing – **brigdonni; syrffio**
swimming – **nofio**
swimming pool – **pwll nofio**
heated pool – **pwll cynnes/twym**
indoor pool – **pwll dan-do**
no swimming – **dim nofio**
outdoor pool – **pwll allanol**
private pool – **pwll preifat**

tariff – **prisiau**
tea/coffee maker – **peiriant te/coffi**
television; tv – **teledu**
cable television – **teledu cebl**
colour television – **teledu lliw**
satellite televison – **teledu lloeren**
ten-pin bowling – **bowlio deg**
tennis – **tennis**
tennis court/-s – **cwrt/cyrtiau tennis**
tent/-s – **pabell/pebyll**
theatre/-s – **theatr/-au**
this week – **yr wythnos hon**
ticket/-s – **tocyn/-nau**
tide/-s – **llanw**
dangerous tides – **llanw peryglus**
tour/-s – **taith/teithiau**
coach tour/-s – **taith fws/teithiau bws**
tour guide/-s (person) – **tywysydd/tywysyddion**
tour guide/-s (book) – **tywyslyfr/-au; teithlyfr/-au**
tourist/-s – **ymwelydd/ymwelwyr; twrist/-iaid**
tourist centre – **canolfan ymwelwyr; canolfan croeso**
tourist map – **map ymwelwyr; map twristiaid**
tram/-s – **tram/-iau**
tramway – **tramffordd**

view/-s – **golygfa/golygfeydd**
magnificent view/-s – **golygfa wych/golygfeydd gwych**
sea view – **golygfa o'r môr**
village/-s – **pentref/-i**
visitor/-s – **ymwelydd/ymwelwyr**
visitor centre – **canolfan ymwelwyr**

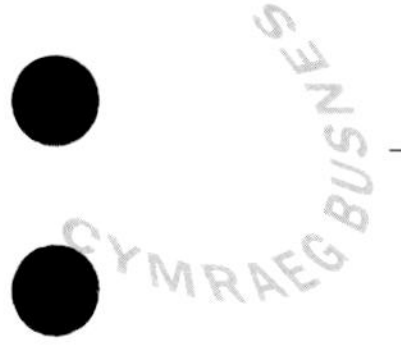

walking – **cerdded**
walking tour/-s
  – **taith gerdded/teithiau cerdded**
walk/-s – **rhodfa/rhodfeydd**
water skiing – **sgïo dŵr**
welcome – **croeso**
  a warm welcome – **croeso cynnes**
  a Welsh welcome – **croeso Cymreig**
windsurfing – **bwrddhwylio**

zoo – **sŵ**
  mountain zoo – **sŵ fynydd**

Ymadroddion
Phrases

brochure on request – **llyfryn ar gais**
closed on Sundays – **ar gau ar ddydd Sul**
coming soon – **yn dod cyn hir**
for further information – **am ragor o wybodaeth**
final week – **yr wythnos olaf**
final performance – **y perfformiad olaf**
now showing – **ymlaen nawr/rŵan**
open all day – **ar agor drwy'r dydd**
party reductions – **gostyngiadau i bartïon**
please contact – **cysylltwch â**
please write to – **ysgrifennwch at**
SAE for brochure – **AGS am lyfryn**
stamped addressed envelope
  – **amlen gyfeiriedig stampiedig**

BWYD A DIOD
FOOD AND DRINK

Bwyd – ffrwythau a llysiau
Food – fruit and vegetables

apricots – **bricyll**
banana – **banana**
  banana flavour – **blas banana**
  banana split – **banana hollt**
beetroot – **betys**
beans – **ffa**
  baked beans – **ffa pob**
  broad beans – **ffa melyn**
  french beans – **ffa ffrengig**
  green beans – **ffa gwyrdd**
  red kidney beans – **ffa coch**
  runner beans – **ffa dringo**
broccoli – **brocoli**
cabbage – **bresych**
carrots – **moron**
cauliflower – **blodfresych**
cherries – **ceirios**
chips – **sglodion**
corn – **ŷd**
  sweetcorn – **ŷd melys**
cucumber – **ciwcymber**
frites – **sglodion**
fruit/-s – **ffrwyth/ffrwythau**
  fruit salad – **salad ffrwythau**
grapes – **grawnwin**
leeks – **cennin**
lentils – **ffacbys**
lettuce – **letys**
melon – **melon**
onions – **winwns** *(S)*; **nionod** *(N)*
  spring onions – **shibwns; sibols**
orange/-s – **oren/-nau**
pasta – **pasta**
pepper – **pupur**
pulses – **corbys**
pears – **gellyg**
plums – **eirin**
peas – **pys**
pommes frites – **sglodion**
potato/-es – **taten/tatws**
  baked potato/-es – **taten bob/tatws pob**
  jacket potato/-es – **taten bob/tatws pob**
mashed potatoes – **tatws stwnsh**
  roast potato/-es – **taten rost/tatws rhost**
raspberries – **mafon; afans**
salad – **salad**
  fruit salad – **salad ffrwythau**
  green salad – **salad gwyrdd**
spaghetti – **spaghetti**
sprouts – **ysgewyll**
strawberries – **mefus; syfi**
tomato/-es – **tomato/s**
vegetables – **llysiau**
  fresh vegetables – **llysiau ffres**

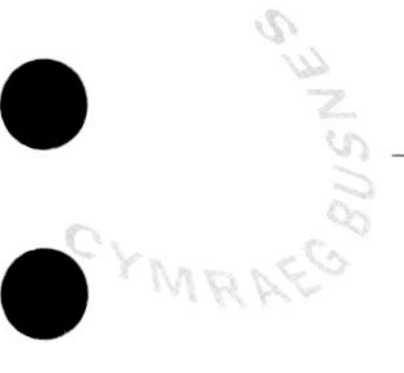

Bwyd – cig a physgod
Food – meat and fish

bacon – **cig moch; bacwn**
bass – **draenogiad y môr**
beef – **cig eidion**
  Welsh beef – **cig eidion Cymreig/Cymru**
beefburger/-s – **eidionyn/eidionod**
catfish – **morflaidd**
chicken – **cyw iâr**
cockles – **cocos**
cod – **penfras**
crab – **cranc**
dogfish – **penci**
duck – **hwyaden**
eel/-s – **llysywen/llyswennod**
fish – **pysgodyn/pysgod**
goose – **gŵydd**
haddock – **corbenfras; hadog**
hake – **cegddu**
ham – **ham**
herring/-s – **pennog/penwaig; ysgadenyn/ysgaden**
kipper/-s – **pennog coch/penwaig coch; ysgadenyn coch/ysgaden coch**
lamb – **cig oen**
  Welsh lamb – **cig oen Cymreig/Cymru**
lobster – **cimwch**
mackerel – **macrell**
meat – **cig**
mullet – **hyrddyn/hyrddiaid**
mussels – **cregyn gleision**
oyster/-s – **wystrysen/wystrys**
perch – **draenogiad**
plaice – **lleden**
pork – **porc**
prawns – **corgimwch**
  prawn cocktail – **coctel corgimwch**
salmon – **eog**
sausage/-s – **selsigen/selsig; sosej/-ys**
seafood – **bwyd-môr**
skate – **cath fôr/cathod môr**
sole – **lleden chwithig**
trout – **brithyll**
whiting – **gwyniad y môr; môr-wyniad**

Bwyd – arall
Food – sundries

bread – **bara**
cake/-s – **teisen/-nau; cacen/-ni**
cream – **hufen**
crisps – **creision**
egg/-s – **wy/-au**
filling/-s – **cynnwys/cynhwysion**
  various fillings – **cynhwysion amrywiol**
flavour/-s – **blas/-au**
  ...flavour – **blas...**
  fruit flavour – **blas ffrwythau**
garnish – **garnis**
ice cream – **hufen iâ**
loaf/loaves – **torth/-au**
nuts – **cnau**
roll/-s – **rôl/roliau**
  bread roll/-s – **rôl fara/roliau bara**
pancake/-s – **crempog/-au**
sandwiches – **brechdanau**
  ...sandwich – **brechdan...** *(with Soft Mutation)*

...sandwiches – **brechdanau...**
chicken sandwich/-s – **brechdan gyw iâr / brechdannau cyw iâr**
sauce – **saws; sôs**
apple sauce – **saws afalau**
bread sauce – **saws bara**
parsley sauce – **saws persli**
tomato sauce – **sôs coch**
white sauce – **saws gwyn; menyn toddi** (savoury)**; menyn melys** (sweet)
soup – **cawl**
yoghurt – **iogwrt**

Diodydd
Drinks

alcohol – **alcohol**
ale – **cwrw**
real ale – **cwrw go iawn**
beer – **cwrw**
bitter – **chwerw**
mild – **mwyn**
brandy – **brandi**
coffee – **coffi**
drink/-s – **diod/-ydd**
alcoholic drink/-s – **diod/-ydd alcoholaid**
non-alcoholic drink/-s – **diod ddi-alcohol/diodydd di-alcohol**
soft drink/-s – **diod/-ydd ysgafn**
ice – **iâ; rhew**
juice – **sudd**
apple juice – **sudd afal**
fruit juice/-s – **sudd ffrwyth/-au**
tomato juice – **sudd tomato**
lager – **lager**
lemonade – **lemonêd**
mead – **medd**
milk – **llaeth; llefrith** *(N)*
milkshake – **ysgytlaeth**
rum – **rym**
tea – **te**
water – **dŵr**
mineral water – **dŵr mwyn**
whisky – **wisgi; chwisgi**
wine – **gwin**
red wine – **gwin coch**
rosé wine – **gwin rhosliw**
white wine – **gwin gwyn**

Bwydydd Cymreig
Traditional Welsh fare

Here are a few to whet the appetite:
bara brith – currant bread
bara lawr – laver bread
bara ceirch – oatcakes
bara sinsir – gingerbread
brithyll a chig moch – trout with bacon
teisen 'Berffro – Aberffraw cakes (shortbread)
cawl – soup; broth
cawl cennin – leek soup
caws pobi – Welsh rarebit
cig eidion mewn cwrw – Welsh beef in beer
cocos – cockles
cregyn gleision – mussel stew
crempog; ffroes *(S)* – pancakes

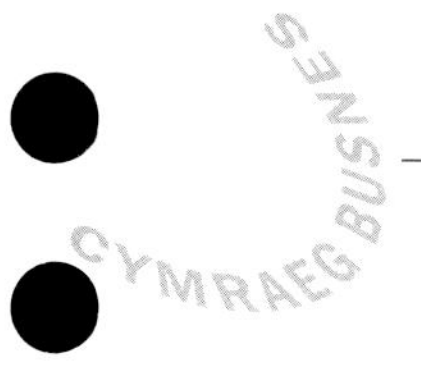

crempog Caerffili – Caerphilly pancakes
cwningen eirin duon – rabbit with damsons
eog Teifi – Teifi salmon
ffagots – fagots
golwythau cig oen – lamb chops
hwyaden hallt – roast salted duck
hwyaden Sir Benfro – Pembrokeshire duck
lobscows – thick soup
macrell Aberaeron – Aberaeron mackerel
medd – mead
pastai Geltaidd – Celtic pie
pastai gennin – leek pastie
pastai gocos – cockle pie
pastai'r pysgotwr – fisherman's pie
pastai sguthan – pigeon pie
pice ar y maen; cacennau cri
– Welsh cakes; griddle cakes
pice'r pregethwr – pikelets; drop scones
pwdin caws – cheese pudding
pwdin reis – rice pudding
pwdin Eryri – Snowdon pudding
pwdin Mynwy – Monmouth pudding
selsig Morgannwg –Glamorgan sausages
sewin – sea trout
sgaden Abergwaun – Fishguard herrings
teisen blat – plate cake (fruit tart)
teisen fêl – honey cake
teisen gocos – cockle cake
teisen lap – moist fruit cake
wyau Sir Fôn – Anglesey Eggs

Termau cyffredinol
General terms

breakfast – **brecwast**
all-day breakfast – **brecwast drwy'r dydd**
course/-s – **cwrs/cyrsiau; saig/seigiau**
first course – **cwrs cyntaf**
second course – **ail gwrs**
third course – **trydydd cwrs**
fourth course – **pedwerydd cwrs**
evening meal – **swper; pryd hwyr**
food/-s – **bwyd/-ydd**
fast food – **bwyd cyflym**
fresh food – **bwyd ffres**
take-away foods – **cludfwyd**
vegetarian food – **bwyd llysieuol**
lunch/-es – **cinio**
meal/-s – **pryd/-au**
child/ren's meal – **pryd plentyn/plant**
early meals – **prydau cynnar**
late meal – **prydau hwyr**
meal ticket/-s – **tocyn/-nau bwyd**
meals-on-wheels
– **pryd-ar-glud/prydau-ar-glud**
ready meals – **pryd/-au parod**
menu – **bwydlen**
vegetarian menu – **bwydlen lysieuol**
on request – **ar gais**
take-away/-s – **cludfwyd/-ydd**

CYLCHGRONAU AC ADRODDIADAU
MAGAZINES AND REPORTS

Termau
Terms

activity/activities – **gweithgaredd/-au**
addenda – **atodiad**
advertisement/-s – **hysbyseb/-ion**
advertise – **hysbysebu**
agency/agencies – **asiantaeth/-au**
agent/agents – **asiant/-au**
annual – **blynyddol**
  annual report – **adroddiad blynyddol**
attraction/-s – **atyniad/-au**
awards/-s – **gwobr/-au**

board (the) – **y bwrdd**
  board members – **aelodau'r bwrdd**
boost – **hwb**
brochure/-s – **pamffled/-i; llyfryn/-nau**
business – **busnes**
business development – **datblygu'r busnes**

chief executive – **prif weithredwr**
client/-s – **cleient/-iaid**
code of practice – **côd arferion; côd ymarfer**
committees/-s – **pwyllgor/-au**
  advisory committee – **pwyllgor ymgynghorol**
  executive management committee – **pwyllgor rheoli gweithredol**
company – **cwmni/cwmnïau**
competition/-s – **cystadleuaeth/cystadlaethau**
complain (to) – **cwyno**
complaint/-s – **cŵyn/cwynion**
conclusion – **diweddglo**
corporate governance – **rheoliant corfforaethol**
customer/-s – **cwsmer/-iaid**
  customer care – **gofal am gwsmeriaid**
  customer service/-s – **gwasanaeth/-au i gwsmeriaid**

decrease – **gostyngiad**
decrease (to) – **gostwng**
department/-s – **adran/-nau**
departmental – **adrannol**
develop (to) – **datblygu**
development – **datblygu; datblygiad/-au**
  development of the business – **datblygu'r busnes**
  recent developments – **datblygiadau diweddar**
director/-s – **cyfarwyddwr/cyfarwyddwyr**
disabled – **anabl**
  disabled people – **yr anabl**

employee/-s – **gweithiwr/gweithwyr; cyflogedig/-ion**
employer/-s – **cyflogwr/cyflogwyr**
enterprise/-s – **menter/mentrau**

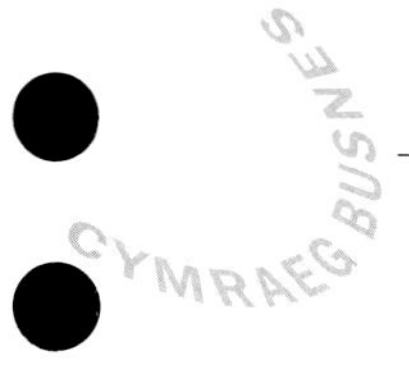

fall – **cwymp; gostyngiad**
  fall (to) – **cwympo; syrthio; gostwng**
foreword – **rhagair**

growth – **twf**
guest/-s – **gwestai/gwesteion**
hotel/-s – **gwesty/-au**
how to complain – **sut i gwyno**

increase – **cynnydd**
increase (to) – **cynyddu; codi**
information – **gwybodaeth; hysbysrwydd**
in-house – **mewnol**
inn/-s – **tafarn/-au**
initiative/-s – **menter/mentrau**
introduction – **rhagymadrodd; rhagarweiniad**

job/-s – **swydd/-i; gwaith**

leaflet/-s – **taflen/ni**
lose – **colli**
  have been lost – **wedi'u colli**
loss/-es – **colled/-ion**

magazine/-s – **cylchgrawn/cylchgronau**
market/-s – **marchnad/-oedd**
market (to) – **marchnata**
marketing – **marchnata**
material/-s – **deunydd/-iau**
meeting/-s – **cyfarfod/-ydd**
menu/-s – **bwydlen/-ni**
motel/-s – **motél/motelau**

pamphlet/-s – **pamffled/-i**
personnel – **personél**
plan/-s – **cynllun/-iau**
policy/policies – **polisi/polisïau**
poster(s) – **poster(i)**
presentation – **cyflwyniad; cyflwyno**
  presentation of awards – **cyflwyno gwobrau**
press (the) – **y wasg**
  press statement/-s – **datganiad/-au i'r wasg**
price/-s – **pris/-au**
prize/-s – **gwobr/-au**
profit – **elw**
promote – **hybu**
promotional leaflet – **taflen hybu**
promotional material/-s – **deunydd/-iau hybu**
prospects – **rhagolygon**
provide (for) – **darparu (ar gyfer)**
provision – **darpariaeth**
public (the) – **y cyhoedd**
public – **cyhoeddus**
public house/-s – **tafarn/-au**

regulation/-s – **rheoliad/-au**
report/-s – **adroddiad/-au**
report of the directors – **adroddiad y cyfarwyddwyr**
response – **ymateb**
responsibilities – **cyfrifoldebau**
resource/-s – **adnawdd/adnoddau**
reserve (to) – **cadw**
restaurant/-s – **tŷ bwyta/tai bwyta; bwyty/bwytai**
review – **arolwg**
rights – **hawliau**
rule/-s – **rheol/-au**

sales – **gwerthiant**
scheme/-s – **cynllun/-iau**
service/-s – **gwasanaeth/-au**
staff – **staff**
statement/-s – **datganiad/-au**
  press statement – **datganiad i'r wasg**
summary – **crynodeb**
survey/-s – **arolwg/arolygon**

television – **teledu**
total – **cyfanswm**
tourism – **twristiaeth**
tourist/-s – **ymwelydd/ymwelwyr; twrist/-iaid**
training – **hyfforddiant; hyfforddi**

venture – **menter; antur**

warning – **rhybudd**
work – **gwaith**

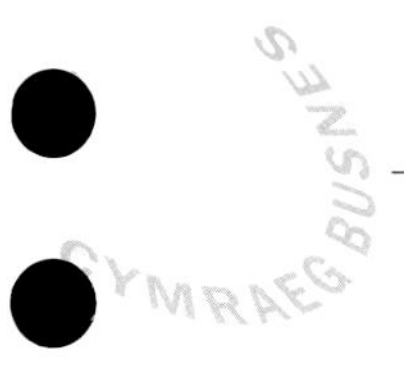

CYSYLLTIADAU Â'R WASG
PRESS RELATIONS

Gall cwmnïau, busnesau a sefydliadau gysylltu â'r wasg am sawl rheswm, gan gynnwys hyrwyddo nwyddau neu wasanaeth newydd, egluro polisi neu ymateb i feirniadaeth. Gall y wasg hefyd gysylltu â chi wrth fynd ar drywydd stori arbennig.

Mae'n bwysig felly bod unrhyw ddatganiad i'r wasg yn cael ei baratoi'n ofalus. Dylid sicrhau fod unrhyw lefarydd yn mynegi safbwynt y cwmni neu'r sefydliad ac nid barn bersonol.

Mae'r wasg yng Nghymru yn cynnwys darlledwyr (radio a theledu) ynghyd â chyhoeddiadau sy'n cyrraedd cynulleidfa genedlaethol a'r rhai sy'n cyrraedd cynulleidfa leol neu ranbarthol. Dylid bod yn ymwybodol hefyd o'r ddarpariaeth gyfochrog a gwahanol a geir yn y ddwy iaith.

Companies, businesses and organisations may contact the press for a number of different reasons, ranging from the need to promote new goods or services to explaining policy or responding to criticism. The press can also approach you in pursuit of a story.

It is therefore important that any press statements are prepared carefully and clearly. Spokespersons should express the company or organisation point of view and not a personal opinion.

The press in Wales includes broadcasters (radio and television) together with publications which reach a national audience and those which reach a local or regional audience. You should also be aware of the parallel and diverse provision in both Welsh and English.

Cenedlaethol
National

Cymraeg/Welsh	Saesneg/English
Y CYMRO	THE WESTERN MAIL
GOLWG	
BBC RADIO CYMRU	BBC RADIO WALES
NEWYDDION BBC CYMRU (teledu)	BBC WALES TODAY (tv)
	HTV WALES TONIGHT (tv)

Lleol a rhanbarthol
Local and regional

papurau bro	
papurau lleol	local newspapers
gorsafoedd radio lleol	local radio stations

*Am ragor o gymorth, syniadau a gwybodaeth gweler **'Cyrraedd y Cyfryngau'** (1991), llawlyfr a chyfeiriadur a baratowyd ar y cyd gan BBC Cymru, HTV Cymru ac S4C.*

*For further help, ideas and information, consult **'Reaching the Media'** (1991), a handbook and directory co–prepared by BBC Wales, HTV Wales and S4C.*

ADRAN 4
IECHYD A GOFAL

SECTION 4
HEALTH AND CARE

CYMRAEG BUSNES

Yn yr Adran hon – In this Section

GWASANAETHAU A LLEOEDD
SERVICES AND PLACES

ANHWYLDERAU A CHLEFYDAU
AILMENTS AND DISEASES

ADRANNAU, UNEDAU, CLINIGAU
DEPARTMENTS, UNITS, CLINICS

RHANNAU'R CORFF
PARTS OF THE BODY

PERSONÉL
PERSONNEL

TERMAU CYFFREDINOL
GENERAL TERMS

GWASANAETHAU A LLEOEDD
SERVICES AND PLACES

administration – **gweinyddu**
adoption – **mabwysiadu**
ambulance – **ambiwlans**
ambulance service – **gwasanaeth ambiwlans**
ante-natal care – **gofal cyn-geni**
Breast Test Wales – **Bron Brawf Cymru**
cancer research – **ymchwil canser**
centre/-s – **canolfan/-nau**
chemist's – **fferyllfa**
children's home – **cartref plant**
clinic/-s – **clinig/-au**
community care – **gofal y gymuned**
community health – **iechyd y gymuned**
community hospital – **ysbyty cymunedol**
community services – **gwasanaethau'r gymuned**
day centre – **canolfan ddydd**
dental surgery – **deintyddfa**
department/-s – **adran/adrannau**
doctor's surgery – **meddygfa**
drugs advisory service – **gwasanaeth cynghori ar gyffuriau**
foster home – **cartref maeth**
fostering – **maethu**
general hospital – **ysbyty cyffredinol**
health authority – **awdurdod iechyd**
health care – **gofal iechyd**
health care support – **cynnal gofal iechyd**
health centre – **canolfan iechyd**
Health Promotion Wales – **Hybu Iechyd Cymru**
heart research – **ymchwil y galon**
Heartbeat Wales – **Curiad Calon Cymru**
home/-s – **cartref/-i**
home help – **gofal cartref**
hospice – **hospis**
hospital/-s – **ysbyty/ysbytai**
hostel – **hostel**
laboratory – **labordy**
mental hospital – **ysbyty'r meddwl**
NHS – **GIG**
National Health Service – **Gwasanaeth Iechyd Gwladol**
NHS Trust – **Ymddiriedolaeth GIG**
nursing home – **cartref nyrsio**
office/-s – **swyddfa/swyddfeydd**
old people's home – **cartref henoed**
optician's – **optegfa**
pharmacy – **fferyllfa**
probation – **profiannaeth**
probation service – **gwasanaeth profiannaeth**
refuge – **lloches**
retirement home – **cartref ymddeol**
service/-s – **gwasanaeth/-au**
sheltered housing – **hendre**
support service – **gwasanaeth cynnal**
surgery – **meddygfa**
tribunal – **tribiwnlys**
trust/-s – **ymddiriedolaeth/-au**
unit/-s – **uned/-au**
ward/-s – **ward/-iau**

ADRANNAU, UNEDAU, CLINIGAU
DEPARTMENTS, UNITS, CLINICS

Baby – **Babanod**
Casualty – **Damweiniau**
Child Development – **Datblygiad Plant**
Chiropody – **Chiropodi; Trin Traed**
Dental Clinic – **Clinig Deintyddol**
Dentistry – **Deintyddiaeth**
Drugs Dependency Unit – **Uned Dibyniaeth ar Gyffuriau**
Ears, Nose & Throat **– Clustiau, Trwyn a Llwnc**
Environmental Health – **Iechyd yr Amgylchedd**
Family Planning – **Cynllunio Teulu**
First Aid – **Cymorth Cyntaf**
General – **Cyffredinol**
Geriatric – **Geriatreg**
Gynaecology – **Gynecoleg**
Haematology – **Hematoleg; Gwaedoleg**
Health Unit – **Uned Iechyd**
Hearing and Speech – **Clyw a Lleferydd**
Intensive Care – **Gofal Dwys**
Maternity – **Mamolaeth**
Mental Health – **Iechyd Meddwl**
Mental Health Unit – **Uned Iechyd y Meddwl**
Mortuary – **Marwdy**
Mother & Child – **Mamau a'u Plant**
Obstetrics – **Obstetreg**
Oncology – **Oncoleg**
Optics – **Optreg**
Orthopaedic – **Orthopedeg**
Osteopathy – **Osteopatheg**
Outpatients – **Cleifion Allanol**
Paediatrics – **Pediatreg**
Pathology – **Patholeg**
Pharmacy – **Fferylliaeth**
Physiotherapy – **Ffisiotherapi**
Psychiatry – **Seiciatreg**
Psychology – **Seicoleg**
Research Department – **Adran Ymchwil**
Research Unit – **Uned Ymchwil**
Rheumatology – **Rheumatoleg**
Sexually Transmitted Diseases – **Clefydau Rhywiol**
Social Services – **Gwasanaethau Cymdeithasol**
Speech Therapy – **Therapi Lleferydd**
Supplies – **Cyflenwadau; Cyflenwi**
Surgery – **Llawfeddygaeth**
Theatre – **Theatr**
Veterinary Science – **Milfeddygaeth**
Welfare – **Lles**
X-ray – **Pelydr-X**
Young People's Unit – **Uned Pobl Ifanc**

PERSONÉL
PERSONNEL

administrator – **gweinyddwr**
anaesthetist – **anesthetydd**
assistant – **cynorthwyydd**
carer – **gofalwr**
charge nurse – **prif nyrs**
chiropodist – **chiropodydd; trinydd traed**
cleaner – **glanhawr**
cook – **cogydd**
consultant – **ymgynghorydd**
counsellor – **cynghorydd**
dental assistant – **cynorthwyydd deintyddol**
dietician – **dietegydd**
district nurse – **nyrs ardal**
doctor – **meddyg; doctor**
G.P. – **meddyg teulu**
gynaecologist – **gynecolegydd**
head – **pennaeth**
health visitor – **ymwelydd iechyd**
helper – **cynorthwyydd**
home help – **cymorth cartref; cynorthwyydd cartref**
homeopath – **homeopath**
homeopathist – **homeopathydd**
houseman – **meddyg ysbyty**
hygienist – **glanweithydd**
Macmillan nurse – **nyrs Macmillan**
manager – **rheolwr**
midwife – **bydwraig**
nurse – **nyrs**
obstetrician – **obstetrydd**
officer – **swyddog**
optician – **optegydd**
osteopath – **osteopath**
paramedic – **parafeddyg**
paediatrician – **pediatrydd**
pathologist – **patholegydd**
patient/-s – **claf/cleifion**
physiotherapist – **ffisiotherapydd**
plastic surgeon – **llawfeddyg cosmetig**
practitioner – **meddyg; doctor**
psychiatrist – **seiciatrydd**
psychologist – **seicolegydd**
receptionist – **derbynnydd**
researcher – **ymchwilydd**
senior... – **prif...**
sister – **prif nyrs**
speech therapist – **therapydd lleferydd**
spokesperson – **llefarydd**
surgeon – **llawfeddyg**
therapist – **therapydd**
vet – **milfeddyg**
veterinary surgeon – **milfeddyg**
visitor/-s – **ymwelydd/ymwelwyr**
worker/-s – **gweithiwr/gweithwyr**

In the spoken language, Latin/Greek terms are often rendered in terms which explain the nature of the work:
paedriatrician – **meddyg plant** (= children's doctor)

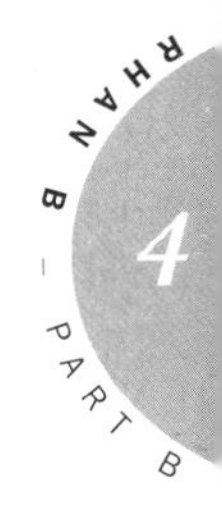

ANHWYLDERAU A CHLEFYDAU
AILMENTS AND DISEASES

abscess – **cornwyd**
ache – **poen; cur; dolur**
aches – **poenau**
  aches and pains – **poenau**
acne – **acne; plorod**
AIDS: **AIDS**
ailment/-s – **anhwylder/au**
Alzheimer's disease – **clefyd Alzheimer**
arthritis – **arthritis**
articular rheumatism – **cymalwst**
attack – **trawiad**
boil/-s – **cornwyd/-ydd**
bronchitis – **broncitis**
bruise/-s – **clais/cleisiau**
cancer – **canser; cancr**
cerebral palsy – **parlys yr ymennydd**
chilblain – **malaith; llosgeira**
chill – **oerfel; annwyd**
chicken pox – **brech yr ieir**
cow pox – **brech y fuwch**
cold – **annwyd**
constipated – **rhwym**
constipation – **rhwymedd**
cut – **cwt; briw**
dementia – **gorffwylledd; dryswch**
diabetes – **clefyd y siwgwr; y clefyd melys**
diarrhoea – **dolur rhydd**
disease – **clefyd; salwch**
earache – **clust dost; pigyn clust**
epilepsy – **epilepsi**
fever – **twymyn**
fit – **pwl; ffit**
flu – **ffliw**
German measles – **brech goch yr Almaen; y frech Almaenig**
haemorrhoids – **peils; clwy'r marchogion**
hayfever – **clefyd y gwair**
headache – **pen tost; cur pen**
heart attack – **trawiad ar y galon**
heartburn – **llosg cylla; dŵr poeth**
heart disease – **clefyd y galon**
hepatitis – **llid yr afu; llid yr iau**
herpes *(cold sore)* – **crachen annwyd**
herpes *(shingles)* – **(yr) eryr**
high temperature – **gwres uchel**
HIV – **HIV**
ill – **tost; sâl**
illness – **tostrwydd; salwch**
indigestion – **diffyg traul; camdreuliad**
infection – **haint; heintiad**
inferiority complex – **cymhleth y taeog**
jaundice – **clefyd melyn**
leukaemia – **lwcemia; canser y gwaed**
lump – **lwmp; lwmpyn; twlpyn**
ME – **ME**
measles – **y frech goch**
melancholy – **iselder (ysbryd); y felan**
migraine – **meigryn**
motor neurone disease – **clefyd niwronau motor**
MS – **MS**

multiple sclerosis – **sgleroris ymledol; parlys ymledol**
mumps – **y dwymyn doben; clwy'r pennau**
muscular dystrophe – **dystroffi'r cyhyrau; nychdod cyhyrol**
osteoarthritis – **osteoarthritis**
pain/-s – **poen/-au**
palsy – **parlys**
paralysis – **parlys**
Parkinson's disease – **clefyd Parkinson**
piles – **peils; clwy'r marchogion**
pneumonia – **llid yr ysgyfaint**
post-natal depression – **iselder ôl–geni**
rash – **brech**
rheumatism – **gwynegon; crydcymalau**
rheumatoid arthritis – **rheumatoid arthritis**
rubella – **rwbela; y frech Almaenig**
scarlet fever – **y frech sgarlad**
shingles – **(yr) eryr**
sick – **tost; sâl**
sickness – **tostrwydd; salwch**
small pox – **y frech wen**
sore throat – **llwnc tost; gwddw tost; dolur gwddw**
sore – **dolur; briw**
stitch *(pain)* – **pigyn; gwayw**
sunburn – **llosg haul**
TB – **y dicáu; darfodedigaeth**
temperature – **gwres**
toothache – **y ddannodd**
tumour – **tyfiant; tiwmor**
whooping cough – **y pas**

RHANNAU'R CORFF
PARTS OF THE BODY

ankle/-s – **migwrn/migyrnau; ffêr/fferau**
arm/-s – **braich/breichiau**
armpit/-s – **cesail/ceseiliau**
back – **cefn**
belly – **bola; bol**
big toe/-s – **bawd troed/bodiau traed**
bone/-s – **asgwrn/esgyrn**
bottom – **pen-ôl; tin**
brain – **ymennydd**
breast/-s – **bron/-nau**
brow – **ael**
cheek/-s – **boch/-au**
chest – **brest**
collar bone – **pont yr ysgwydd**
colon – **coluddyn; colon**
ear/-s – **clust/-iau**
elbow/-s – **penelin/-oedd**
eye/-s – **llygad/llygaid**
eyebrow/-s – **ael/eiliau**
finger/-s – **bys/-edd**
foot/feet – **troed/traed**
forehead – **talcen**
genitals – **organnau rhywiol; genitalia**
groin – **cesail y forddwyd**
hair *(head)* – **gwallt**
hair *(a)* – **blewyn**
hair *(body)* – **blew**
hand/-s – **llaw/dwylo**
head – **pen**
heart – **calon**
hip/-s – **clun/-iau**

kidney/-s – **aren/-nau**
knee/-s – **pen-glin/pengliniau**
joint/-s – **cymal/-au**
leg/-s – **coes/-au**
lip/-s – **gwefus/-au**
liver – **afu; iau**
mouth – **ceg**
muscle/-s – **cyhyr/-au**
nail/-s – **ewin/-edd**
neck – **gwddw**
nose – **trwyn**
pancreas – **pancreas**
penis – **pidyn; penis**
pubic hair – **cedor**
rib/–s – **asen/-nau**
scrotum – **cwd**
shoulder/-s – **ysgwydd/-au**
skeleton – **ysgerbwd**
skull – **penglog**
stomach – **stumog; cylla**
testicle/-s – **caill/ceilliau**
thigh/-s – **morddwyd/-ydd; clun/-iau**
throat – **llwnc; gwddw**
thumb/-s – **bawd/bodiau**
toe/-s – **bys troed/bysedd traed**
tongue – **tafod**
tooth/teeth – **dant/dannedd**
vagina – **gwain; fagina**
windpipe – **corn gwddw**
womb – **croth**
wrist – **arddwrn**

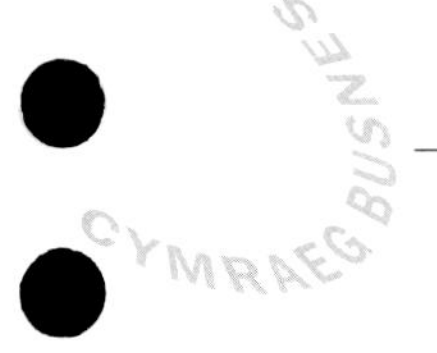

TERMAU CYFFREDINOL
GENERAL TERMS

able-bodied – **abl**
able – **abl**
abort (to) – **erthylu**
abortion – **erthyliad**
accident – **damwain; anhap**
ache – **poen; cur; dolur**
ache (to) – **brifo; gwynegu; gwynio**
active – **bywiog; heini**
addicted – **caeth i; dibynnol ar**
agile – **heini**
aid – **cymorth**
air pollution – **llygredd awyr**
anaesthetic – **anaesthetig**

bad – **drwg**
beat (to) – **curo**
become strong (to) – **cryfhau**
bite – **brathiad; cnoad** *(animal)*
bite – **pigiad** *(insect)*
bite (to) – **brathu; cnoi** *(animal)*
bite (to) – **pigo** *(insect)*
bleed (to) – **gwaedu**
blind (the) – **y deillion**
blind (to) – **dallu**
blind *(adj)* – **dall**
blood – **gwaed**
blood clot – **tolch; tolchen**
blood donor – **rhoddwr gwaed**
blood test – **prawf gwaed**
blood transfusion – **trallwysiad gwaed**
bony – **esgyrniog**
break – **toriad**
break (to) – **torri**
breath – **anadl; gwynt**
  lose one's breath – **colli gwynt**
  out of breath – **allan o wynt**
breathe (to) – **anadlu**
bruise – **clais**
burn – **llosg**
burn (to) – **llosgi**

care – **gofal**
careful – **gofalus**
chemist – **fferyllydd**
choke (to) **– tagu**
clean – **glân**
clean (to) – **glanhau**
cleanliness – **glendid**
clot/-s – **tolchen/-ni**
clot (to) – **tolchennu**
cold *(adj)* – **oer**
commit suicide – **cyflawni hunanladdiad**
complex – **cymhleth**
condition – **cyflwr**
confined – **caeth**
convenient – **cyfleus**
corpse – **corff; celain**
costly – **drud; costus**
cross–section – **croestoriad; trawstoriad**
cure *(complete)* – **iachad; gwellhad**

RHAN B – PART B 4

cure *(medication)* – **meddyginiaeth**
cure *(treatment)* – **triniaeth**
cure (to) – **iacháu; gwella**
cut – **briw; cwt**
cut (to) – **torri**

danger – **perygl**
dangerous – **peryglus**
deadly – **marwol**
deal with – **trin; ymdrin â**
dear *(expensive)* – **drud**
dead – **marw; wedi marw**
deaf – **byddar**
  deaf mute – **mud a byddar**
death – **marwolaeth**
dental – **deintyddol**
dentist – **deintydd/-ion**
depressed – **isel**
depression – **iselder**
detailed – **manwl**
details – **manylion**
die (to) – **marw**
diet *(course)* – **diet; deiet**
  on a diet – **ar ddiet**
diet *(nourishment)* – **bwyd**
dirt – **baw; budreddi; bryntni**
dirty – **budr; brwnt**
dirty (to) – **baeddu; difwyno**
disability – **anabledd**
disabled – **anabl**
discover (to) – **darganfod**
discovery – **darganfyddiad**
disease – **clefyd; afiechyd; salwch**
diseased – **afiach**

doctor/-s – **meddyg/-on; doctor/-iaid**
donate blood (to) – **rhoi gwaed**
donor – **rhoddwr**
drink/-s – **diod/-ydd**
drink (to) – **yfed**
drug/-s– **cyffur/-iau**
drug addict – **caeth i gyffuriau**

easy – **hawdd; rhwydd**
edible – **bwytadwy**
endanger (to) – **peryglu**
endure (to) – **dioddef; goddef**
environment – **amgylchedd; amgylchfyd**
environmental – **amgylcheddol**
epileptic – **epileptig**
evident – **amlwg**
examination – **archwiliad**
examine (to) – **archwilio**
excuse – **esgus**
exercise – **ymarfer**
exercise (to) – **ymarfer**
expect (to) – **disgwyl**
expensive – **drud; costus**

faint – **llewyg**
faint (to) – **llewygu**
fast – **ympryd**
fast (to) – **ymprydio**
fast *(quick)* – **cyflym; buan**
fasting – **ymprydio**
fat – **braster; bloneg**
fat *(adj)* – **tew**
fatal – **marwol**
fatten (to) – **tewychu; tewhau**

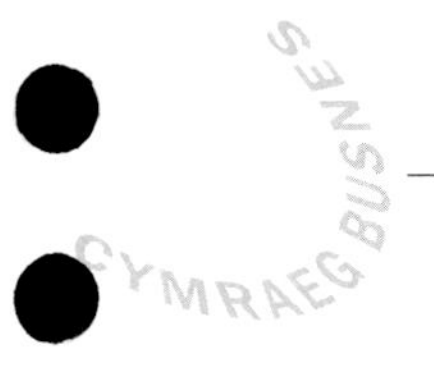

feeble – **gwan; eiddil; llesg; musgrell**
feebleness – **gwendid; eiddilwch; llesgedd; musgrellni**
feel (to) – **teimlo**
feeling – **teimlad**
fever – **twymyn; gwres**
filth – **budreddi; bryntni; aflendid**
filthy – **budr; brwnt; aflan**
first aid – **cymorth cyntaf**
fit – **pwl; ffit**
fit *(adj)* – **ffit; heini; iach**
fluid – **hylif**
food – **bwyd**
fracture – **toriad**
fracture (to) – **torri**
fragile *(object)* – **bregus; brau**
fragile *(person)* – **gwan; eiddil; llesg**
fresh – **ffres**
fur – **blew**

G.P. – **meddyg teulu**
genital – **cenhedlol**
get stronger (to) – **cryfhau**
get better (to) – **gwella**
get pregnant (to) – **beichiogi**
give blood (to) – **rhoi gwaed**
gradual – **graddol**
grow weak (to) – **gwanhau; mynd yn wan**

handicap – **anfantais**
handicapped – **dan anfantais**
heal *(to make better)* – **iacháu; gwella**
heal *(to get better)* – **gwella**
healing – **iacháu; iachâd**
health – **iechyd**
healthy – **iach**
heartbeat – **curiad calon**
heat – **gwres**
holistic – **cyfannol; holistaidd**
holistic healing – **iacháu cyfannol**
homeopathic – **homeopathaidd**
homeopathy – **homeopatheg**
hormone – **hormon**
hurt (to) – **brifo; anafu; gwneud dolur**
hurt – **wedi brifo; wedi anafu**
hygiene – **glanweithdra; hylendid**

ill – **sâl; tost**
illness – **salwch; gwaeledd; tostrwydd; afiechyd**
improve (to) – **gwella**
infect (to) – **heintio**
infection – **haint; heintiad**
infectious – **heintus**
inflamed – **llidiog; llidus**
inflammation – **llid**
inject (to) – **chwistrellu**
injection – **pigiad**
injure (to) – **brifo; anafu; clwyfo**
injured – **clwyfedig**
injury – **anaf; briw; clwyf**
injuries – **anafiadau; briwiau; clwyfau**
inoculate – **brechu**
inoculation – **brechiad**
inquire – **holi; gofyn; ymchwilio**
inquiry – **ymchwiliad**
intensive care – **gofal dwys**
itch (to) – **cosi**

kill (to) – **lladd**
knife – **cyllell**

languish – **nychu; dihoeni**
life – **bywyd**
list – **rhestr**
lump/-s – **lwmp/lympiau; lwmpyn/lympiau**

mammogram – **mamogram**
maternity – **mamolaeth**
medical – **meddygol**
medical examination – **archwiliad meddygol**
medicine *(science)* – **meddygaeth**
  alternative medicine – **meddygaeth amgen**
medicine *(substance)* – **moddion; ffisig**
menstruation – **mislif; misglwyf**
menu – **bwydlen**
mortal *(human)* – **meidrol**
mortal *(fatal)* – **marwol**
mute – **mud**
muscle/-s – **cyhyr/-au**
muscular – **cyhyrog**

narrow – **cul**
need/-s – **angen/anghenion**
neglect – **esgeulustod; diofalwch**
negligence – **esgeulustod; diofalwch**
negligent – **esgeulus; diofal**
no smoking – **dim ysmygu**
nurse/-s – **nyrs/-ys**

ointment – **eli**
operation/-s – **llawdriniaeth/-au**
oral – **geneuol**
oral *(by mouth)* – **drwy'r geg**
out of breath – **colli gwynt**
overdo (to) – **gorwneud**

pain – **poen; dolur; cur**
painful – **poenus**
paralyse (to) – **parlysu**
paralysis – **parlys**
paramedic *(adj)* – **parafeddygol**
patient/-s – **claf/cleifion**
period – **mislif; misglwyf**
personal hygiene – **glendid personol**
pestilence – **pla**
pick (to) – **pigo**
pill/-s – **pilsen/pils**
pimple/-s – **ploryn/plorod; tosyn/tosau**
poison – **gwenwyn**
poisonous – **gwenwynig**
pollution – **llygredd**
poor *(bad)* – **gwael**
poor *(poverty)* – **tlawd**
pox – **brech**
pregnant – **beichiog**
  get pregnant – **beichiogi**
prescription – **papur meddyg; prescripsiwn**
promote (to) – **hyrwyddo; hybu**
public *(the)* – **y cyhoedd**
public *(adj)* – **cyhoeddus**
  public inquiry – **ymchwiliad cyhoeddus**
pure – **pur; glân**
push (to) – **gwthio**

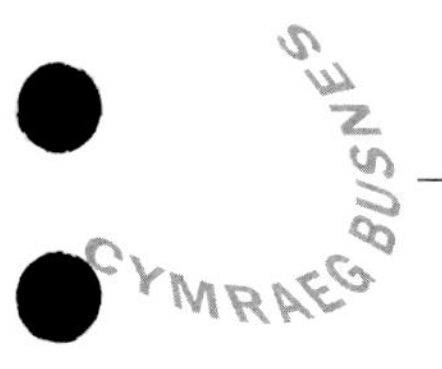

radiation – **ymbelydredd**
remedy – **meddyginiaeth**
research – **ymchwil**
research (to) – **ymchwilio**

scab/-s – **crachen/crachod; cramen/-nau**
scratch – **crafiad**
scratch (to) – **crafu; pigo**
service/-s – **gwasanaeth/-au**
sick – **sâl; tost**
sign/-s – **arwydd/-ion**
sign (to) – **llofnodi; arwyddo**
signature – **llofnod**
smoke – **mwg**
smoke (to) – **smygu**
sore/-s – **briw/-iau; dolur/-iau**
sore *(aching)* – **poenus**
sore *(inflammed)* – **llidiog**
spot/-s – **ploryn/plorod; tosyn/tosau**
sprain (to) – **troi**
spread (to) – **ymledu**
sting – **pigyn**
sting (to) – **pigo; brathu; llosgi** *(body)*
stitch/-es – **pwyth/-au**
strain *(tension)* – **straen; tyndra**
strain *(sprain)* – **sigiad**
strain (to) – **sigo**
strength – **cryfder**
stress – **pwysau; straen**
strong – **cryf**
suffer (to) – **dioddef**
suffocate (to) – **mygu; mogi**
suicide – **hunanladdiad**

suitable – **addas**
syringe – **chwistrell**
syringe (to) – **chwistrellu**

tablet/-s – **tabled/-i**
take (to) – **cymryd**
take care (to) – **cymryd gofal**
take care of (to) – **gofalu am**
temperature *(body)* – **gwres**
temperature *(air)* – **tymheredd**
tendon/-s – **gewyn/-nau**
test/-s – **prawf/profion**
test (to) – **profi**
throb (to) – **gwynio; curo**
transfusion – **trallwysiad**
blood transfusion – **trallwysiad gwaed**
transplant – **trawsblaniad**
transplant (to) – **tawsblannu**
treat (to) – **trin**
treatment – **triniaeth**
trust – **ymddiriedaeth; hyder; ffydd**
trust *(body)* – **ymddiriedolaeth**
trust (to) – **ymddiried**
tumour – **tiwmor**

unhealthy – **afiach; gwael**
unit/-s – **uned/-au**

vaccine – **brechlyn**
vaccinate (to) – **brechu**
vaccination – **brechiad**
visit – **ymweliad**
visit (to) – **ymweld â**

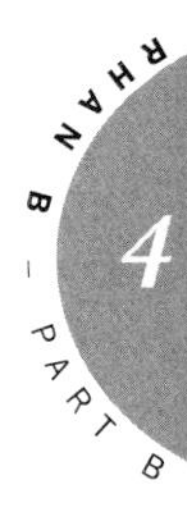

wash (to) – **golchi**
weak – **gwan**
weaken (to) – **gwanhau**
wince (to) – **gwingo**
wind – **gwynt**
wound/-s – **clwyf/-au; anaf/-iadau**
wound (to) – **clwyfo; anafu**

ADRAN 5

PERSONÉL A GWEINYDDU

SECTION 5

PERSONNEL AND ADMINISTRATION

Yn yr Adran hon – In this Section

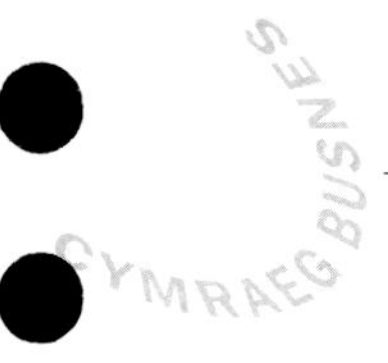

GWYBODAETH AM STAFF
STAFF INFORMATION

Termau
Terms

address – **cyfeiriad**
complete (to) – **llenwi**
  to be completed by – **i'w lenwi gan**
confidential – **cyfrinachol**
date – **dyddiad**
  date of birth – **dyddiad geni**
  starting date – **dyddiad dechrau**
department – **adran**
details – **manylion**
dependant/-s – **dibynnydd/dibynyddion**
form – **ffurflen**
internal – **mewnol**
national insurance number – **rhif yswiriant gwladol**
name – **enw**
next of kin – **perthynas agosaf**
personnel – **personél**
  personnel department – **yr adran bersonél**
  personnel details – **manylion personél**
phone – **ffôn**
post code – **côd post**
salary – **cyflog**
  salary point – **pwynt cyflog**
  salary scale – **graddfa gyflog**
scale – **graddfa**
sex – **rhyw**
sheet – **taflen**
signed – **arwyddwyd**
  signed by – **arwyddwyd gan**
  signed on behalf of – **arwyddwyd ar ran**
staff – **staff**
  staff number – **rhif staff**

GWEINYDDU MEWNOL
INTERNAL ADMINISTRATION

Dosbarthiad
Classification

Expenses Forms – **Ffurflenni Treuliau**
Holiday Application Forms
– **Ffurflenni Cais am Wyliau**
Leave of Absence Forms
– **Ffurflenni Rhyddhau o'r Gwaith**
Overtime Forms – **Ffurflenni Goramser**
Payslips – **Cyflogebau**
Timesheets – **Taflenni Amser**

Termau
Terms

absence – **absenoldeb**
accommodation – **llety**
overnight accommodation – **treuliau dros nos**
amount – **swm**
amount per mile – **swm y filltir**
application for leave – **cais am wyliau**
authorised (by) – **awdurdodwyd (gan)**

commence (to) – **dechrau**
to commence on – **i ddechrau ar**
complete (to) – **llenwi**
to be completed by – **i'w lenwi gan**
confidential – **cyfrinachol**

date – **dyddiad**
finishing date – **dyddiad gorffen**
starting date – **dyddiad dechrau**
day – **diwrnod; dydd**
days already taken
– **dyddiau a gymerwyd (eisoes)**
days remaining – **dyddiau yn weddill**
days requested – **dyddiau y gofynnir amdanynt**
deductions – **tynnwyd; gostyngiadau**
total deductions
– **cyfanswm a dynnwyd; cyfanswm y gostyngiadau**
department – **adran**
details – **manylion**

expenses – **treuliau**
expenses form – **ffurflen dreuliau**

form – **ffurflen**
absence form – **ffurflen absenoldeb**
holiday form – **ffurflen wyliau**
from *(person)* – **oddi wrth; gan**
from *(place)* – **o**
holiday/-s – **gwyliau**
holiday application – **cais am wyliau**

in – **i mewn**

internal – **mewnol**

leave of absence – **cennad absenoldeb**
location – **lleoliad**

mail – **post**
external mail – **post allanol**
incoming mail – **post i mewn**
internal mail – **post mewnol**
outgoing mail – **post allan**
means of transport – **dull teithio**
means of travel – **dull teithio**
memo – **memo**

national insurance number – **rhif yswiriant gwladol**
name – **enw**
national insurance – **yswiriant gwladol**
next of kin – **perthynas agosaf**
number of days – **nifer y dyddiau**

out – **allan**
overtime – **goramser**
overtime rate – **cyfradd goramser**
overtime worked – **goramser a weithiwyd**

pay – **cyflog**
gross pay – **cyflog gros**
gross pay to date – **cyflog gros hyd yma**
net pay – **cyflog net**
pay number – **rhif cyflog**
pay slip/advice – **cyflogeb**
pension – **pensiwn**
per mile – **y filltir**
phone number – **rhif ffôn**

purpose – **pwrpas**

rate – **cyfradd**
basic rate – **cyfradd sylfaenol**
flat rate – **cyfradd unffurf**
overtime rate – **cyfradd goramser**
reason – **rheswm**
reason for absence – **rheswm dros absenoldeb**
receipt/-s – **derbynneb/derbynebau**
VAT receipt – **derbynneb TAW**

section – **adran**
sheet – **taflen**
time sheet – **taflen amser**
signed – **arwyddwyd**
signed by – **arwyddwyd gan**
signed on behalf of – **arwyddwyd ar ran**
staff – **staff**
staff number – **rhif staff**
subsistence – **cynhaliaeth**

tax – **treth**
income tax – **treth incwm**
income tax reference number
– **cyfeirif treth incwm**
tax code – **côd treth**
tax month – **mis treth**
tax to date – **treth hyd yma**
to *(person)* – **at**
to *(place)* – **i**
total – **cyfanswm**
sub-total – **is-gyfanswm**

until – **tan**

FFURFENNI CADW A THREFNU
RESERVATION AND BOOKING FORMS

Dosbarthiad
Classification

Holiday Reservations/Bookings – **Trefnu Gwyliau**
Reserving/Booking Accommodation– **Trefnu Llety**
Reserving/Booking a Table – **Cadw Bwrdd**
Reserving/Booking Leisure Activities
  – **Trefnu Cyfleusterau Hamdden**
Reserving/Booking Seats – **Cadw Seddi**
Visitor Registration *(Companies)*
  – **Cofrestru Ymwelwyr (Cwmnïau)**
Visitors' Book *(Accommodation)*
  – **Llyfr Ymwelwyr (Llety)**

Termau
Terms

address – **cyfeiriad**
book/reserve (to) – **bwcio**
  court – **cadw cwrt (sboncen/tennis)**
  room/-s – **trefnu ystafell/-oedd**
  seat/-s – **cadw sedd/-i**
  table – **cadw bwrdd**
  tickets – **archebu tocyn/nau**
car number – **rhif car**
county – **sir**
date – **dyddiad**
for *(persons)* – **i**
  for 2 – **i 2**
for *(time)* – **am**
  for 8pm – **am 8pm**
from – **o**
name – **enw**
overnight – **dros nos**
phone number – **rhif ffôn**
post code – **côd post**
representing – **yn cynrychioli**
reserve (to) – *see to book*
reserved seat/-s – **sedd gadw/seddi cadw**
reserved row/-s – **rhes gadw/rhesi cadw**
room/-s – **ystafell/-oedd**
  room number – **rhif ystafell**
row – **rhes**
  row number – **rhif y rhes**
seat – **sedd**
  seat number – **rhif y sedd**
time – **amser**
  time in – **amser i mewn**
  time of arrival – **amser cyrraedd**
  time of departure – **amser gadael**
  time out – **amser allan**
to see – **i weld**
until; till – **tan**

COFNODION DYDDIADUR A BLWYDDIADUR
DIARY AND YEAR PLANNER ENTRIES

Gellir cadw dyddiaduron personol yn Gymraeg beth bynnag fo iaith y swyddfa. Mae nodi dyddiadau pwysig ar flwyddiadur yn ddwyieithog yn ddull effeithiol o gyflwyno a defnyddio geirfa ac ymadroddion.

Personal diaries can be kept in Welsh, whatever the language of the office. Recording important dates bilingually on a year planner is an effective way of introducing and using basic vocabulary and phrases.

Y dyddiau a'r misoedd
The days and months

Sunday – **Dydd Sul**
Monday – **Dydd Llun**
Tuesday – **Dydd Mawrth**
Wednesday – **Dydd Mercher**
Thursday – **Dydd Iau**
Friday – **Dydd Gwener**
Saturday – **Dydd Sadwrn**

Y misoedd
The months

January – **Ionawr**
February – **Chwefror**
March – **Mawrth**
April – **Ebrill**
May – **Mai**
June – **Mehefin**
July – **Gorffennaf**
August – **Awst**
September – **Medi**
October – **Hydref**
November – **Tachwedd**
December – **Rhagfyr**

Dyddiadau
Dates

bank holiday – **gŵyl banc**
New Year's Day – **Dydd Calan**
Good Friday – **(Dydd) Gwener y Groglith**
Easter Monday – **(Dydd) Llun y Pasg**
May Day Holiday – **Gŵyl Calan Mai**
Whitsun Bank Holiday – **Gŵyl Banc y Sulgwyn**
Spring Bank Holiday – **Gŵyl Banc y Gwanwyn**
August Bank Holiday – **Gŵyl Banc Awst**
Chrsitmas Day – **Dydd Nadolig**
Boxing Day – **Gŵyl San Steffan**

*See **Part C Section 3** for a full list of dates.*

Cofnodion busnes/cwmni
Business/company entries

annual return – **adroddiad blynyddol**
annual review – **arolwg blynyddol**
auditors in – **archwilwyr i mewn**
away – **i ffwrdd**

...begins – **...yn dechrau**
Board meeting – **cyfarfod y Bwrdd**
break – **egwyl**
breakfast in/at – **brecwast yn**

cash-flow meeting – **cyfarfod llif arian**
Christmas party – **parti Nadolig**
clocks back – **clociau yn ôl**
clocks forward – **clociau ymlaen**
closed – **ar gau**
  office closed – **swyddfa ar gau**
  works closed – **gwaith ar gau**
conference at/in – **cynhadledd yn**
course – **cwrs**
  Welsh course – **cwrs Cymraeg**

deadline (day) for... – **diwrnod olaf ar gyfer...**
delegation from – **dirprwyaeth o**
dentist's appointment – **(mynd at y) deintydd**
dinner – **cinio**
dinner dance – **dawns ginio**
disciplinary meeting – **cyfarfod disgyblu**
discuss monthly figures – **trafod ffigurau misol**
doctor's appointment – **(mynd at y) meddyg**

emergency telephone number
  – **rhif ffôn (mewn) argyfwng**
end – **diwedd**
  end of course – **diwedd y cwrs**
  end of visit – **diwedd yr ymweliad**
evening meal – **swper; pryd nos**
examination/-s – **arholiad/-au**
exhibition – **arddangosfa**
external course – **cwrs allanol**

...finishes – **...yn gorffen**

illness – **salwch**
in-service training (INSET)
  – **hyfforddiant mewn swydd (HMS)**
income tax – **treth incwm**
insurance expires
  – **yswiriant yn dod i ben; yswiriant yn darfod**
interview/-s – **cyfweliad/-au**

holiday/-s – **gwyliau**
  Ceri's holiday – **gwyliau Ceri**
  ...on holiday – **...ar wyliau**

keep clear – **cadw'n glir**

leave *(of absence)* – **i ffwrdd**
  2 days' leave – **2 ddiwrnod i ffwrdd**
  ...on leave – **...i ffwrdd**
leave *(holiday)* – **gwyliau**
  ...on leave – **...ar wyliau**

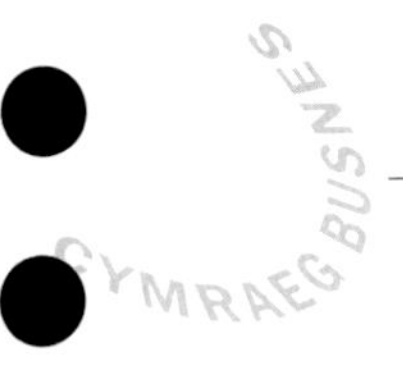

licence expires
– **trwydded yn dod i ben; trwydded yn darfod**
lunch – **cinio**
marketing meeting – **cyfarfod marchnata**
maternity leave – **absenoldeb mamolaeth**
meal/-s – **pryd/-au**
meeting/-s – **cyfarfod/-ydd**
meeting with – **cyfarfod gyda; cyfarfod efo**
monthly figures – **ffigurau misol**

open day – **diwrnod agored**
optician's appointment – **(mynd at yr) optegydd**
overtime – **goramser**

sales meeting – **cyfarfod gwerthiant**
staff meeting – **cyfarfod staff**
staff training – **hyfforddiant staff**
start – **dechrau**
start of course – **dechrau'r cwrs**
…starts – **…yn dechrau**
starting date – **dyddiad dechrau**
statutory holiday/-s – **gŵyl/gwyliau statudol**

tea – **te**
training – **hyfforddiant**
training conference – **cynhadledd hyfforddi**
trust meeting – **cyfarfod yr ymddiriedolaeth**

union meeting – **cyfarfod yr undeb**

VAT – **TAW**
VAT officer coming – **swyddog TAW yn dod**
visit – **ymweliad**
visit by… – **ymweliad gan…**
visitors – **ymwelwyr**
visitors from… – **ymwelwyr o…**

Pethau i'w gwneud
Things to be done

These are forms used for diary and chart entries; they should NOT be used for commands.

arrange – **trefnu**
arrange a meeting – **trefnu cyfarfod**
arrange accommodation – **trefnu lle/llety**
book *(arrange)* – **trefnu; bwcio**
book accommodation – **trefnu lle/llety**
book a room – **trefnu ystafell**
book *(order)* – **archebu; bwcio**
book tickets – **archebu tocynnau**
book *(reserve)* – **cadw; bwcio**
book a table – **cadw bwrdd**
book seats – **cadw seddau**
cancel – **canslo**
check – **gwirio; siecio**
check dates – **gwirio dyddiadau**
check details – **gwirio manylion**
check entries – **gwirio cofnodion**
collect – **casglu**
hire – **llogi**
leave a message for – **gadael neges i**
order – **archebu**
phone – **ffonio**
photocopy – **llungopïo**
postpone – **gohirio**
prepare – **paratoi**
prepare a report – **paratoi adroddiad**
return papers – **dychwelyd papurau**
return from – **dod nôl o**
send – **anfon**
send to – **anfon at**
travel to – **teithio i**
write – **ysgrifennu**
write to – **ysgrifennu at**

HYSBYSEBU SWYDDI
JOB ADVERTISEMENTS

Termau
Terms

advantageous; of advantage
 – **yn fanteisiol; o fantais**
applicant/-s – **ymgeisydd/ymgeiswyr**
application form – **ffurflen gais**
contact *(person)* – **cysylltydd**
contact (to) – **cystylltu â**
desirable – **yn ddymunol**
details – **manylion**
 further details – **manylion pellach**
driving licence – **trwydded yrru**
 a clean driving licence – **trwydded yrru lân**
employer/-s – **cyflogwr/cyflogwyr**
essential – **yn hanfodol**
experience – **profiad**
hold (to) – **cynnal**
 will be held – **cynhelir**
information – **gwybodaeth**
 further information – **gwybodaeth bellach**
interview (to) – **cyfweld**
interview/-s – **cyfweliad/-au**
interviewee/-s – **cyfweledig/-ion**
interviewer/-s – **cyfwelydd/cyfwelwyr**
job/-s – **swydd/-i**
job interview/-s – **cyfweliad/-au am swydd**
location – **lleoliad**
occupation/-s – **swydd/-i**
qualifications – **cymwysterau**
salary – **cyflog**

Teitl y swydd
Job title

*See **PART C Section 1** for a full list.*

Natur y swydd
Type of post

Full time post – **Swydd amser llawn**
Part time post – **Swydd ran amser**
Temporary post – **Swydd dros dro**
A short term post – **Swydd cyfnod byr**

You may also need:

6 months – **6 mis**
12 months – **12 mis**
9 months – **9 mis**
A year – **blwyddyn**
1 year – **1 flwyddyn**
2 years – **2 flynedd**
3 years – **3 blynedd**
4 years – **4 blynedd**
5 years – **5 mlynedd**

Gwahodd ceisiadau
Inviting applications

Applications are invited for the above post.
– **Gwahoddir ceisiadau ar gyfer y swydd uchod.**
...is anxious to appoint...
– **Mae... yn awyddus i benodi...**
Wanted by 1 March 1997
– **Yn eisiau erbyn 1 Mawrth 1997**

Dyletswyddau
Duties

Main duties
– **Prif ddyletswyddau**
The main duties will be typing, filing and dealing with telephone enquiries.
– **Y prif ddyletswyddau fydd teipio, ffeilio ac ymdrin ag ymholiadau ffôn.**
The person appointed will be responsible for...
– **Bydd y person a benodir yn gyfrifol am...**
The person appointed will be expected to...
– **Bydd disgwyl i'r person a benodir...**
The successful candidate will be responsible for teaching up to Year 11.
– **Bydd yr ymgeisydd llwyddiannus yn gyfrifol am ddysgu hyd at Flwyddyn 11.**

Cymwysterau
Qualifications

The person appointed is expected to possess the statutory qualifications.
– **Bydd disgwyl i'r sawl a benodir feddu ar y cymwysterau statudol.**
A knowledge of Welsh is essential.
– **Mae gwybodaeth o'r Gymraeg yn angenrheidiol.**
A knowledge of Welsh would be advantageous.
– **Byddai gwybodaeth o'r Gymraeg yn fanteisiol.**

A knowledge of Welsh is desirable.
– **Mae gwybodaeth o'r Gymraeg yn ddymunol.**
The ability to… is essential.
– **Mae'r gallu i… yn angenrheidiol.**
The ability to speak Welsh and English is essential.
– **Mae'r gallu i siarad Cymraeg a Saesneg yn angenrheidiol.**
The ability to speak Welsh fluently and write it correctly is essential.
– **Mae'r gallu i siarad Cymraeg yn rhugl a'i hysgrifennu'n gywir yn angenrheidiol.**
Candidates should be able to…
– **Dylai ymgeiswyr allu…**

Manylion y cyflog
Details of pay

Pay scale – **Graddfa cyflog**
Grade – **Graddfa**
Basic scale – **Graddfa safonol**
The salary will be fixed according to age and experience.
– **Pennir y raddfa yn unol ag oedran a phrofiad.**

Amodau gwaith
Conditions of work

The post is located in…
– **Lleolir y swydd yn…**
Staff will be expected to work a shift rota.
– **Disgwylir i staff weithio system sifft.**
The company works a flexi-time system.
– **Mae'r cwmni yn gweithio system oriau hyblyg.**
The person appointed will be expected to start work as soon as possible.
– **Disgwylir i'r sawl a benodir ddechrau gweithio cyn gynted ag y bo modd.**
…is an equal opportunities employer.
– **Mae… yn gyflogwr cyfle cyfartal.**

The person appointed will be allowed 28 days annual leave in addition to statutory holidays.
– **Bydd gan y sawl a benodir hawl i 28 diwrnod o wyliau blynyddol ynghyd â gwyliau statudol.**

Manteision ychwanegol
Additional benefits

A car will be provided.
– **Darperir car.**

Travelling expenses will be paid.
– **Telir costau teithio.**

A car leasing scheme is available.
– **Mae cynllun prydlesu car ar gael.**

Financial assistance towards removal expenses will be offered in appropriate cases.
– **Cynigir cymorth ariannol at gostau mudo mewn achosion priodol.**

Gwybodaeth bellach
Further information

For further details, please contact...
– **Am fanylion pellach, cysylltwch â...**

The relevant reference should be quoted.
– **Dylid nodi'r cyfeirnod perthnasol.**

For further details and an application form, please contact:
– **Am fanylion pellach a ffurflen gais, cysylltwch â:**

Application forms must be returned by 1 April.
– **Rhaid dychwelyd ffurflenni cais erbyn 1 Ebrill.**

The closing date for applications is...
– **Y dyddiad cau ar gyfer ceisiadau yw...**

ADRAN 6
MATERION ARIANNOL

SECTION 6
FINANCIAL MATTERS

Yn yr Adran hon – In this Section

Mae'r syniad nad yw'r Gymraeg yn addas ar gyfer trafod materion ariannol wedi'i wrthbrofi'n llwyddiannus bellach gan sawl cwmni sy'n gweithredu trwy'r Gymraeg neu'n ddwyieithog. Bydd y defnydd cychwynnol a wneir o'r ddwy iaith yn adlewyrchu sgiliau ieithyddol cyfredol personél allweddol a'r gweithlu yn gyffredinol.

Gellir gwneud ffurflenni'n rhai dwyieithog drwy ddefnyddio penawdau ac is-benawdau Cymraeg/Saesneg. Gan nad yw llawer ohonynt yn gofyn mwy na manylion mewn ffigurau a geiriau neu ymadroddion, gall pobl prin eu Cymraeg eu deall a'u llenwi yn weddol rwydd. Mae angen personél rhugl eu Cymraeg ar gyfer cyflwyno cyfrifon ac adroddiadau.

The idea that the Welsh language is unsuited to dealing with money and financial matters has been firmly and successfully dispelled by many companies who conduct their business entirely in Welsh or bilingually. At first, the degree of bilingualism will reflect the current language skills of key personnel and the workforce in general.

Forms can be made bilingual by the use of Welsh/English headings and sub-headings. As many forms require little more than figures and words or phrases, people with a minimal knowledge of Welsh can understand and deal with them fairly easily. Accounts and reports require personnel who have a clear command of written Welsh.

FFURFLENNI BUSNES
BUSINESS FORMS

Dosbarthiad
Classification

Bills – **Biliau**
Credit and Debit Notes – **Nodion Credyd a Dyled**
Despatch and Carriage/Consignment Notes
– **Nodion Anfon a Chludiant**
Guarantees and Insurance Documents
– **Gwarantau ac Yswiriant**
Invoices – **Anfonebau**
Receipts/Sales Slips – **Derbynebau**
Remittance Advice/Slips – **Talebau**

Termau
Terms

account – **cyfrif**
account number – **rhif y cyfrif**
customer account number – **rhif cyfrif y cwsmer**
your account number – **rhif eich cyfrif**
address – **cyfeiriad**
amount – **swm**
amount due – **dyledus i; swm yn ddyledus**
agreement – **cytundeb**
service agreement – **cytundeb gwasanaeth**
authorised – **awdurdodwyd**

bill – **bil**
bill of complaint – **bil achwyn**
bill of exchange – **bil cyfnewid**
bill of loading – **bil llwytho**
electricity bill – **bil trydan**
gas bill – **bil nwy**
telephone bill – **bil ffôn**
water bill – **bil dŵr**
brought forward – **dygwyd ymlaen**

card number – **rhif y cerdyn**
cash – **arian**
cash on delivery – **arian wrth dderbyn**
charge/-s – **cost/-au**
no charge/-s – **dim cost/-au; am ddim**
standing charge – **tâl sefydlog**
unit charge – **pris yr uned**
carriage – **cludiant**
carriage charges – **costau cludiant**
carriage free – **cludiant am ddim**
carriage note – **nodyn cludiant**
carriage paid – **cludiant wedi'i dalu**
carriage to pay
– **cludiant i'w dalu; cludiant yn ddyledus**
no carriage charges – **dim costau cludiant**
cheque number – **rhif y siec**
comments – **sylwadau**

company – **cwmni**
conditions of carriage – **amodau cludiant**
confirmation order – **cadarnhau archeb**
consignment note – **nodyn cludiant**
cover note *(insurance)* – **nodyn yswiriant**
courier/-s – **cludwr/cludwyr; negesydd/negeswyr**
credit – **credyd**
  credit note – **nodyn credyd**
customs declaration – **datganiad tollfa**

date – **dyddiad**
  date received – **dyddiad derbyn**
  delivery date – **dyddiad cludo**
  despatch date – **dyddiad anfon**
days remaining – **dyddiau yn weddill**
debit – **dyled; debyd**
  debit note – **nodyn dyled; dylednod**
deductions *(against account)* – **gostyngiadau**
deductions *(against wage)* – **tynnwyd**
delivery – **cludiant**
  cash on delivery – **taliad wrth dderbyn**
  delivery charge – **cost cludiant**
  delivery date – **i gyrraedd erbyn**
  delivery note – **nodyn cludiant**
  free delivery – **cludiant am ddim**
  recorded delivery – **cludiant cofnodedig**
  registered delivery – **cludiant cofrestredig**
department – **adran**
departure time – **amser gadael**
description of goods – **disgrifiad o'r nwyddau**
despatch date – **dyddiad anfon**
despatch note – **nodyn anfon**
details – **manylion**
discount/-s – **disgownt/-iau**

driver's signature – **llofnod y gyrrwr**
employee's name – **enw'r cyflogedig**
enclosed – **amgaeedig**
enquiries – **ymholiadau**
estimate – **amcangyfrif**
  estimate date – **dyddiad yr amcangyfrif**
  estimate number – **rhif yr amcangyfrif**
expiry date – **dyddiad darfod; dyddiad dod i ben**

fax message – **neges gyflun; neges ffacs**
fax number – **rhif y cyflunydd; rhif y ffacs**
for office use – **at ddefnydd y swyddfa**
free – **am ddim; rhad ac am ddim**
freepost – **rhadbost**
from *(person)* – **gan; oddi wrth**

goods – **nwyddau**
grand total – **cyfanswm llawn**
guarantee – **gwarant**
  service guarantee – **gwarant gwasanaeth**

hours – **oriau**

in payment for – **yn dâl am**
income tax – **treth incwm**
  income tax reference number
  – **cyfeirif treth incwm**
inquiry *(note)* – **holeb**
instructions – **cyfarwyddiadau**
  special instructions – **cyfarwyddiadau arbennig**
insurance – **yswiriant**
  comprehensive insurance
  – **yswiriant cynhwysfawr**
  insurance charge – **tâl yswiriant**

insurance cover – **yswiriant llawn**
liability insurance – **yswiriant atebolrwydd**
life insurance – **yswiriant bywyd**
third party insurance – **yswiriant trydydd person**
invoice – **anfoneb**
invoice date – **dyddiad anfoneb**
invoice number – **rhif yr anfoneb**

job title – **teitl swydd**

labour – **llafur**
labour total – **cyfanswm llafur**

material/-s – **defnydd/-iau; deunydd/-iau**
materials total – **cyfanswm defnyddiau; cyfanswm deunyddiau**
message – **neges**

name – **enw**
national insurance number – **rhif yswiriant gwladol**
net pay – **cyflog net**
note/-s – **nodyn/nodion**
credit note – **nodyn credyd**
debit note – **nodyn dyled**
delivery note – **nodyn cludiant**
despatch note – **nodyn anfon**
number *(figure)* – **rhif**
account number – **rhif y cyfrif**
invoice number – **rhif yr anfoneb**
order number – **rhif yr archeb**
number *(total amount)* – **nifer**
number of days – **nifer y dyddiau**
number of packages – **nifer y pecynnau**
number of units – **nifer yr unedau**
officer's signature – **llofnod y swyddog**
order/-s – **archeb/-ion**
confirmation order – **cadarnhad o archeb**
order number – **rhif yr archeb**
orders over £... – **archebion dros £...**
orders under... – **archebion dan**
our reference – **ein cyfeirnod**
overtime – **goramser**

package/-s – **pecyn/-nau**
pay – **cyflog**
pay-slip – **cyflogeb**
pay month – **mis cyflog**
pay advice – **cyflogeb**
payment – **taliad; talu**
payment due – **taliad yn ddyledus**
payment (is) now due – (**mae'r) taliad yn ddyledus nawr**
payment method – **dull talu**
phone – **ffôn**
phone number – **rhif ffôn**
postage – **postio; post**
postage due – **post dyledus**
postage paid – **post-daledig**
post code – **côd post**
post free – **post am ddim**
prepared by – **paratowyd gan**
price list – **rhestr brisiau**
print *(signature)* – **print**
pro-forma – **pro-forma**
pro-forma invoice – **anfoneb pro-forma**
proof of delivery – **proflen gludiant**
purchase/-s – **archeb/-ion**

purchase note – **(nodyn) archeb**
purchase order – **archeb brynu**
purchase order number – **rhif archeb brynu**

quantity – **nifer**
quotation *(cost of work)* – **dyfynbris; pris**

rate – **cyfradd**
received – **derbyniwyd**
received by – **derbyniwyd gan**
received from – **derbyniwyd gan/oddi wrth**
received in good condition – **derbyniwyd mewn cyflwr da**
receipt/-s – **derbynneb/derbynebau**
reduction/-s – **gostyngiad/-au**
reference number – **cyfeirnod**
ref. – **cyf.**
our reference number – **ein cyfeirnod**
your reference number – **eich cyfeirnod**
registration form – **ffurflen gofrestru**
registration number – **rhif cofrestu**
remittance – **taliad**
remittance advice *(note)* – **taleb**

sales order – **archeb nwyddau**
sales slip – **nodyn gwerthiant**
signature – **llofnod**
driver's signature – **llofnod y gyrrwr**
signed – **arwyddwyd**
signed by – **arwyddwyd gan**
signed on behalf of – **arwyddwyd ar ran**
staff number – **rhif staff**
statement of account – **cyfrifen**
sub-total – **is-gyfanswm**

tax month – **mis treth**
tax code – **côd treth**
tax point – **pwynt treth**
telephone number – **rhif ffôn**
time – **amser**
arrival time – **amser cyrraedd**
estimated arrival time – **amser cyrraedd tybiedig**
to *(person/company)* – **at**
total – **cyfanswm**
total *(full)* cost – **cost llawn**
total deductions *(taken from wage)* – **cyfanswm a dynnwyd**
town – **tref**
transport – **cludiant**

unit/-s – **uned/-au**
unit cost – **cost yr uned; pris yr uned**

value – **gwerth**
gross value – **gwerth gros**
net value – **gwerth net**
VAT – **TAW**
VAT exclusive – **heb gynnwys TAW**
VAT inclusive – **gan gynnwys TAW**
VAT registration number – **rhif cofrestru TAW**

weight – **pwysau**

BANCIO
BANKING

Ymdrin â sieciau
Dealing with cheques

a) Y dyddiad – The date

i) Use figures only, e.g.

17 – 8 – 97

ii) Use day (figure) + month (word) + year (figures), e.g.

17 Awst 1997

iii) The months in Welsh are:

Ionawr – January
Chwefror – February
Mawrth – March
Ebrill – April
May – May
Mehefin – June
Gorffennaf – July
Awst – August
Medi – September
Hydref – October
Tachwedd – November
Rhagfyr – December

b) Y talai – The payee

The word **Taler** – Pay *is used on most printed cheques.*

If you need cash, just write **Arian Parod** *(*Ready Cash*)*

c) Y punnau mewn geiriau – The pounds in words
When refering to amounts under £10 use the following:

A pound – **Punt**
One pound – **Un bunt**
Two pounds – **Dwy bunt**
Three pounds – **Tair punt**
Four pounds – **Pedair punt**
Five pounds – **Pum punt**
Six pounds – **Chwe phunt**
Seven pounds – **Saith punt**
Eight pounds – **Wyth punt**
Nine pounds – **Naw punt**
Ten pounds – **Deg punt**

For sums above ten pounds, you can use either SYSTEM A or SYSTEM B below:

A. Use the modern numbers listed in ***PART C Section 3*** *and add* **o bunnau** (of pounds) *e.g:*

eleven pounds – **un deg un o bunnau**
twenty seven pounds – **dau ddeg saith o bunnau**

B. For amounts between £11 and £30 the following older forms are also often used:

£11 – **un bunt ar ddeg**
£12 – **deuddeg punt**
£13 – **tair punt ar ddeg**
£14 – **pedair punt ar ddeg**
£15 – **pymtheg punt**
£16 – **un bunt ar bymtheg**
£17 – **dwy bunt ar bymtheg**
£18 – **deunaw punt**
£19 – **pedair punt ar bymtheg**
£20 – **ugain punt**
£21 – **un bunt ar hugain**
£22 – **dwy bunt ar hugain**
£23 – **tair punt ar hugain**
£24 – **pedair punt ar hugain**
£25 – **pum punt ar hugain**
£26 – **chwe phunt ar hugain**
£27 – **saith punt ar hugain**
£28 – **wyth punt ar hugain**
£29 – **naw punt ar hugain**
£30 – **deg punt ar hugain**

For sums above £30 we recommend that you use the modern system as the older forms are complicated.

You may, however, need to recognise the following:

£40 – **deugain punt**
£50 – **hanner can punt**
£60 – **trigain punt**
£80 – **pedwar ugain punt**
£100 – **can punt**

Note that cheque writers in some areas may use **o bunnoedd** *instead of* **o bunnau**.

ch) Nodi'r ceiniogau – Noting the pence

Write the pence in figures and add the word **ceiniog** *or the abbreviation* **c:**

Twenty one pounds and 60 pence
– **Dau ddeg un o bunnau a 60 ceiniog**

Forty nine pounds, 32p
– **Pedwar deg naw o bunnau, 32c**

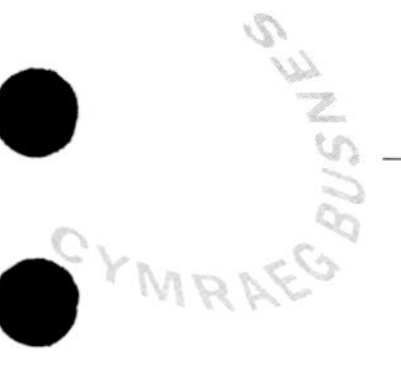

Termau bancio
Banking terms

account/s – **cyfrif/-on**
  account number – **rhif y cyfrif**
  account payee – **cyfrif y talai**
  current account – **cyfrif cyfredol**
  deposit account – **cyfrif cadw; cyfrif adnau**
  joint account – **cydgyfrif**
amount – **swm**

balance – **balans; gweddill**
  balance sheet – **mantolen**
bank/-s – **banc/-iau**
  bank account/-s – **cyfrif/-on banc**
  bank giro credit – **credyd giro banc**
  bank interest – **llog banc**
  bank reconciliation/-s – **cysoniad/-au banc**
  bank statement/-s – **cyfrifen/-nau banc**
  bank transfer – **troglwyddiad bank**
  commercial bank – **banc masnachol**
  credit bank – **banc credyd**
banker's draft – **drafft banc**
banker's order – **gorchymyn banc**

card/-s – **cerdyn/cardiau**
  bank card – **cerdyn banc**
  card number – **rhif y cerdyn**
  cheque card – **cerdyn siec**
  credit card – **cerdyn credyd**
  store card – **cerdyn siop**
cash – **arian**
  cash advance/-s – **blaenswm/blaensymiau**
  cash book/-s – **llyfr/-au arian**

cheque/-s – **siec/-iau**
  cheque book/-s – **llyfr/-au siec**
  cheque card/-s – **cerdyn/cardiau siec**
  cheque guarantee card/-s – **cerdyn/cardiau gwarantu siec**
  cheque stub/-s – **bonyn siec/bonion sieciau**
  cheque number – **rhif y siec**
  eurocheque/-s – **ewrosiec/-iau**
  stopped cheque/-s – **stopsiec/-iau**
  travellers' cheque/-s – **siec deithio/sieciau teithio**
credit – **credyd**
  credit account – **cyfrif credyd**
  credit agency/agencies – **asiantaeth gredyd/asiantaethau credyd**
  credit card/-s – **cerdyn/cardiau credyd**
  credit limit – **credyd a ganiateir**
  credit rating – **statws credyd**
currency – **arian**
  foreign currency – **arian tramor**

date – **dyddiad**
debit/-s – **debyd/-au**
  direct debit – **debyd uniongyrchol**
deposit/-s *(bank)* – **adnau/adneuon**
  bank deposit – **adnau banc; arian cadw**
  deposit account/-s – **cyfrif/-on cadw; cyfrif/-on adnau**
  deposit rate – **cyfradd adnau**
  special deposits – **adneuon arbennig**

financial adviser – **ymgynghorydd ariannol**

interest – **llog**
  accrued interest – **llog cronedig**
  compound interest – **adlog**
  fixed interest – **llog penodol**
  interest after tax – **llog ar ôl treth**
  interest paid – **llog taledig**
  interest rate/-s – **graddfa llog/graddfeydd llog**
  nominal interest – **llog enwol**
simple interest – **llog syml**

letter of credit – **llythyr credyd**
loan/-s – **benthyciad/-au**
  loan account – **cyfrif benthyciad**
  personal loan – **benthyciad personol**

manager – **rheolwr**
  the assistant manager – **y rheolwr cynorthwyol**
  the bank manager – **rheolwr y banc**
mortgage/-s – **morgais/morgeisi**
  mortgage number – **rhif (y) morgais**

order *(command)* – **gorchymyn**
  money order – **gorchymyn arian**
  postal order – **gorchymyn post; archeb bost**
  standing order – **gorchymyn sefydlog**
overdraft/-s – **gorddrafft/-iau**
  overdraft facility – **cyfleuster gorddrafft**
  overdraft limit – **uchafswm gorddrafft**

Pay *(on cheque)* – **Taler**
paying-in slip – **slip talu**
payment/-s – **taliad/-au**
  minimum payment – **lleiafswm taliad**
rate/–s – **cyfradd/-au**
  flat rate – **cyfradd unffurf**
  rate of interest – **cyfradd llog**
reconciliation – **cysoniad**
reference – **cyfeirnod**

savings – **cynilion**
sort code – **côd dosbarthu**
standing order – **gorchymyn sefydlog**
statement/-s – **cyfrifen/-nau**

to reach us by ... – **i'n cyrraedd erbyn...**
transfer – **trosglwyddiad**
transfer (to) – **trosglwyddo**
  telegraphic transfer – **trosglwyddiad telegraffeg**

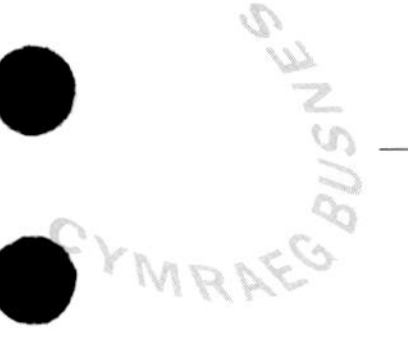

CYFRIFON AC ADRODDIADAU
ACCOUNTS AND REPORTS

Termau
Terms

account/-s – **cyfrif/-on**
accountant/-s – **cyfrifydd/cyfrifwyr**
chartered accountants – **cyfrifwyr siartredig**
accounting policies – **polisïau cyfrifo**
accruals – **croniadau**
accrue (to) – **cronni**
accrued income – **incwm cronedig**
acquisitions – **caffaeliadau**
additions – **ychwanegiadau**
administer (to) – **gweinyddu**
administration – **gweinyddiad; gweinyddu**
administrative expenses – **costau gweinyddol**
advertising – **hysbysebu**
after taxation – **ar ôl trethiant**
allotted share capital – **cyfranddaliadau penodedig**
annual – **blynyddol**
annual report – **adroddiad blynyddol**
annual return – **adroddiad blynyddol**
asset/-s – **ased/-au,-ion**
capital assets – **asedau cyfalaf**
current assets – **asedau cyfredol**
fixed assets – **asedau sefydlog**
intangible assets – **asedau annirweddol; asedau anghyffyrddadwy**
net assets – **asedau net**
tangible assets – **asedau dirweddol; asedau cyffyrddadwy**
audit (to) – **archwilio**
auditor/-s – **archwiliwr/archwilwyr**
auditors' report – **adroddiad yr archwilwyr**
authorised – **awdurdodedig**
authorised share capital – **cyfalaf cyfrannau awdurdodedig**

balance – **gweddill**
balance sheet – **mantolen**
balance sheet account – **mantolen y cyfrif**
before interest – **cyn llog**
before taxation – **cyn trethiant**
board (the) – **y bwrdd**
brought forward – **dygwyd ymlaen; a ddygwyd ymlaen**
balance sheet – **mantolen**
basis of preparation – **sail cyfrifo**
business/-es – **busnes/-au**
business services – **gwasanaethau busnes**

carried forward/on – **cariwyd ymlaen; a gariwyd ymlaen**
capital – **cyfalaf**
capital charges – **llogau ar gyfalaf**
capital gains – **enillion cyfalaf**

cash – **arian**
  cash at bank – **arian yn y banc**
  cash in hand – **arian mewn llaw**
  petty cash – **arian mân**
cashflow – **llif arian**
  net cashflow – **llif arian net**
certificate of corporation – **tystysgrif corffori**
charges – **costau**
charity – **elusen**
company/companies – **cwmni/cwmnïau**
  Companies House – **Tŷ'r Cwmnïau**
  company limited by guarantee – **cwmni cyfyngedig drwy warant**
  comany registration number – **rhif cofrestru'r cwmni**
  limited company – **cwmni cyfyngedig**
  public company – **cwmni cyhoeddus**
  public limited company – **cwmni cyfyngedig cyhoeddus**
  plc – **ccc**
consumables – **byrhoedlon**
contents – **cynnwys**
continuing operations – **gweithrediadau parhaol**
contribution/-s – **cyfraniad/-au**
  pension contributions – **cyfraniadau pensiwn**
corporate governance – **rheoliant corfforaethol**
corporate plan – **cynllun corfforaethol**
corporation tax – **treth gorfforaeth**
cost/-s – **cost/-au**
  cost of sales – **cost gwerthiannau**
cost (to) – **costio**
credit – **credyd**
  credit limit – **uchafswm credyd**
creditor/-s – **credydwr/credydwyr**

current – **cyfredol**
  current assets – **asedau cyfredol**
  current liabilities – **ymrwymiadau cyfredol; rhwymedigaethau cyfredol**

debt/-s – **dyled/-ion**
debtor/-s – **dyledwr/dyledwyr**
decrease – **gostyngiad**
decrease (to) – **gostwng**
deferred – **gohiriedig**
deficit – **diffyg**
deposit/-s *(1st payment; earnest)* – **blaendal/-iadau; ernes/-au**
deposit/-s *(bank)* – **adnau/adneuon**
  bank deposit – **adnau banc; arian cadw**
  deposit account/-s – **cyfrif/-on cadw; cyfrif/-on adnau**
  deposit rate – **cyfradd adnau**
  special deposits – **adneuon arbennig**
depreciation – **dibrisiant**
director/-s – **cyfarwyddwr/cyfarwyddwyr**
directors' report – **adroddiad y cyfarwyddwyr**
discontinued lines – **eitemau a derfynwyd**
discontinued operations – **gweithrediadau a derfynwyd**
disposals – **gwaredwyd**
dividend/-s – **buddran/-nau**
due – **dyledus**
  due date – **dyddiad yn ddyledus**

enterprise/-s – **menter/mentrau**
estimate/-s – **amcangyfrif/-on**
expenditure – **gwariant**
  general expenditure – **gwariant cyffredinol**

total expenditure – **cyfanswm gwariant**
expire (to) – **terfynu**

finance/-s – **cyllid; arian**
finance (to) – **ariannu; cyllido**
financial – **ariannol; cyllidol**
financial matters – **materion ariannol**
financial report/-s – **adroddiad/-au ariannol**
financial statement/-s – **datganiad/-au ariannol**
financially – **yn ariannol**
fixed – **sefydlog**
fixed assets – **asedau sefydlog**
fund/-s – **cronfa/cronfeydd**
central fund/-s – **cronfa ganolog/cronfeydd canolog**
general fund/-s – **cronfa gyffredinol/cronfeydd cyffredinol**
fund (to) – **ariannu; cyllido**

grant/-s – **grant/-iau**
government grants – **grantiau'r llywodraeth**
grant offers – **cynigion grant**
grant offers approved – **cynigion grant a gymeradwywyd**
gross – **gros; crynswth**
gross loss – **colled gros; colled grynswth**
gross pay – **cyflogau gros; cyflogau crynswth**
gross profit – **elw gros; elw crynswth**
gross total – **cyfanswm**
growth – **tyfiant**

incorporation – **corfforiad**
income – **incwm**
income and expenditure – **incwm a gwariant**
deferred income – **incwm gohiriedig**
increase – **cynnydd**
increase in sales – **cynnydd mewn gwerthiant**
increase in creditors – **cynnydd mewn credydwyr**
increase in debtors – **cynnydd mewn dyledwyr**
increase (to) – **cynyddu**
in hand – **mewn llaw**
initiative/-s *(enterprise)* – **menter/mentrau**
insurance – **yswiriant**
national insurance – **yswiriant gwladol**
interest/-s – **llog/-au**
interest accrued – **llog cronedig**
interest due – **llog dyladwy**
interest receivable – **llog derbynadwy**
interest received – **llog a dderbyniwyd**
interest payable – **interest payable**
investment/-s – **buddsoddiad/-au;**
investment income – **incwm buddsoddiad**

lease/-s – **prydles/-i**
liabilities – **ymrwymiadau; rhwymedigaethau**
limited – **cyfyngedig**
ltd. – **cyf.**
limited company/companies – **cwmni/cwmnïau cyfyngedig**
loan/-s – **benthyciad/-au**
loss – **colledion**

marketing – **marchnata**
mortgage/-s – **morgais/morgeisi**

net – **clir; net; gwir**
net assets – **asedau clir; asedau net; gwir asedau**
net book value – **gwerth llyfr clir/net; gwir werth llyfr**
net interest – **elw clir/net; gwir elw**
net liabilities – **rhwymedigaethau clir/net; gwir rwymedigaethau**
net loss – **colled glir/net; gwir golled**
net profit – **elw clir/net; gwir elw**
note/-s – **nodyn/nodiadau**

operating costs – **costau gweithredu**
operations – **gweithrediadau**
other – **arall/eraill**
other debtors – **dyledwyr eraill**
other operational income – **incwm gweithredol arall**
others – **eraill**

pay – **cyflog**
back-pay – **ôl-dâl**
net pay – **cyflog clir; cyflog net**
pay award – **dyfarniad cyflog**
payable – **taladwy**
payment/-s – **tâl/taliadau; taliad/-au**
pension/-s – **pensiwn/pensiynau**
plc – **ccc**
prepayment/-s – **blaendaliad/-au**
principal activities – **prif weithgareddau**
profit and loss account – **cyfrif elw a cholled**
publications – **cyhoeddiadau**
prepayment/-s – **rhagdaliad/-au**
pre-tax – **cyn y dreth**
pre-tax profits – **elw cyn y dreth**
price/-s – **pris/-au**
proceeds – **elw**
profit – **elw**
profit and loss – **elw a cholled**
provision/-s – **darpariaeth/-au**

registered – **cofrestredig**
registered auditors – **archwilwyr cofrestredig**
registered charity – **elusen gofrestredig**
registered charity number – **rhif elusen gofrestredig**
registered number – **rhif cofrestredig**
registered office – **swyddfa gofrestredig**
remuneration – **taliadau; cydnabyddiaeth**
remuneration of directors – **taliadau/cydnabyddiaeth i gyfarwyddwyr**
rent/-s – **rhent/-i**
repayments – **ad-daliadau**
report/-s – **adroddiad/-au**
report of the auditor/-s – **adroddiad yr archwiliwr/archwilwyr**
report of the directors – **adroddiad y cyfarwyddwyr**
reserves – **cronfeydd**
return *(earnings/tax)* – **datganiad; mantolen**
return of income – **datganiad incwm**
tax return/-s – **ffurflen dreth/ffurflenni treth**
returns *(profits)* – **adenillion; elw**
returns on investment/-s – **adenillion ar fuddsoddiad/-au**
returns *(of goods)* – **dychweliadau**
review – **arolwg**
financial review – **arolwg ariannol**

running costs – **costau rhedeg**
departmental running costs – **costau rhedeg adrannol**
results and dividends – **canlyniadau a rhandaliadau**

salary/salaries – **cyflog/-au**
sales – **gwerthiant**
services – **gwasanaethau**
miscellaneous services – **gwasanaethau amrywiol**
share/-s – **cyfranddaliad/-au**
deferred shares – **cyfranddaliadau gohiriedig**
ordinary shares – **cyfranddaliadau cyffredin**
paid-up shares – **cyfranddaliadau llawndal**
shareholder/-s – **cyfranddaliwr/cyfranddalwyr**
shareholder information – **gwybodaeth i gyfranddalwyr**
social security costs – **costau lles cymdeithasol**
spend (to) – **gwario**
sponsor (to) – **noddi**
sponsorship – **nawdd**
staff – **staff**
staff numbers – **nifer y staff**
staff costs – **costau staff**
statement/-s – **datganiad/-au**
financial statements – **datganiadau ariannol**
stock – **stoc**
subsidy/subsidies – **cymhorthdal/cymorthdaliadau**
sum/s – **swm/symiau**
sum total – **cyfamswm**
summary – **crynodeb**
sundries *(expenses)* – **mân gostau**
sundries – **manion**
sundry income – **amrywiol incwm**
surplus – **gwarged**
accumulated surlpus – **gwarged cronedig**
survey/-s – **arolwg/arolygon**
tangible assets – **asedau sylweddol; asedau diriaethol**
tax/-es – **treth/-i**
capital gains tax – **treth enillion cyfalaf**
corporation tax – **treth gorfforaeth**
taxation – **trethiant; treth**
total – **cyfanswm**
cumulative total – **cyfanswm cronnus**
total profit – **cyfanswm elw**
total turnover – **cyfanswm trosiant**
trade – **busnes**
trade debtors – **dyledwyr busnes**
trust/-s – **ymddiriedolaeth/-au**
charitable trust – **ymddiriedolaeth elusennol**
NHS Trust – **Ymddiriedolaeth GIG**
trustee/-s – **ymddiredolwr/ymddiriedolwyr**
turnover – **trosiant**

VAT – **TAW**
VAT registration number – **rhif cofrestru TAW**
VAT return – **adroddiad TAW**
various – **amrywiol**
venture/-s – **menter/mentrau**

wage/-s – **cyflog/-au**

ADRAN 7
GOHEBIAETH

SECTION 7
CORRESPONDENCE

Yn yr Adran hon – In this Section

STRWYTHUR LLYTHYRAU
STRUCTURE OF LETTERS

Dechrau a gorffen llythyrau – Topping and tailing letters
Cyfeirio at lythyr blaenorol – Referring to a previous letter
Cyflwyno eich hun a'ch cwmni – Introducing yourself and your company
Nodi pwrpas y llythyr – Stating the purpose of the letter
Cloi – Conclusion
Termau cyffredinol – General terms

YMDRIN Â GWYBODAETH
DEALING WITH INFORMATION

Ymholiadau – Enquiries
Gofyn am lenyddiaeth a phrisiau – Asking for literature and prices
Holi am argaeledd a thelerau – Enquiring about availability and terms
Cyfeirio at hysbysebion – Referring to advertisements
Cydnabod cais am wybodaeth – Acknowledging requests for information
Diolch am wybodaeth a dderbyniwyd – Thanking for information received

DYFYNBRISIAU AC AMCANBRISIAU
QUOTATIONS AND ESTIMATES

Ymholiadau – Enquiries
Cyflwyno – Submitting
Derbyn – Receiving
Gwrthod – Declining

ARCHEBION
ORDERS

Ar ffurflenni – On forms
Mewn llythyrau – By letter
Tanysgrifiadau – Subscriptions
Cydnabod archebion a thanysgrifiadau – Acknowledging orders and subscriptions
Canslo archebion – Cancelling orders
Pacio a chludiant – Packaging and transport
Cwyno am nwyddau hwyr – Complaining about late delivery
Rhoi gwybod i gwsmer am nwyddau hwyr – Informing a customer about late delivery

TALU
PAYMENT

Dulliau talu – Payment methods
Disgowntiau – Discounts
Telerau talu – Terms of payment
Talu â siec – Paying by cheque
Taliadau hwyr – Late payments
Ymholiadau – Queries
Ymateb i ymholiadau – Replying to queries

CAIS AM SWYDD
JOB APPLICATIONS

Gofyn am ffurflen gais – Asking for an application form
Anfon ffurflen gais at ymgeisydd – Sending a form to an applicant
Ymateb i ymgeisydd – Replying to an applicant

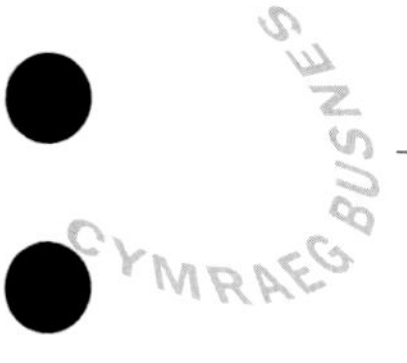

STRWYTHUR LLYTHYRAU
STRUCTURE OF LETTERS

Dechrau a gorffen llythyrau
Topping and tailing letters

Many companies are "topping and tailing" letters in Welsh now even if the main body is in English.

(i) Y Cyfeiriad – The Address

Town and county names are listed in ***PART C Section 1***

(ii) Y Dyddiad – The Date

The usual pattern for writing dates is date (figures) + month (word) + year (figures)

5 November 1997 – ***5 Tachwedd 1997***

January – **Ionawr**
February – **Chwefror**
March – **Mawrth**
April – **Ebrill**
May – **Mai**
June – **Mehefin**
July – **Gorffennaf**
August – **Awst**
September – **Medi**
October – **Hydref**
November – **Tachwedd**
December – **Rhagfyr**

(iii) Cyfarch – Greeting

The usual Welsh greeting at the beginning of all letters is **Annwyl** *meaning* 'Dear'.

Annwyl Mr Jones
Annwyl Mrs Mair Hughes
Annwyl Mair

If you do not know the name of the person you are addressing you will need:

Dear Colleague – **Annwyl Gyfaill**
Dear Madam – **Annwyl Fadam**
Dear Sir – **Annwyl Syr**
Dear Sir or Madam – **Annwyl Syr neu Fadam**

A person's title may be added after **Annwyl** *but will undergo a Soft Mutation. See* ***Part C Section 3***

Dear Director – **Annwyl Gyfarwyddwr (Cyfarwyddwr)**
Dear Editor – **Annwyl Olygydd (Golygydd)**
Dear Treasurer – **Annwyl Drysorydd (Trysorydd)**
Dear Madam – **Annwyl Fadam (Madam)**

Note also:

Dear Friend – **Annwyl Gyfaill (Cyfaill)**
Dear Friends – **Annwyl Gyfeillion (Cyfeillion)**
Dear Brother *(friend/colleague)* – **Annwyl Frawd (Brawd)**
Dear Brothers – **Annwyl Frodyr (Brodyr)**

These changes do not affect personal names.

iv) Ymadroddion cloi – Concluding phrases

Yours faithfully/truly – **Yr eiddoch yn gywir; Yn gywir**
Yours sincerely – **Yr eiddoch yn ddiffuant**
Sincerely – **Yn ddiffuant**
Yours most faithfully/truly – **Yr eiddoch yn dra chywir**
Most faithfully/truly – **Yn dra chywir**
Best regards – **Cofion gorau**
Warm regards – **Cofion cynnes**

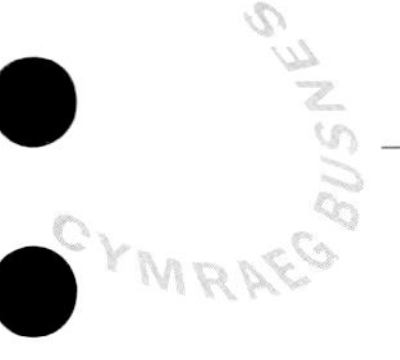

(v) **Llofnodi/Arwyddo** – Signing off

The Welsh word for 'signature' *is* **llofnod** *and* 'to sign' *is* **llofnodi** *or* **arwyddo.** **Arwyddwyd** *is often used for* 'signed' *on forms.*

You may also need:

On behalf of – **Ar ran**
Signed in his absence – **Arwyddwyd yn ei absenoldeb**
Signed in her absence – **Arwyddwyd yn ei habsenoldeb**

(vi) **Teitl** – Title

*See **PART C Section 1***

Cyfeirio at lythyr blaenorol
Referring to a previous letter

Thank you (very much) for your letter.
– **Diolch (yn fawr) am eich llythyr.**
Thank you for your letter dated…
– **Diolch am eich llythyr dyddiedig…**
I would like to confirm the following:
– **Hoffwn gadarnhau'r canlynol:**
I would like to acknowledge receipt of your letter yesterday.
– **Hoffwn gydnabod derbyn eich llythyr ddoe.**
We would like to acknowledge receipt of your letter dated…
– **Hoffem gydnabod derbyn eich llythyr dyddiedig…**

Cyflwyno eich hun a'ch cwmni
Introducing yourself or your company

My name is...
– **Fy enw i yw...**
I am writing on behalf of...
– **Rwy'n ysgrifennu ar ran...**

Note that **Rwy'n ysgrifennu** *is a more formal alternative for* **Dw i'n ysgrifennu.**

Nodi pwrpas y llythyr
Stating the purpose of the letter

I am writing to ask you...
– **Rwy'n ysgrifennu i ofyn i chi...**
I am writing to give you details about...
– **Rwy'n ysgrifennu i roi manylion i chi am...**
I am writing with reference to...
– **Rwy'n ysgrifennu ynglŷn â...**

Note that words following **i chi** *and* **am** *undergo a Soft Mutation. See **PART C Section 3.***

I'm writing to ask you to help...
– **Rwy'n ysgrifennu i ofyn i chi helpu/gynorthwyo...**
I'm writing to give you details about a new scheme.
– **Rwy'n ysgrifennu i roi manylion i chi am gynllun newydd.**

Words beginning with **c, p** *or* **t** *undergo an Aspirate Mutation after* **ynglŷn â.**
*See **PART C – Section 3.***

I'm writing concerning a problem.
– **Rwy'n ysgrifennu ynglŷn â phroblem.**

Cloi
Conclusion

Hoping to hear from you in the near future.
– **Gan obeithio clywed gennych yn y dyfodol agos.**
Looking forward to receiving your reply.
– **Gan edrych ymlaen at dderbyn eich ateb.**
Looking forward to seeing you soon.
– **Gan obeithio eich gweld yn fuan.**
Looking forward to seeing you tomorrow.
– **Gan obeithio eich gweld yfory.**
It would be helpful if you could inform us as soon as possible.
– **Byddai o gymorth pe bai modd i chi roi gwybod i ni cyn gynted â phosibl.**
We would be pleased if you could send the details as soon as possible.
– **Byddem yn falch pe bai modd i chi anfon y manylion cyn gynted â phosibl.**
Looking forward to co-operating with you.
– **Gan edrych ymlaen at gydweithio â chi.**
Thanking you for your assistance in this matter.
– **Gan ddiolch i chi am eich cymorth yn hyn o beth.**
I hope that we will be able to resolve this problem.
– **Gobeithio y bydd modd i ni ddatrys y broblem hon.**
Let us know if this is acceptable.
– **Rhowch wybod i ni os bydd hyn yn dderbyniol.**
Please let us know if this will not be convenient.
– **Cofiwch roi gwybod i ni os na fydd hyn yn gyfleus.**

Termau cyffredinol
General terms

Confidential – **Cyfrinachol**
Copy to – **Copi i**
Copies to – **Copïau i**
enc (enclosed) – **amg (amgaeedig)**
For the attention of – **At (sylw)**
PS (Post script) – **ON (Ôl nodyn)**
Personal – **Personol**
NB (Nota bene) – **DS (Dalier sylw)**
with reference to – **ynglŷn â / parthed**

Note that words following **i chi** *and* **am** *undergo a Soft Mutation. See* ***PART C Section 3.***

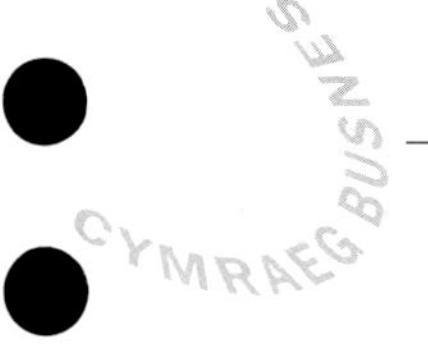

YMDRIN Â GWYBODAETH
DEALING WITH INFORMATION

Ymholiadau
Enquiries

I wonder whether you might be able to help me.
– **Tybed a fyddai modd i chi fy helpu/nghynorthwyo.**
I'm looking for information about…
– **Rwy'n chwilio am wybodaeth am…**
Please will you send details of the course.
– **Os gwelwch chi'n dda, wnewch chi anfon manylion y cwrs.**
I'd like details about…
– **Hoffwn fanylion am…**
I would like to receive details of…
– **Hoffwn dderbyn manylion am…**
Would you be kind enough to send information about…
– **A fyddech chi cystal ag anfon gwybodaeth am…**
I would be grateful to receive details of…
– **Byddwn yn falch o dderbyn manylion am…**
I should be grateful if you would forward details of… to me at the above address.
– **Byddwn yn ddiolchgar pe bai modd i chi anfon manylion am… ataf yn y cyfeiriad uchod.**

Note that **am** *is followed by a Soft Mutation See* ***PART C Section 3.***

I'd like to receive details about Welsh courses.
– **Hoffwn dderbyn manylion am gyrsiau Cymraeg.**
I'd like to receive details about holidays in North Wales.
– **Hoffwn dderbyn manylion am wyliau yn y Gogledd.**

Gofyn am lenyddiaeth a phrisiau
Asking for literature and prices

Would it be possible for you to send a copy of your current catalogue, please?
– **Fyddai'n bosib i chi anfon copi o'ch catalog cyfredol, os gwelwch chi'n dda?**
I'd like to receive a copy of your current catalogue.
– **Hoffwn dderbyn copi o'ch catalog cyfredol.**
I would be grateful if you could send me a copy of this year's catalogue, please.
– **Byddwn yn ddiolchgar pe bai modd i chi anfon copi o gatalog eleni ataf, os gwelwch chi'n dda.**
I'd like to receive a copy of your current holiday brochure.
– **Hoffwn dderbyn copi o'ch pamffled gwyliau cyfredol.**
Would it be possible for you to send a copy of your current price list, please?
– **Fyddai'n bosib i chi anfon copi o'ch rhestr brisiau gyfredol, os gwelwch chi'n dda?**
I'd like to receive a copy of your current catalogue and price list.
– **Hoffwn dderbyn copi o'ch catalog cyfredol a'ch rhestr brisiau.**

Holi am argaeledd a thelerau
Enquiring about availability and terms

Are the following goods available at present?
– **A yw'r nwyddau canlynol ar gael ar hyn o bryd?**
I wonder whether you might let me know whether the following goods are in stock?
– **Tybed a fyddai modd i chi adael i mi wybod a yw'r nwyddau canlynol mewn stoc?**
We would be grateful if you could let us know what discounts are available for large orders.
– **Byddem yn ddiolchgar pe bai modd i chi roi gwybod i ni faint o ddisgownt sydd (ar gael) ar archebion mawr.**
Would you also forward details of packing and delivery charges?
– **Wnewch chi anfon manylion hefyd am gostau pacio a chludiant?**

Cyfeirio at hysbysebion
Referring to advertisements

I saw your advertisement in the Western Mail this morning.
– **Gwelais eich hysbyseb yn y Western Mail y bore 'ma.**
I'm responding to your advertisement in Golwg this week.
– **Rwy'n ymateb i'ch hysbyseb yn Golwg yr wythnos hon.**
Please will you send details of your goods as advertised in the Daily Post.
– **Wnewch chi, os gwelwch chi'n dda, anfon manylion am eich nwyddau a hysbysebwyd yn y Daily Post.**
I would be grateful if you could send me information about the service you are advertising in today's Cymro. – **Byddwn yn ddiolchgar pe bai modd i chi anfon gwybodaeth ataf am y gwasanaeth a hysbysebir gennych yn y Cymro heddiw.**

Cydnabod cais am wybodaeth
Acknowledging requests for information

Thank you for your enquiry dated... about...
– **Diolch am eich ymholiad dyddiedig... am...**
I enclose a copy of our latest catalogue.
– **Amgaeaf gopi o'n catalog diweddaraf.**
We enclose a copy of our latest catalogue.
– **Amgaewn gopi o'n catalog diweddaraf.**
I enclose a copy of our latest price list.
– **Amgaeaf gopi o'n rhestr brisiau ddiweddaraf.**
We enclose a copy of discounts.
– **Amgaewn gopi o ddisgowntiau.**
We enclose a copy of our reductions scheme.
– **Amgaewn gopi o'n cynllun gostyngiadau.**
A copy of our catalogue in enclosed.
– **Amgaeir copi o'n catalog.**

Note that **amgaeaf** *and* **amgaewn** *(but not* **amgaeir***) are followed by a Soft Mutation.*

Diolch am wybodaeth a dderbyniwyd
Thanking for information received

Thank you for your leaflet on…
– **Diolch am eich taflen ar…**

Thanks for the catalogue which arrived this morning.
– **Diolch am y catalog a gyrhaeddodd y bore 'ma.**

Thank you for your catalogue and price list.
– **Diolch am eich catalog a'ch rhestr brisiau.**

Thanks for your reply dated…
– **Diolch am eich ateb dyddiedig…**

DYFYNBRISIAU AC AMCANGYFRIFON
QUOTATIONS AND ESTIMATES

Ymholiadau
Inquiries

We would like to invite you to supply a quotation for...
– **Hoffem eich gwahodd i gynnig pris ar gyfer...**
I wonder whether you could supply quotations for the following:
– **Tybed a fyddai modd i chi gynnig prisiau ar gyfer y canlynol:**
Would you be so kind as to supply an estimate for this work?
– **Fyddech chi cystal â darparu amcangyfrif ar gyfer y gwaith hwn?**

Cyflwyno
Submitting

Thank you for the opportunity to supply you with a quotation.
– **Diolch am y cyfle i gynnig pris i chi.**
We have pleasure in submitting the following quotation.
– **Mae'n bleser gennym gynnig y pris canlynol i chi.**
We have pleasure in submitting our quotation which we hope you will find of interest.
– **Mae'n bleser gennym gynnig y pris a ganlyn a fydd, gobeithio, o ddiddordeb i chi.**
I enclose an estimate as requested.
– **Amgaeaf amcangyfrif yn unol â'ch cais.**
Thank you for the opportunity to supply you with an estimate.
– **Diolch am y cyfle i gynnig amcangyfrif i chi.**
We have pleasure in submitting the following estimate.
– **Mae'n bleser gennym gynnig yr amcangyfrif canlynol i chi.**
We have pleasure in submitting our estimate which we hope you will find of interest.
– **Mae'n bleser gennym gynnig ein hamcangyfrif a fydd, gobeithio, o ddiddordeb i chi.**
This quotation is subject to our standard conditions of sale.
– **Mae'r pris hwn yn ddarostyngedig i'n hamodau gwerthu safonol.**

Derbyn
Accepting

Thank you for your quotation for...
– **Diolch am eich dyfynbris ar gyfer...**

We are pleased to inform you that we wish to accept your quotation for...
– **Rydym yn falch o'ch hysbysu ein bod am dderbyn eich pris ar gyfer...**

Thank you for your quotation for... We are pleased to accept the offer and I am writing to confirm the arrangements.
– **Diolch am eich pris ar gyfer... Rydym yn falch o dderbyn y cynnig ac rwy'n ysgrifennu i gadarnhau'r trefniadau.**

Gwrthod
Declining

Thank you for your quotation for...
– **Diolch am eich pris ar gyfer...**

Unfortunately we are unable to accept your offer.
– **Yn anffodus, nid oes modd i ni dderbyn eich cynnig.**

Unfortunately, we are unable to offer you the contract but would like to take the opportunity of thanking you for your interest.
– **Yn anffodus, nid oes modd i ni gynnig y cytundeb i chi ond hoffem fanteisio ar y cyfle i ddiolch i chi am eich diddordeb.**

ARCHEBION
ORDERS

Ar ffurflenni
On forms

See also Section 5

Official order. Please quote this number on your delivery note, invoice and in any correspondence.
– **Archeb swyddogol. Nodwch y rhif hwn ar eich nodyn cludiant, eich anfoneb ac mewn unrhyw ohebiaeth, os gwelwch chi'n dda.**

Order number should be quoted on all documents.
– **Dylid nodi rhif yr archeb ar bob dogfen.**

Always quote order number.
– **Nodwch rif yr archeb bob tro.**

Delivery address for goods and delivery note (and for invoice unless otherwise specified).
– **Cyfeiriad ar gyfer anfon y nwyddau a'r nodyn trosgludo (a'r anfoneb oni nodir yn wahanol).**

Delivery address for invoice (if different from address for goods).
– **Cyfeiriad ar gyfer yr anfoneb (os yw'n wahanol i'r cyfeiriad ar gyfer y nwyddau).**

Invoices should be sent to above address.
– **Dylid anfon anfonebau i'r cyfeiriad uchod.**

Invoices should be sent to the address given below.
– **Dylid anfon anfonebau i'r cyfeiriad a nodir isod.**

Contact person:
– **Cysylltydd:**

Please render invoice immediately you have completed this order.
– **Anfonwch yr anfoneb cyn gynted ag y byddwch wedi cwblhau'r archeb hon, os gwelwch chi'n dda.**
– **Anfoner yr anfoneb cyn gynted ag y bydd yr archeb wedi'i chwblhau.**

Please ensure that our order number is quoted on all invoices.
– **Gwnewch yn siwr fod rhif ein harcheb wedi'i nodi ar bob anfoneb.**

Please supply the above items at your best trade terms.
– **Cyflenwch yr eitemau uchod ar eich telerau masnachu gorau, os gwelwch chi'n dda.**

Mewn llythyrau
By letter

I enclose an official order.
– **Amgaeaf archeb swyddogol.**
We enclose an official order.
– **Amgaewn archeb swyddogol.**
I would like to order the following goods:
– **Hoffwn archebu'r nwyddau canlynol:**
We would like to order the following goods:
– **Hoffem archebu'r nwyddau canlynol:**

Tanysgrifiadau
Subscriptions

I would like to subscribe to...
– **Hoffwn danysgrifio i...**
I would like to subscribe to your magazine for a period of six months starting with the January issue.
– **Hoffwn danysgrifio i'ch cylchgrawn am gyfnod o chwe mis gan ddechrau â rhifyn mis Ionawr.**
I would like to subscribe to your paper for a period of twelve months starting as soon as possible.
– **Hoffwn danysgrifio i'ch cylchgrawn am gyfnod o ddeuddeg mis gan ddechrau cyn gynted ag y bo modd.**
I would like to renew my subscription for another year.
– **Hoffwn adnewyddu fy nhanysgrifiad am flwyddyn arall.**

Cydnabod archebion a thanysgrifiadau
Acknowledging orders and subscriptions

Thank you for your order.
- **Diolch am eich archeb.**

The goods will be sent to you on…
- **Bydd y nwyddau yn cael eu hanfon atoch ar…**
- **Anfonir y nwyddau atoch ar…**

The goods will be sent to you as soon as possible.
- **Bydd y nwyddau yn cael eu hanfon atoch cyn gynted ag y bo modd.**
- **Anfonir y nwyddau atoch cyn gynted ag y bo modd.**

The goods will be sent to you within the next four weeks.
- **Bydd y nwyddau yn cael eu hanfon atoch o fewn y pedair wythnos nesaf.**
- **Anfonir y nwyddau atoch o fewn y pedair wythnos nesaf.**

The order is being processed and should be ready for delivery next week.
- **Mae'r archeb yn cael ei phrosesu a dylai fod yn barod i'w hanfon yr wythnos nesaf.**

We shall be advising you when the order is ready.
- **Byddwn yn rhoi gwybod i chi pan fydd yr archeb yn barod.**
- **Fe'ch hysbysir pan fydd yr archeb yn barod.**

Thank you for your subscription to…
- **Diolch am eich tanysgrifiad i…**

Canslo archebion
Cancelling orders

I would like to cancel order number...
– **Hoffwn ganslo archeb rhif...**

We would like to cancel order number...
– **Hoffem ganslo archeb rhif...**

Because of the delay in despatching the goods, we wish to cancel order number...
– **Oherwydd yr oedi cyn anfon y nwyddau, rydym yn dymuno canslo archeb rhif...**

We should be grateful if you could cancel order number... because of an error on our part.
– **Byddem yn ddiolchgar pe gallech ganslo archeb rhif... oherwydd camgymeriad ar ein rhan ni.**

We should be grateful if you could postpone fulfilling our order, number..., until further notice.
– **Byddem yn ddiolchgar pe gallech ohirio cyflenwi ein harcheb, rhif..., nes i ni gysylltu â chi eto.**

If the goods have not arrived by Monday morning, we shall have to cancel the order and go to another company.
– **Os na fydd y nwyddau wedi cyrraedd erbyn bore Llun, bydd yn rhaid i ni ganslo'r archeb a mynd at gwmni arall.**

Nodyn *– Note:*

The alternative word **"diddymu"** may be used to express 'to cancel' e.g.

Hoffwn ddiddymu archeb rhif...

Pacio a chludiant
Packaging and transport

We can arrange transport to…
– **Gallwn drefnu cludiant i…**
Please send the goods by train.
– **Anfonwch y nwyddau ar y trên, os gwelwch chi'n dda.**
The goods should be packed…
– **Dylai'r nwyddau fod wedi eu pacio…**
– **Dylid pacio'r nwyddau…**
Please ensure that the enclosed packing instructions are followed carefully
– **Wnewch chi sicrhau bod y cyfarwyddiadau pacio amgaeedig yn cael eu dilyn yn fanwl, os gwelwch chi'n dda**
– **Dylid sicrhau bod y cyfarwyddiadau pacio amgaeedig yn cael eu dilyn yn fanwl.**

Delivery date: (goods to arrive by)
– **Nwyddau i gyrraedd erbyn:**
It is essential that the goods are delivered before the beginning of November.
– **Mae'n hanfodol bod y nwyddau yn cyrraedd cyn dechrau mis Tachwedd.**
Shortage or damaged goods must be reported within 5 days.
– **Dylid rhoi gwybod am archebion anghyflawn neu nwyddau wedi'u niweidio o fewn 5 diwrnod.**
All claims for short delivery or damaged goods must be made within 48 hours.
– **Dylid hawlio am archebion anghyflawn neu nwyddau wedi'u niweidio o fewn 48 awr.**

Cwyno am nwyddau hwyr
Complaining about late delivery

Our order, number..., should have been delivered on... and is now overdue.
– **Dylai ein harcheb, rhif..., fod wedi cyrraedd ar... ac mae erbyn hyn yn hwyr.**
The goods we ordered on... have not yet arrived.
– **Nid yw'r nwyddau a archebwyd gennym ar... wedi cyrraedd eto.**

Rhoi gwybod i gwsmer am nwyddau hwyr
Informing the customer about late delivery

We are sorry to inform you that the goods you ordered on... will now be arriving on...
– **Mae'n ddrwg gennym eich hysbysu y bydd y nwyddau a archebwyd gennych ar... bellach yn eich cyrraedd ar...**
This is due to unexpected production problems.
– **Problemau cynhyrchu annisgwyl sydd yn gyfrifol am hyn.**
We apologise sincerely for the delay.
– **Rydym yn ymddiheuro yn ddiffuant am yr oedi.**
– **Ymddiheurwn yn ddiffuant am yr oedi.**

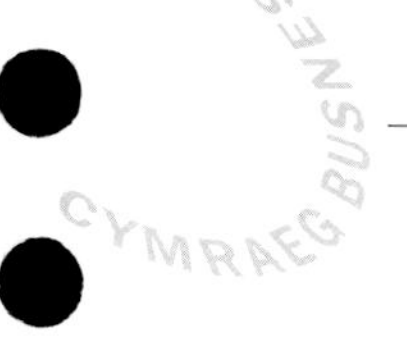

TALU
PAYMENT

Dulliau talu
Payment methods

Enclosed is our invoice for...
– **Amgaeir ein hanfoneb am...**
Enclosed is your monthly statement.
– **Amgaeir eich cyfrifen fisol.**

I/We would like to pay by credit card.
– **Hoffwn/Hoffem dalu drwy gerdyn credyd.**
I/We will be paying by bank transfer.
– **Byddaf/Byddwn yn talu drwy drosglwyddiad banc.**
I would like to pay by banker's order. Would you be kind enough to send me the relevant forms, please.
– **Hoffwn dalu trwy archeb banc. Wnewch chi anfon y ffurflenni priodol ataf, os gwelwch chi'n dda.**

Disgowntiau
Discounts

We shall be taking advantage of the generous discount available for prompt payment.
– **Byddwn yn manteisio ar y disgownt hael sydd ar gael am dalu'n brydlon.**
We should like to thank you for the... % trade discount.
– **Diolch yn fawr i chi am y disgownt o... % i fasnachwyr.**
We intend to place substantial orders with you in the near future and should like to know what credit facilities your company offers.
– **Rydym yn bwriadu rhoi archebion sylweddol i chi yn y dyfodol a hoffem wybod pa gyfleusterau credyd a gynigir gan eich cwmni.**

Telerau talu
Terms of payment

Payment is due now.
– **Mae'r taliad yn ddyledus nawr/rŵan.**
Payment to be made within 7 days from date of invoice.
– **Disgwylir y taliad o fewn 7 diwrnod o ddyddiad yr anfoneb.**
Payment to be made within 14 days from date of invoice.
– **Disgwylir y taliad o fewn 14 diwrnod o ddyddiad yr anfoneb.**
Payment to be made within 21 days from date of invoice.
– **Disgwylir y taliad o fewn 21 diwrnod o ddyddiad yr anfoneb.**
Payment to be made within one month from date of invoice.
– **Disgwylir y taliad o fewn mis o ddyddiad yr anfoneb.**
Payment within our terms of trade will be appreciated. Thank you.
– **Gwerthfawrogir taliad o fewn ein telerau masnach. Diolch.**
As agreed, payments will be made quarterly.
– **Byddwn yn talu yn chwarterol yn unol â'r cytundeb.**

Talu â siec
Paying by cheque

We have pleasure in enclosing a cheque for…
– **Mae'n bleser gennym amgáu siec am…**
Cheques and postal orders should be crossed and made payable to…
– **Dylid croesi sieciau ac archebion post a'u gwneud yn daladwy i…**

Taliadau hwyr
Late payments

Final reminder.
– **Nodyn atgoffa terfynol.**

Final reminder and notice.
– **Nodyn atgoffa terfynol a rhybudd.**

Overdue accounts.
– **Cyfrifon gorddyledus.**

We note that our invoice number…, dated… is now overdue for payment.
– **Sylwn fod ein hanfoneb rhif…, dyddiedig… yn dal yn ddyledus.**

Unfortunately, we have not received your cheque.
– **Yn anffodus, nid ydym wedi derbyn eich siec.**

Your remittance would be much appreciated.
– **Byddwn yn gwerthfawrogi derbyn eich taliad.**

We enclose a copy of the invoice and look forward to receiving your remittance by return.
– **Amgaewn gopi o'r anfoneb ac edrychwn ymlaen at dderbyn eich taliad yn syth.**

If you have any queries regarding this, please do not hesitate to contact me.
– **Os oes gennych unrhyw ymholiad ynglŷn â hyn, cofiwch gysylltu â mi.**

Would you be so kind as to disregard this reminder if payment has been made within the last few days.
– **Byddwch cystal ag anwybyddu'r nodyn atgoffa hwn os ydych wedi talu yn ystod y dyddiau diwethaf.**

The above invoices are now overdue for payment and your immediate attention is requested
– **Mae'r anfonebau uchod bellach yn orddyledus a gofynnir i chi roi sylw i'r mater ar unwaith.**

No further warning will be given.
– **Ni roddir unrhyw rybudd pellach.**

Ymholiadau
Queries

We would like to query your invoice, number..., as our figures do not agree with yours.
– **Hoffem gwestiynu eich anfoneb, rhif..., gan nad yw ein ffigurau ni yn cyd-fynd â'ch rhai chi.**

It seems that we have been charged for... instead of only for...
– **Mae'n ymddangos eich bod wedi codi arnom am... yn hytrach nag am... yn unig.**

We have not been granted a discount as agreed in your letter of...
– **Ni chawsom y disgownt y cytunwyd arno yn eich llythyr dyddiedig...**

Could you please let us know to what this invoice refers, as we have no record of it in our files.
– **A fyddech chi cystal â rhoi gwybod i ni at beth mae'r anfoneb hon yn cyfeirio, gan nad oes gennym gofnod ohoni yn ein ffeiliau.**

Ymateb i ymholiadau
Replying to queries

Thank you for drawing our attention to the error in our invoice of...
– **Diolch am dynnu ein sylw at y camgymeriad yn ein hanfoneb dyddiedig...**

An amended invoice is enclosed.
– **Amgaeir anfoneb ddiwygiedig.**

CAIS AM SWYDD
JOB APPLICATIONS

Gofyn am ffurflen gais
Asking for an application form

I saw your advertisement in the Cymro yesterday.
– **Gwelais eich hysbyseb yn y Cymro ddoe.**
I've just seen your advertisement for a… to start in September.
– **Rwyf newydd weld eich hysbyseb am… i ddechrau ym mis Medi.**
I noticed your advertisement on the noticeboard this morning for a… to start as soon as possible.
– **Sylwais ar eich hysbyseb ar yr hysbysfwrdd y bore 'ma am… i ddechrau cyn gynted ag y bo modd.**
Could you please send me an application form and the details.
– **A fyddech chi cystal ag anfon ffurflen gais a'r manylion.**
Will you please send details of the post advertised in the Western Mail yesterday?
– **A wnewch chi anfon manylion y swydd a hysbysebwyd yn y Western Mail ddoe.**

Anfon ffurflen gais at ymgeisydd
Sending a form to an applicant

I have pleasure in enclosing an application form for the above post.
– **Mae'n bleser gennyf amgáu ffurflen gais ar gyfer y swydd uchod.**
Please let me know if you need any other information.
– **Rhowch wybod os bydd angen gwybodaeth bellach.**
Looking forward to hearing from you.
– **Gan edrych ymlaen at glywed gennych.**

Ymateb i ymgeisydd
Responding to an applicant

Thank you for your application from the post of...
– **Diolch am eich ffurflen gais ar gyfer swydd...**

I would like to invite you for interview on... at...
– **Hoffwn eich gwahodd i gyfweliad ddydd... am...**

I am sorry that your application was not successful this time.
– **Mae'n ddrwg gennyf ddweud nad oedd eich cais yn llwyddiannus y tro hwn.**

ADRAN 8
YMDRIN Â CHYFARFODYDD

SECTION 8
DEALING WITH MEETINGS

Yn yr Adran hon – In this Section

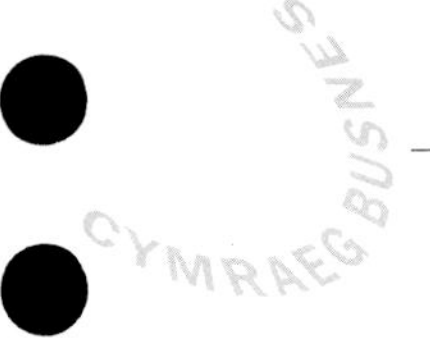

LLYTHYRU O FLAEN LLAW
CORRESPONDING IN ADVANCE

Gwahodd aelodau
Inviting members

It is usually safer to name the actual committee/panel in the heading rather than in the body of the letter.
The examples all refer to **"y pwyllgor uchod"** – the above committee.

A brief word to inform you that the next meeting of the above committee will be held on Monday, 15 June 1996 at 2.00pm.
– **Gair byr i'ch hysbysu y cynhelir cyfarfod nesaf y pwyllgor uchod ddydd Llun, 15 Mehefin 1996 am 2.00pm.**

The meeting will be held in...
– **Cynhelir y cyfarfod yn...**

I have pleasure in inviting you to the next meeting of the above panel.
– **Mae'n bleser gennyf estyn gwahoddiad i chi i gyfarfod nesaf y panel uchod.**

I write on behalf of... to invite you to a meeting to be held on 13 March 19... at 10am.
– **Ysgrifennaf ar ran... i'ch gwahodd i gyfarfod a gynhelir ar 13 Mawrth 19... am 10am.**

It is intended to hold a meeting to discuss... on Monday night, 13 June at 7.30pm.
– **Bwriedir cynnal cyfarfod i drafod... nos Lun, 13 Mehefin am 7.30pm.**

I hope that you will be able to keep the date free.
– **Gobeithio y bydd modd i chi gadw'r dyddiad yn rhydd.**

Hoping that it will be possible for you to be present.
– **Gan obeithio y bydd modd i chi fod yn bresennol.**

Diolch i siaradwyr o flaen llaw
Thanking speakers in advance

Thank you very much for agreeing to attend the above meeting.
– **Diolch yn fawr am gytuno i fynychu'r cyfarfod uchod.**
Thank you for agreeing to present a session on (subject)…
– **Diolch am gytuno i gyflwyno sesiwn ar…**
Thank you for agreeing to address the above meeting.
– **Diolch am gytuno i annerch y cyfarfod uchod.**
Thank you for agreeing to give an address at the above conference.
– **Diolch am gytuno i annerch y gynhadledd uchod.**

Note that there is a Soft Mutation after **"ar"** – on. *See* ***PART C Section 3***

Cadarnhau cyfarfod a drefnwyd ar y ffôn
Confirming a meeting arranged by phone

Many thanks for the chat this morning/yesterday.
– **Diolch am y sgwrs y bore 'ma/ddoe.**
Just a brief word to confirm the arrangements for the above committee.
– **Gair byr i gadarnhau'r trefniadau ar gyfer y pwyllgor uchod.**
I'd like to confirm the arrangements for the next meeting of the finance committee.
– **Hoffwn gadarnhau'r trefniadau ar gyfer cyfarfod nesaf y pwyllgor cyllid.**
A word to confirm that a meeting to discuss the above will be held at… in…
– **Gair i gadarnhau y cynhelir cyfarfod i drafod yr uchod am… yn…**

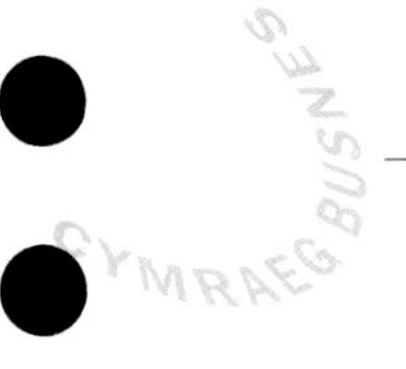

Trafod lleoliadau cyfarfodydd
Arranging locations for meetings

The meeting will be held in/at... – **Cynhelir y cyfarfod yn...**

Nodyn *– Note:*

'YN' *(in) causes a Nasal Mutation. See* ***PART C Section 3****.*

For place names, see ***PART C Section 1***

Trafod treuliau a lluniaeth
Dealing with expenses and refreshments

Your travelling costs will be paid.
– **Telir eich costau teithio.**
Your expenses will be paid.
– **Telir eich treuliau.**
Your travelling expenses will be paid in accordance with the usual rates.
– **Telir eich treuliau teithio yn unol â'r graddfeydd arferol.**
Lunch will be provided for you.
– **Darperir cinio ar eich cyfer.**
Tea/coffee will be provided.
– **Darperir te/coffi.**
A buffet will be provided.
– **Darperir bwffe.**
A light meal will be provided.
– **Darperir pryd ysgafn.**
Light refreshments will be provided.
– **Darperir lluniaeth ysgafn.**

Amgáu gwybodaeth
Enclosing information

I enclose the agenda.
– **Amgaeaf yr agenda.**
I enclose the minutes of the last meeting.
– **Amgaeaf gofnodion y cyfarfod diwethaf.**
I enclose an agenda and the minutes of the last meeting.
– **Amgaeaf agenda a chofnodion y cyfarfod diwethaf.**
I enclose the relevant papers.
– **Amgaeaf y papurau perthnasol.**
I enclose a map for information.
– **Amgaeaf fap er gwybodaeth.**
I enclose an expenses form.
– **Amgaeaf ffurflen dreuliau.**

YMATEB I WAHODDIADAU
REPLYING TO INVITATIONS

Cydnabod gwahoddiad
Acknowledging invitations

Thank you for your invitation to the above meeting.
– **Diolch am eich gwahoddiad i'r cyfarfod uchod.**
Thank you for your letter and the minutes.
– **Diolch am eich llythyr ac am y cofnodion.**
Thank you for your letter dated… and your invitation to the next meeting of the above committee.
– **Diolch am eich llythyr dyddiedig… ac am eich gwahoddiad i gyfarfod nesaf y pwyllgor uchod.**
Thank you for your invitation to become a member of the above committee.
– **Diolch am eich gwahoddiad i ddod yn aelod o'r pwyllgor uchod.**

Derbyn gwahoddiad
Accepting invitations

A brief word to inform you that I will be present at the above meeting.
– **Gair byr i'ch hysbysu y byddaf yn bresennol yn y cyfarfod uchod.**
I'm writing to inform you that Mr Granger will be present at the above meeting.
– **Ysgrifennaf i'ch hysbysu y bydd Mr Granger yn bresennol yn y cyfarfod uchod.**
Thank you for your invitation to become a member of the above committee.
– **Diolch am eich gwahoddiad i ddod yn aelod o'r pwyllgor uchod.**
I look forward to the next meeting.
– **Edrychaf ymlaen at y cyfarfod nesaf.**
Unfortunately, I can not be present until 3.00 pm.
– **Yn anffodus, ni allaf fod yn bresennol tan 3.00 pm.**

Gwrthod gwahoddiad
Declining invitations

Unfortunately I am unable to be present due to other arrangements.
– **Yn anffodus, ni fydd modd i mi fod yn bresennol oherwydd trefniadau eraill.**
I am unable to attend the above meeting, but I would be grateful for a copy of the minutes.
– **Ni fydd modd i mi fynychu'r cyfarfod uchod, ond byddwn yn ddiolchgar am gopi o'r cofnodion.**
Would you be so kind as to apologise on my behalf?
– **A fyddech chi cystal ag ymddiheuro ar fy rhan?**
A brief word to apologise that I will not be present at the above meeting.
– **Gair byr i ymddiheuro na fyddaf yn bresennol yn y cyfarfod uchod.**
Unfortunately I am unable to be present because of pressure of work.
– **Yn anffodus, ni fydd modd i mi fod yn bresennol oherwydd pwysau gwaith.**

I would like to accept your invitation to be a member of the committee...
– **Hoffwn dderbyn eich gwahoddiad i ddod yn aelod o'r pwyllgor...**
...but, unfortunately, it will not be possible for me to be present at the next meeting.
– **...ond, yn anffodus, ni fydd modd i mi fod yn bresennol yn y cyfarfod nesaf.**
...but work commitments do not permit it at this time.
– **...ond nid yw ymrwymiadau gwaith yn caniatáu hynny ar hyn o bryd.**

Unfortunately, I can not accept your invitation to become a member of the above committee.
– **Yn anffodus, ni allaf dderbyn eich gwahoddiad i ddod yn aelod o'r pwyllgor uchod.**
Pease let me know, however, if I can assist you in any other way.
– **Rhowch wybod, fodd bynnag, os gallaf fod o gymorth mewn unrhyw ffordd arall.**

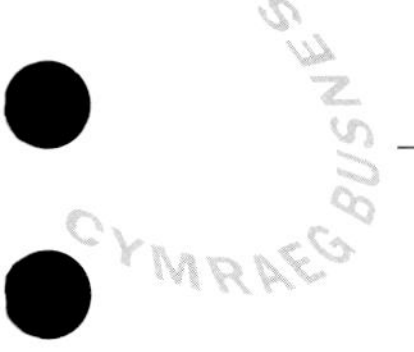

YR AGENDA
THE AGENDA

Termau
Terms

address by... – **anerchiad gan...**
any other business – **unrhyw fusnes arall**
  AOB – **UFA**
apologies – **ymddiheuriadau**
chairman's welcome – **croeso'r cadeirydd**
co-opt (to) – **cyfethol**
  co-opt members – **cyfethol aelodau**
  co-opt officers – **cyfethol swyddogion**
date of next meeting – **dyddiad y cyfarfod nesaf**
electing officers – **ethol swyddogion**
electing... – **ethol...**
financial report – **adroddiad ariannol**
location – **lleoliad**
matters – **materion**
  disciplinary matters – **materion disgyblu**
  financial matters – **materion ariannol**
  matters arising – **materion yn codi**
minutes – **cofnodion**
  minutes of the last meeting – **cofnodion y cyfarfod diwethaf**
  minutes of the catering sub-committee – **cofnodion yr is-bwyllgor arlwyo**
  minutes of the sub-committee – **cofnodion yr is-bwyllgor**
place – **lleoliad**
report on... – **adroddiad ar...**
welcoming new members – **croesawu aelodau newydd**

Note that **"ar"** *is followed by a Soft Mutation – See* ***PART C Section 3***

Y COFNODION
THE MINUTES

Aelodau
Members

apologies – **ymddiheuriadau**
apologies received from – **ymddiheuriadau gan**
Notices of absence were received from... – **Derbyniwyd ymddiheuriadau gan...**
present – **presennol**

Croeso'r cadeirydd
Chairman's welcome

The Chairman welcomed the members to the meeting.
– **Croesawodd y Cadeirydd yr aelodau i'r cyfarfod.**
The Chairman extended a warm welcome to all present.
– **Estynnodd y Cadeirydd groeso cynnes i bawb oedd yn bresennol.**
A warm welcome was extended to all present.
– **Estynnwyd croeso cynnes i bawb oedd yn bresennol.**
A special welcome was extended to the new members.
– **Estynnwyd croeso arbennig i'r aelodau newydd.**
A special welcome was extended to Mr Peter Thomas who was attending his first meeting of the committee.
– **Estynnwyd croeso arbennig i Mr Peter Thomas (a) oedd yn mynychu'i gyfarfod cyntaf o'r pwyllgor.**
A special welcome was extended to Miss Petra Thomas who was attending her first meeting of the committee.
– **Estynnwyd croeso arbennig i Miss Petra Thomas (a) oedd yn mynychu'i chyfarfod cyntaf o'r pwyllgor.**

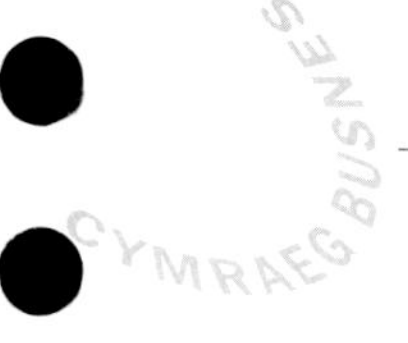

Cofnodion y cyfarfod diwethaf
Minutes of previous meeting

It was decided to accept the minutes of the last meeting as being correct.
– **Penderfynwyd derbyn cofnodion y cyfarfod diwethaf yn rhai cywir.**
The secretary's attention was drawn to point 2a.
– **Tynnwyd sylw'r ysgrifennydd at bwynt 2a.**
It was decided to amend point 2a as follows:
– **Penderfynwyd diwygio pwynt 2a fel a ganlyn:**
After incorporating the amendment(s), it was decided to accept the minutes.
– **Ar ôl ymgorffori'r diwygiad(au), penderfynwyd derbyn y cofnodion.**
The minutes were signed by:
– **Llofnodwyd y cofnodion gan:**

Cofnodi
Recording the minutes

(i) Penderfyniadau *– Actions*

It was resolved:
– **Penderfynwyd:**
It was decided to recommend:
– **Penderfynwyd argymell:**
It was decided to ask for a grant.
– **Penderfynwyd gofyn am grant.**
It was decided to establish a sub-committee to formulate recommendations.
– **Penderfynwyd sefydlu is-bwyllgor i lunio argymhellion.**
It was recommended...
– **Argymhellwyd...**
It was noted that...
– **Nodwyd bod...**
It was mentioned that...
– **Soniwyd bod...**

It was reported that...
 – **Adroddwyd bod...**
The officer reported that...
 – **Adroddodd y swyddog fod...**
The recommendations were accepted.
 – **Derbyniwyd yr argymhellion.**
Mr Jones was thanked for his contribution.
 – **Diolchwyd i Mr Jones am ei gyfraniad.**
Ms Rhys was thanked for her contribution.
 – **Diolchwyd i Ms Rhys am ei chyfraniad.**

(ii) Adroddiadau *– Reports*

A formal report was requested.
 – **Gofynnwyd am adroddiad ffurfiol.**
A report was presented by...
 – **Cyflwynwyd adroddiad gan...**
A discussion paper was presented by...
 – **Cyflwynwyd papur trafod gan...**
An oral report was presented by...
 – **Cyflwynwyd adroddiad llafar gan...**
A written report was presented by...
 – **Cyflwynwyd adroddiad ysgrifenedig gan...**
A detailed report was presented by...
 – **Cyflwynwyd adroddiad manwl gan...**

RHAN C

CYFEIRIADUR

PART C

REFERENCE

C

Cynnwys – Content

ADRAN 1

CYFARWYDDIADUR

SECTION 1

DIRECTORY

Yn yr Adran hon – In this Section

TEITLAU
TITLES

Teitlau personol
– Personal titles
Teitlau swyddi
– Job titles
Teitlau gwleidyddol
– Political titles

YN Y GWEITHLE
IN THE WORKPLACE

Adrannau
– Departments
Pwyllgorau llywodraeth leol
– Local government committees

CWMNÏAU, SEFYDLIADAU A CHYRFF
COMPANIES, ORGANISATIONS AND BODIES

Cyffredinol
– General
Cyrff yng Nghymru
– Bodies in Wales
Cyrff ag enwau Cymraeg
– Bodies with Welsh names
Pleidiau gwleidyddol
– Political parties

ENWAU LLEOEDD: CYMRAEG – SAESNEG
PLACE NAMES: WELSH – ENGLISH

Cymru – Wales
Y siroedd (1974 – 1996)
– The counties (1994 – 1996)
Yr awdurdodau unedol newydd
– The new unitary authorities
Lleoedd – Places
Nodweddion – Features
Prydain ac Iwerddon – Britain and Ireland
Gweddill y byd – The rest of the world

ENWAU LLEOEDD: SAESNEG – CYMRAEG
PLACE NAMES: ENGLISH – WELSH

Wales **– Cymru**
The counties (1974 – 1996)
– Y siroedd (1974 – 1996)
The new unitary authorities
– Yr awdurdodau unedol newydd
Places **– Lleoedd**
Features **– Nodweddion**
Britain and Ireland **– Prydain ac Iwerddon**
The rest of the world **– Gweddill y byd**

1.TEITLAU
TITLES

Teitlau personol
Personal titles

Miss . . . . **Miss / Y Fon.**
Mr . . . . **Mr / Y Bon.**
Mrs . . . . **Mrs / Y Fon.**
Ms. . . . . **Ms / Y Fon.**

Archbishop. . . . . **Yr Archesgob**
Archdeacon. . . . . **Yr Archddiacon**
Archdruid . . . . **Yr Archdderwydd**
Bishop. . . . . **Yr Esgob**
Countess . . . . **Iarlles**
Dean . . . . **Y Deon**
Doctor / Dr. . . . . **Y Doctor / Y Dr.**
Duchess . . . . **Duges**
Duke . . . . **Dug**
Earl . . . . **Iarll**
Esquire. . . . . **Yswain**
Esq.. . . . . **Ysw.**
Her Majesty / H.M. . . . . **Ei Mawrhydi / E.M.**
His Majesty / H.M. . . . . **Ei Fawrhydi / E.F.**
Her Royal Highness / H.R.H.. . . . .
. . . . **Ei Huchelder Brenhinol / E.H.B.**
His Royal Highness / H.R.H.. . . . .
. . . . **Ei Uchelder Brenhinol / E.U.B.**
King . . . . **Y Brenin**
Lady. . . . . **Y Fonesig**
Lord . . . . **Yr Arglwydd**
President . . . . **Yr Arlywydd**

Prince . . . . **Y Tywysog**
The Prince of Wales . . . . **Tywysog Cymru**
Princess. . . . . **Y Dywysoges**
The Princess of Wales . . . . . **Tywysoges Cymru**
The Princess Royal . . . **Y Dywysoges Frenhinol**
Professor. . . . . **Yr Athro**
Queen . . . . **Y Frenhines**
Reverend / The Revd. . . . . . **Y Parchedig / Y Parch.**
The Right Reverend . . . . **Y Gwir Barchedig**
The Most Reverend . . . . . . **Y Gwir Barchedicaf**
The Honourable. . . . . **Yr Anrhydeddus**
The Right Honourable. . . . **Y Gwir Anrhydeddus**

Note that many official titles in Welsh are preceeded by **'Y/YR'** (The).

Teitlau swyddi
Job titles

Accountant . . . . **Cyfrifydd**
Administrative Officer . . . . **Swyddog Gweinyddol**
Administrator . . . . **Gweinyddwr**
Airport Worker. . . . . **Gweithiwr Maes Awyr**
Ambulance Worker . . . . **Gyrrwr Ambiwlans**
Antique Dealer . . . . **Gwerthwr Hen Bethau**
Architect . . . . **Pensaer**

CYFARWYDDIADUR
DIRECTORY

Artist . . . . **Artist / Arlunydd**
Assistant. . . . . **Cynorthwyydd**
Auctioneer . . . . **Arwerthwr**
Audio Technician . . . . **Technegydd Sain**
Auto Dealer . . . . **Gwerthwr Ceir**

Baker . . . . **Pobydd**
Barman . . . . **Barman**
Bingo Caller . . . . **Galwr Bingo**
Breeder . . . . **Bridiwr**
Bricklayer . . . . **Briciwr**
Builder . . . . **Adeiladwr**
Building & Works Officer . . . . **Swyddog Adeiladu a Gweithfeydd**
Building Maintenance Officer . . . . **Swyddog Cynnal Adeiladau**
Butcher. . . . . **Cigydd**

Cabinet Maker . . . . **Saer**
Caretaker. . . . . **Gofalwr**
Caterer . . . . **Arlwyydd**
Chairperson . . . . **Cadeirydd**
Chemist . . . . **Fferyllydd**
Chief Executive . . . . **Prif Weithredwr**
Civil Engineer. . . . . **Peiriannydd Sifil**
Civil Engineering Manager . . . . **Rheolwr Peirianwaith Sifil**
Civil Servant . . . . **Gwas Sifil**
Cleaner. . . . . **Glanhawr**
Clerk. . . . . **Clerc**
Clock Repairer . . . . **Trwsiwr Clociau**
Co-ordinator . . . . **Cydlynydd**
Computer Programmer **Rhaglennydd Cyfrifiaduron**
Constable . . . . **Cwnstabl**

Construction Manager . . . . **Rheolwr Adeiladu**
Consultant . . . . **Ymgynghorydd**
Cook (female) . . . . **Cogyddes**
Cook (male or female) . . . . **Cogydd**
Dancer (female) . . . . **Dawnswraig**
Dancer (male) . . . . **Dawnsiwr**
Dentist . . . . **Deintydd**
Designer . . . . **Cynllunydd**
Director . . . . **Cyfarwyddwr**
Director of Finance. . . . . . . **Cyfarwyddwr Cyllid**
Doctor. . . . . **Meddyg**
Driver . . . . **Gyrrwr**

Editor . . . . **Golygydd**
Electrician . . . . **Trydanwr**
Engineer . . . . **Peiriannydd**
Estate Agent . . . . **Gwerthwr Tai**
Estates Officer . . . . **Swyddog Ystadau**
Examiner . . . . **Arholwr**
Executive . . . . **Gweithredwr**

Finance Clerk . . . . **Clerc Cyllid**
Fire Officer. . . . . **Swyddog Tân**
Fireman . . . . **Dyn Tân**
Fisherman . . . . **Pysgotwr**
Fitter. . . . . **Ffitiwr**
Foreman. . . . . **Fforman**

Guard . . . . **Gwarchodwr**

Head . . . . **Pennaeth**
Head of Department . . . . **Pennaeth Adran**
Head of the Finance Department. . . . . **Pennaeth yr Adran Gyllid**

Helper . . . . **Cynorthwyydd**
Housekeeper . . . . **Gofalwr Tŷ**
Housewife . . . . **Gwraig Tŷ**
Housing Manager . . . . **Rheolwr Tai**
Housing Officer . . . . **Swyddog Tai**

Information Officer. . . . . . **Swyddog Hysbysrwydd**
Inspector . . . . **Arolygwr**
Insurance Assessor . . . . **Prisiwr**
Insurance Salesman . . . . **Gwerthwr Yswiriant**

Keeper . . . . **Ceidwad**

Land Agent . . . . **Asiant Tir**
Landscape Gardener . . . . **Cynlluniwr Gerddi**
Lawyer . . . . **Cyfreithiwr / Twrnai**
Leader of the Council. . . . . . **Arweinydd y Cyngor**
Lecturer . . . . **Darlithydd**
Legal Officer . . . . **Swyddog Cyfreithiol**
Librarian. . . . . **Llyfrgellydd**

Machinist . . . . **Gweithiwr Peiriannau**
Manager . . . . **Rheolwr**
Manageress . . . . **Rheolwraig**
Market Gardener . . . . **Garddwr Masnachol**
Mayor . . . . **Maer**
Mechanic . . . . **Mecanic**
Model . . . . **Model**
Musician . . . . **Cerddor**

Nurse. . . . . **Nyrs**
Charge Nurse . . . . **Prif Nyrs**
Sister . . . . **Prif Nyrs**

Officer . . . . **Swyddog**
Council Officer . . . . **Swyddog Cyngor**
National Park Officer . . . .
. . . . **Swyddog y Parc Cenedlaethol**
Optician . . . . **Optegydd**

Planning Officer . . . . **Swyddog Cynllunio**
Painter . . . . **Peintiwr**
Park Keeper . . . . **Gweithiwr Parciau**
Personal Assistant . . . . . **Cynorthwyydd Personol**
Personnel Officer. . . . . **Swyddog Personél**
Photographer. . . . . **Ffotograffydd**
Pilot. . . . . **Peilot**
Planner. . . . . **Cynllunydd**
Planning Officer . . . . **Swyddog Cynllunio**
Planning and Development Officer. . . . .
. . . . **Swyddog Cynllunio a Datblygu**
Plumber . . . . **Plymer / Plymiwr**
Policeman. . . . . **Plismon / Heddwas**
Policewoman . . . . **Plismones / Heddferch**
Press Officer . . . . **Swyddog y Wasg**
Printer. . . . . **Argraffydd**
Public Relations Officer . . . .
. . . . **Swyddog Cysylltiadau Cyhoeddus**
Publisher. . . . . **Cyhoeddwr**

Receptionist. . . . . **Croesawydd**

Sales Person (female). . . . . **Gwerthwraig**
Sales Person (male/female) . . . . **Gwerthwr**
Scientist . . . . **Gwyddonydd**
Secretary (female) . . . . **Ysgrifenyddes**
Secretary (male/female) . . . . **Ysgrifennydd**
Serviceman (armed Services) . . . . **Milwr**

Shopkeeper . . . . **Siopwr**
Solicitor . . . . **Cyfreithiwr**
Specialist . . . . **Arbenigwr**
Supplies Officer . . . . **Swyddog Cyflenwi**
Surveyor (land) . . . . **Tirfesurydd**
Surveyor (highways) . . . . **Arolygydd Ffyrdd**

Teacher (male) . . . . **Athro**
Teacher (female) . . . . **Athrawes**
Technical Officer . . . . **Swyddog Technegol**
Trading Standards Officer . . . . **Swyddog Safonau Masnach**
Translator . . . . **Cyfieithydd**
Treasurer . . . . **Trysorydd**
Trustee . . . . **Ymddiriedolwr**
Typist . . . . **Teipydd**

Valuer . . . . **Prisiwr**
Video Technician . . . . **Technegydd Fideo**

Wages Clerk . . . . **Clerc Cyflogau**
Waiter . . . . **Gweinydd**
Waitress . . . . **Gweinyddes**
Warden . . . . **Warden**
Park Warden . . . . **Warden y Parc**
Traffic Warden . . . . **Warden Traffig**
Watchman . . . . **Gwyliwr**
Night-watchman . . . . **Gwyliwr nos**
Worker . . . . **Gweithiwr**
Council Worker . . . . **Gweithiwr Cyngor**

Nodiadau *– Notes:*

(i) job classification

Words which describe people's work or their actions are often formed by adding an ending to the verb stem. Words ending in **-wr/-iwr** *are all masculine and form their plurals in* **-wyr**. *Similarly, words ending in* **-ydd** *are also masculine; some form their plurals in* **-wyr**, *others by adding* **-ion**.

rheoli – to manage > **rheolwr/rheolwyr** – manager
rhedeg – to run > **rhedwr/rhedwyr** – runner
cynhyrchu – to produce
>**cynhyrchydd/cynhyrchwyr** – producer
derbyn – to receive > **derbynnydd/derbynyddion** – receptionist

There have been moves over recent years to try and promote the use of the **-wraig** *ending to refer to a job or action done by a female. e.g.*

rhedwr – runner > **rhedwraig** – a female runner
rheolwr – manager > **rheolwraig** – female manager

More recently, some have tried to encourage the wider use of the 'neutral sounding' **-ydd** *ending in the belief that it is less sexist than the* **-wr** *ending. e.g.*

cyfarwyddwr – director > **cyfarwyddydd**

These developments ignore the fact that both **– wr** *and* **– ydd** *are masculine noun endings and that gender in Welsh grammar is concerned primarily with the classification of nouns and not the sex of people. They have also at times thrown up some rather unwieldy terms.*

ii) **'dan hyfforddiant'** *is used to denote that a person is undergoing training or a trainee and follows the title:*

Trainee Clerk
– **Clerc dan Hyfforddiant**
Trainee Manager
– **Rheolwr dan Hyfforddiant**

iii) **'cynorthwyol'** *denotes that the post is for an assistant and follows the title:*

Assistant Manager
– **Rheolwr Cynorthwyol**
Assistant Foreman
– **Fforman Cynorthwyol**

However, **'gynorthwyol'** *is used if one of the specifically female job titles is used – e.g.* **athrawes**
Assistant Teacher
– **Athrawes Gynorthwyol**

iv) **'dirprwy'** *is used to denote 'deputy'. It goes in front of the title and causes a Soft Mutation. See* ***PART C Section 3***

Deputy Director
– **Dirprwy Gyfarwyddwr**
Deputy Head
– **Dirprwy Bennaeth**
Deputy Leader of the Council
– **Dirprwy Arweinydd y Cyngor**
Deputy Officer
– **Dirprwy Swyddog**

v) **'Prif'** *is used if the post is for a chief. It comes in front of the title and causes a Soft Mutation.*

Chief Economic Officer
– **Prif Swyddog Economaidd**
Chief Executive
– **Prif Weithredwr**
Chief Clerk
– **Prif Glerc**

vi) When stating that someone is head or director of a particular department, use the job title and the name of the department together. No additions are necessary.

The Head of the Welsh Department
– **Pennaeth Adran y Gymraeg**
The Director of the Leisure Department
– **Cyfarwyddwr yr Adran Hamdden**

(vii) **Swyddog** *is followed by a word which relates to a department or function.*

Marketing officer
– **Swyddog Marchnata**
Finance Officer
– **Swyddog Cyllid**

(viii) **'y Fwrdeistref', 'y Sir', 'y Ddinas', 'yr Awdurdod'** *are used when describing a senior post within a borough, a county, a city or an authority:*

Borough Economic Officer
– **Swyddog Economiadd y Fwrdeistref**
The County Chief Executive
– **Prif Weithredwr y Sir**
The City Treasurer
– **Trysorydd y Ddinas**
The Chief Officer of the Authority
– **Prif Swyddog yr Awdurdod**

Teitlau gwleidyddol
Political titles

The Prime Minister. . . . . **Y Prifweinidog**
The Secretary of State for Wales. . . . .
. . . . **Ysgrifennydd Cymru**
The Under-Secretary of State for Wales . . . .
. . . . **Is-ysgrifennydd Cymru**
Welsh Office Minister . . . .
. . . . **Gweinidog yn y Swyddfa Gymreig**

Leader of the Opposition . **Arweinydd yr Wrthblaid**
Leader of the Conservative Party. . . . .
. . . . **Arweinydd y Blaid Geidwadol**
Leader of the Labour Party. . . . .
. . . . **Arweinydd y Blaid Lafur**
Leader of Plaid Cymru . . . **Arweinydd Plaid Cymru**
Leader of the Liberal Democrats . . . .
. . . **Arweinydd y Rhyddfrydwyr Democrataidd**

Secretary of State for:. . . . .
. . . . **Ysgrifennydd Gwladol dros:**
Spokesperson on: . . . . **Llefarydd ar:**
Education and Employment . . . .
. . . . **Addysg a Chyflogaeth**
Energy . . . . **Ynni**
Health. . . . . **Iechyd**
the Environment . . . . **yr Amgylchedd**
Trade and Industry . . . . . **Fasnach a Diwydiant**
Transport. . . . . **Drafnidiaeth**

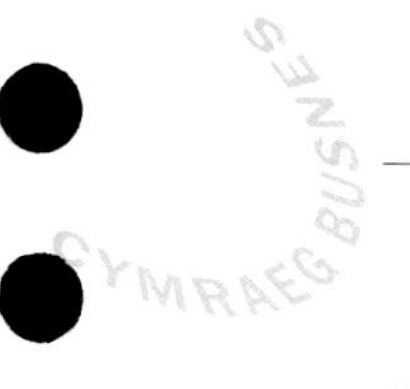

YN Y GWEITHLE
IN THE WORKPLACE

Adrannau
Departments

Building and Land . . . . **Adeiladau a Thir**
Building Maintenance . . . . **Cynnal Adeiladau**
Building and Works . . . . **Adeiladu a Gweithfeydd**
Commercial Services . **Gwasanaethau Masnachol**
Construction . . . . **Adeiladu**
Consumer Protection. . . . . **Diogelu'r Cwsmer**
Cultural Services . . . **Gwasanaethau Diwylliannol**
Culture and Leisure . . . . . **Diwylliant a Hamdden**
Customer Care . . . . **Gofal Cwsmeriaid**
Customer Services . . . **Gwasanaeth i Gwsmeriaid**
Development and Works . . . .
. . . . **Datblygu a Gweithfeydd**
Direct Works . . . .
. . . . **Gweithfeydd Uniongyrchol/Mewnol**
Economic Development. . . **Datblygu Economaidd**
Economic Development & Employment . . . .
. . . . **Datblygu Economaidd a Chyflogaeth**
Education . . . . **Addysg**
Emergency Planning . . . .
. . . . **Cynllunio ar gyfer Argyfyngau**
Engineering Services . . . .
. . . . **Gwasanaethau Peirianyddol**
Environment . . . . **Yr Amgylchedd**
Environmental Health . . . . **Iechyd yr Amgylchedd**
Establishment . . . . **Sefydliad**
Estates . . . . **Ystadau**
Finance . . . . **Cyllid**
Finance and Establishment . . . **Cyllid a Sefydliad**
Financial Services . . . . . . **Gwasanaethau Cyllidol**
General Purposes . . . . **Dibenion Cyffredinol**
Health. . . . . **Iechyd**
Highways . . . . **Priffyrdd**
Highways, Planning and Transport . . . .
. . . . **Priffyrdd, Cynllunio a Thrafnidiaeth**
Highways and Transport. . . . .
. . . . **Priffyrdd a Thrafnidiaeth**
Housing . . . . **Tai**
Industrial Development . . . **Datblygu Diwydiannol**
Information . . . . **Hysbysrwydd**
Land. . . . . **Tir**
Law . . . . **Y Gyfraith**
Leisure . . . . **Hamdden**
Leisure Services . . . . . **Gwasanaethau Hamdden**
Libraries. . . . . **Llyfrgelloedd**
Libraries and Museums . . . .
. . . . **Llyfrgelloedd ac Amgueddfeydd**
Libraries and Recreation . . . .
. . . . **Llyfrgelloedd a Hamdden**
Licensing. . . . . **Trwyddedu**
Marketing . . . . **Marchnata**
National Parks . . . . **Parciau Cenedlaethol**
Personnel. . . . . **Personél**
Planning . . . . **Cynllunio**
Planning and Industrial Development. . . . .
. . . . **Cynllunio a Datblygu Diwydiannol**
Police. . . . . **Yr Heddlu**
Policy . . . . **Polisi**

Policy and Finance . . . . **Polisi a Chyllid**
Policy, Finance & Resources . . . . **Polisi, Cyllid ac Adnoddau**
Policy & Resources . . . . **Polisi ac Adnoddau**
Press (The) . . . . **Y Wasg**
Property Services . . . . **Gwasanaethau Eiddo**
Public Health . . . . **Iechyd Cyhoeddus**
Public Protection . . . . **Amddiffyn y Cyhoedd**
Public Relations . . . . . . **Cysylltiadau Cyhoeddus**
Social Services . . . **Gwasanaethau Cymdeithasol**
Supplies . . . . **Cyfenwadau / Cyflenwi**
Supplies Land & Buildings . . . . **Cyflenwadau Tir ac Adeiladau**
Tourism and Amenities . . . . **Twristiaeth a Chyfleusterau**
Tradings Standard . . . . **Safonau Masnach**

Medical Titles and Departments
– *See **Part B Section 4.***

Nodiadau – *Notes:*

Care needs to be taken when linking the departmental titles to the word **ADRAN** *(department).*

i) If the title is a phrase, just add it to the word **ADRAN:**

The Customer Services Department
– **Adran Gwasanaeth i Gwsmeriaid**

ii) If the title is a single word, a Soft Mutation occurs if it begins with **P, T, C, B, D, G, M, LL, RH:**

The Personnel Department
– **Yr Adran Bersonél**
The Administrative Department
– **Yr Adran Weinyddu / Yr Adran Weinyddol**

Pwyllgorau llywodraeth leol
Local government committees

Mathau – Types

Committee . . . . **Pwyllgor**
Sub-committee . . . . **Is-bwyllgor**
Steering committee . . . . **Pwyllgor llywio**
Executive committee . . . . **Pwyllgor gwaith**
Working party . . . . **Gweithgor**
Panel . . . . **Panel**
Sub-panel . . . . **Is-banel**
Board . . . . **Bwrdd**

The above can all be coupled with terms from the list of departments. e.g.

Public relations sub-committee . . . . **Is-bwyllgor cysylltiadau cyhoeddus**

CWMNÏAU, SEFYDLIADAU A CHYRFF
COMPANIES, ORGANISATIONS AND BODIES

Cyffredinol
General

Academy . . . . **Academi**
Agency . . . . **Asiantaeth**
...and Sons. **...a'i Feibion**
Association. . . . . **Mudiad / Cymdeithas**
Authority. . . . . **Awdurdod**
Board . . . . **Bwrdd**
Body. . . . . **Corff**
The... Brothers . . . . **Y Brodyr...**
Centre . . . . **Canolfan**
College. . . . . **Coleg**
Commission. **Comisiwn**
Company. . . . . **Cwmni**
Company limited by guarantee . . . .
. . . . **Cwmni cyfyngedig trwy warant**
Corporation . . . . **Corfforaeth**
Council . . . . **Cyngor**
Development body. . . . . **Corff datblygu**
Federation. **Ffederasiwn**
Institute . . . . **Sefydliad**
Institute (learning) . . . . **Athrofa**
Limited company . . . . **Cwmni cyfyngedig**
Ltd.. . . . . **Cyf.**
Organisation . . . . **Sefydliad**
PLC . . . . **CCC**
Public limited company . . . .
. . . . **Cwmni cyfyngedig cyhoeddus**
Society . . . . **Cymdeithas**
Trust. . . . . **Ymddiriedolaeth**
Union . . . . **Undeb**
University . . . . **Prifysgol**
Works/Plant . . . . **Gwaith**

Cyrff yng Nghymru
Bodies in Wales

The following is not exhaustive.

Age Concern Wales . . . . . **Cyngor Henoed Cymru**
Amalgamated Union of Engineer Workers (AUEW) .
. . . . **Cyd-undeb y Gweithwyr Peirianyddol**
ATL (Association of Teachers & Lecturers). . . . . . .
. . . . **Cymdeithas Athrawon a Darlithwyr**
BBC Wales . . . . **BBC Cymru**
Boundary Commission for Wales. . . . .
. . . . **Comisiwn Ffiniau Cymru**
British Coal. . . . . **Glo Prydain**
British Gas . . . . **Nwy Prydain**
British Gas, Wales. . . . . **Nwy Prydain, Cymru**
British Broadcasting Corporation . . . .
. . . . **Y Gorfforaeth Ddarlledu Brydeinig**
Campaign for the Protection of Rural Wales . . . . .
. . . . **Ymgyrch Diogelu Cymru Wledig**
Cardiff Bay Development Corporation. . . . .
. . . . . . **Corfforaeth Ddatblygu Bae Caerdydd**
Centre for Alternative Technology . . . .
. . . . **Canolfan y Dechnoleg Amgen**

Christian Aid . . . . **Cymorth Cristnogol**
Commission of European Communities . . . . **Comisiwn y Gymuned Ewropeaidd**
Confederation of British Industry (CBI) . . . . **Cyd-ffederasiwn Diwydiant Prydain (CBI)**
Countryside Council for Wales. . . . . **Cyngor Cefn Gwlad Cymru**
Development Board for Rural Wales . . . . **Bwrdd Datblygu Cymru Wledig**
DVLC . . . . **Canolfan Trwyddedu Gyrwyr a Cherbydau**
Dŵr Cymru – Welsh Water . . . . **Dŵr Cymru**
Equal Opportunities Commission. . . . . **Comisiwn Cyfle Cyfartal**
Farmers' Union of Wales (FUM) . . . . **Undeb Amaethwyr Cymru (Yr FUW)**
Football Association of Wales . . . . **Cymdeithas Bêl-droed Cymru**
Friends of Earth, Wales . . . . **Cyfeillion y Ddaear, Cymru**
Gas Consumers Council for Wales. . . . . **Cyngor Defnyddwyr Nwy Cymru**
Health and Safety Commission. . . . . **Y Comisiwn Iechyd a Diogelwch**
Housing for Wales . . . . **Tai Cymru**
HTV Wales. . . . . **HTV Cymru**
Independent Broadcasting Authority (The). . . . . **Yr Awdurdod Darlledu Annibynnol**
Institute of Welsh Affairs . . . . **Sefydliad Materion Cymreig**
Land Authority for Wales . . . . **Awdurdod Tir Cymru**
Museum of Welsh Life. . . . . **Amgueddfa Werin Cymru**

NAS/UWT (National Association of Schoolmasters/Union of Women Teachers) . . . . **Undeb yr Athrawon a'r Athrawesau**
NHS Trust . . . . **Ymddiriedolaeth GIG**
. . . . **(Gwasanaeth Iechyd Gwladol)**
National Eisteddfod of Wales (The) . . . . **Eisteddfod Genedlaethol Cymru**
National Library of Wales (The) . . . . **Llyfrgell Genedlaethol Cymru**
National Trust (The) . . . . **Yr Ymddiriedolaeth Genedlaethol**
National Museum and Galleries of Wales . . . . **Amgueddfeydd ac Orielau Cymru**
National Union of Students in Wales . . . . **Undeb Cenedlaethol Myfyrwyr Cymru**
National Union of Seamen. . . . . **Undeb Cenedlaethol y Morwyr**
National Farmers' Union (NFU) . . . . **Undeb Cenedlaethol y Ffermwyr (Yr NFU)**
National Union of Mineworkers . . . . **Undeb Cenedlaethol y Glowyr**
North Wales Arts Association . . . . **Cymdeithas Celfyddydau Gogledd Cymru**
NUPE (National Union of Public Employees) . . . . **Undeb NUPE (Undeb Cenedlaethol y**
. . . . **Gweithwyr Cyhoeddus)**
NUT (National Union of Teachers) . . . . **Yr NUT (Undeb Cenedlaethol yr Athrawon)**
PAT (Professional Association of Teachers) . . . . **PAT (Cymdeithas yr Athrawon Proffesiynol)**
Pembrokeshire Coast National Park. . . . . **Parc Cenedlaethol Arfordir Penfro**
Post Office Users Council. . . . . **Cyngor Defnyddwyr Swyddfa'r Post**

Post Office (The) . . . . **Swyddfa'r Post**
Royal Welsh Agricultural Society . . . . **Cymdeithas Amaethyddol Frenhinol Cymru**
Samaritans (The) . . . . **Y Samariaid**
Severn-Trent Water . . . . **Dŵr Hafren-Trent**
Shelter Wales . . . . **Shelter Cymru**
SWALEC . . . . **SWALEC**
The Welsh Academy . . . . . . **Yr Academi Gymreig**
TGWU, (Transport and General Workers Union) . . . . . **Y TGWU (Undeb y Gweithwyr Trafnidiaeth a Chyffredinol)**
Training Agency (The) . . . **Yr Asiantaeth Hyfforddi**
TUC (The) . . **Y TUC – Cyngres yr Undebau Llafur**
Wales Council for the Aged . . . . **Cyngor Cenedlaethol Henoed Cymru**
Wales Council for the Disabled . . . . **Cyngor Anabl Cymru**
Wales Council for Voluntary Action . . . . **Cyngor Gweithredu Gwirfoddol Cymru**
Wales Tourist Board . . . . . . **Bwrdd Croeso Cymru**
Wales TUC. **TUC Cymru** . . . . **(Cyngres Undebau Llafur Cymru)**
Welsh Crafts Council . . . . . . **Cyngor Crefft Cymru**
Welsh Consumer Council . . . . **Cyngor Defnyddwyr Cymru**
Welsh Academy (The) . . . . . **Yr Academi Gymreig**
Welsh Water . . . . **Dŵr Cymru**
Welsh Arts Council . . **Cyngor Celfyddydau Cymru**
Welsh Folk Dance Society . . . . **Cymdeithas Ddawns Werin Cymru**
Welsh Folk-Song Society (The) . . . . **Cymdeithas Alawon Gwerin Cymru**
Welsh Books Council (The). . . . . **Y Cyngor Llyfrau Cymraeg**
Welsh Consumer Council . . . . **Cyngor Defnyddwyr Cymru**
Welsh Development Agency . . . . **Awdurdod Datblygu Cymru**
WJEC (Welsh Joint Education Committee). . . . . **CBAC (Cyd-bwyllgor Addysg Cymru)**
Welsh Language Board, The . . . . **Bwrdd yr Iaith Gymraeg**
Welsh National Opera . . . . **Opera Cenedlaethol Cymru**
Welsh Political Archive (The). . . . . **Yr Archif Wleidyddol Gymreig**
Welsh Rugby Union . . . . **Undeb Rygbi Cymru**
Welsh Office (The) . . . . **Y Swyddfa Gymreig**
Women's Aid . . . . **Cymorth i Ferched**
Women's Institute . . . . **Sefydliad y Merched**
Workers Educational Association. . . . . **Cymdeithas Addysg y Gweithwyr**
Young Farmers' Clubs . . . . **Clybiau Ffermwyr Ieuainc**

Cyrff ag enwau Cymraeg
Bodies with Welsh names

ACAC (Awdurdod Cwricwlwm ac Asesu Cymru) . . . . (Welsh Curriculm and Assessment Authority)
CADW . . . . (Welsh Historic Monuments)
CYD (Cyngor y Dysgwyr) . . . . (A Welsh speakers and learners council)
Canolfan Iaith Genedlaethol Nant Gwrtheyrn . . . . . . (Nant Gwrtheyrn National Language Centre)
Cefn . . . . (A Language Rights Pressure Group)
Cymdeithas yr Iaith Gymraeg . . . . (The Welsh Language Society)
Hyder . . . . (Multi-utility group)
Merched y Wawr. . . . . ('Women of the Dawn' – A Welsh Women's movement)
Mudiad Ysgolion Meithrin (MYM) . . . . (Independent Welsh Nursery Movement)
S4C (Sianel Pedwar Cymru) . . (Channel 4 Wales)
TAC (Teledwyr Annibynnol Cymru) . . . . (Association of Independent Welsh Television Producers)
Tai Cymru. . . . . (Welsh Housing Associations)
UCAC . . . . . (National Union of Teachers of Wales)
Yr Urdd (Urdd Gobaith Cymru) . . . . (Welsh League of Youth)

Pleidiau gwleidyddol
Political parties

Plaid Cymru ('The Party of Wales') . . . **Plaid Cymru**
The Conservative Party . . . . . . **Y Blaid Geidwadol**
The Green Party. . . . . **Y Blaid Werdd**
The Labour Party . . . . **Y Blaid Lafur**
The Liberal Democrats. . . . . **Y Democratiaid Rhyddfrydol**
Welsh Liberal Democrats . . . . **Democratiaid Rhyddfrydol Cymru**

ENWAU LLEOEDD: CYMRAEG–SAESNEG
PLACE NAMES: WELSH–ENGLISH

Cymru
Wales

Y Canolbarth . . . . Mid Wales
Y De . . . . South Wales
Y Gogledd . . . . North Wales
Y Gorllewin . . . . West Wales

Y siroedd (1974-1996)
The counties (1974-1996)

Clwyd . . . . Clwyd
De Morgannwg . . . . South Glamorgan
Dyfed . . . . Dyfed
Gorllewin Morgannwg . . . . West Glamorgan
Gwent . . . . Gwent
Gwynedd . . . . Gwynedd
Morgannwg Ganol . . . . Mid Glamorgan
Powys . . . . Powys

Yr awdurdodau unedol newydd
The new unitary authorities

See map on page 327

Abertawe . . . . Swansea
Blaenau Gwent . . . . Blaenau Gwent
Bro Morgannnwg . . . . The Vale of Glamorgan
Caerffili . . . . Caerphilly
Casnewydd . . . . Newport
Castell-nedd a Phort Talbot Neath and Port Talbot
Caerdydd . . . . Cardiff
Ceredigion . . . . Ceredigion
Conwy . . . . Conwy
Gwynedd . . . . Gwynedd
Merthyr Tudful . . . . Merthyr Tydfil
Pen-y-bont ar Ogwr . . . . Bridgend
Powys . . . . Powys
Rhondda, Cynon, Taf . . . . . Rhondda, Cynon, Taff
Sir Benfro . . . . Pembrokeshire
Sir Gaerfyrddin . . . . Carmarthenshire
Sir Ddinbych . . . . Denbighshire
Sir Fynwy . . . . Monmouthshire
Sir y Fflint . . . . Flintshire
Tor-faen . . . . Torfaen
Wrecsam . . . . Wrexham
Ynys Môn . . . . Anglesey

Lleoedd
Places

Abercynffig . . . . Aberkenfig
Aberdaugleddau . . . Milford Haven
Aberdyfi . . . . . Aberdyfi (Aberdovey)
Aberddawan . . . . Aberthaw
Abergwaun . . . . Fishguard
Aberhonddu . . . . Brecon
Abermaw / Y Bermo . . . Barmouth
Aberogwr . . . . Ogmore-by-sea
Aberpennar . . . . Mountain Ash
Aberriw . . . . Berriew
Aberteifi . . . . Cardigan
Abertyleri . . . . Abertillery
Arberth . . . . Narberth
Allt Melyd . . . . Meliden

Bae Colwyn . . . . Colwyn Bay
Bangor Is-coed . . . Bangor-on-Dee
Bargod . . . . Bargoed
Begeli . . . . Begelly
Biwmares . . . . Beaumaris
Blaendulais . . . . Seven Sisters
Blaenau . . . . Blaina
Bochrwyd . . . . Boughrood
Breudeth . . . . Brawdy
Brynbuga . . . . Usk
Brychdwn . . . . Broughton
Bugeildy . . . . Beguildy
Bwcle . . . . Buckley

Caerdydd . . . . Cardiff
Caerfyrddin . . . . Carmarthen
Caerffili . . . . Caerphilly
Caergybi . . . . Holyhead
Caeriw . . . . Carew
Caerllion . . . . Caerleon
Capel Uchaf . . . . . . Upper Chapel
Carwe . . . . Carway
Cas-bach . . . . Castleton
Cas-blaidd . . . . Wolf's Castle
Cas-gwent . . . . Chepstow
Cas-lai . . . . Haycastle
Casllwchwr . . . . Loughor
Cas-mael . . . . Puncheston
Casmorys . . . . Castle Morris
Casnewydd (ar Wysg) . . . . Newport (on Usk)
Casnewydd-bach . Little Newcastle
Castell-nedd . . . . Neath
Castellnewydd Emlyn . . . . Newcastle Emlyn
Castell-paen . . . . Paincastle
Cas-wis . . . . Wiston
Cefncoedycymer . . . . Cefn-coed-y-cymmer
Cegidfa . . . . Guilsfield
Ceinewydd . . . . Newquay
Cemais [Môn] . . . . . . Cemaes Bay
Cemais [Sir Fynwy] . . . . . Kemeys
Cendl . . . . Beaufort
Ceri . . . . Kerry
Cilâ . . . . Killay
Cilfái . . . . Kilvey
Clas-ar-Wy . . . . Glasbury
Cleirwy . . . . Clyro
Coed-duon . . . . Blackwood
Coed-llai . . . . Leeswood
Corneli . . . . Cornelly
Cnwclas . . . . Knucklas
Cricieth . . . . Cricieth
Crucywel . . . . Crickhowell
Crucornau Fawr . . . . . . Crucorney
Crynwedd . . . . Crinow
Cwmbrân . . . . Cwmbrân
Cydweli . . . . Kidwelly
Cynffig . . . . Kenfig

Chwitffordd . . . . Whitford

Defynnog . . . . Devynock
Dinbych . . . . Denbigh
Dinbych-y-pysgod . . . . Tenby
Drenewydd Gelli-farch . . . . Shirenewton
Drenewydd yn Notais . . . . Newton Nottage
Dynfant . . . . Dunvant
Dyserth . . . . Diserth

Eglwys y Drindod . . . . Christchurch
Eglwys Fair y Mynydd . St Mary Hill
Eglwys Wen . Whitechurch [Pembs]
Felinganol . . . . Middle Mill

Ffordun . . . . Forden
Ffwl-y-mwn . . . . Fonmon
Ffynnon Taf . . . . Taff's Well

Gartholwg . . . . Church Village
Glan-bad . . . . Upper Boat
Glandŵr . . . . Landore
Glynebwy . . . . Ebbw Vale
Glantwymyn . . . . . Cemmaes Road
Glanyfferi . . . . Ferryside
Gresffordd . . . . Gresford
Gwaunyterfyn . . . . Acton
Gwenfô . . . . Wenvoe
Gwndy . . . . Undy

Halchdyn . . . . Halghton
Helygain . . . . Halkyn
Hendy-gwyn(-ar-Daf) . . . . Whitland
Hwlffordd . . . . Haverford West

Lacharn . . . . Laugharne
Larnog . . . . Lavernock
Lecwydd . . . . Leckwith
Llanandras . . . . Presteigne
Llanbedr ar fynydd . . . .
. . . . . . Peterston-super-montem
Llanbedr (Castell-paen) . . . .
. . . . Llanbedr (Painscastle)
Llanbedr Gwynllwg . . . .
. . . . Peterston Wentloog
Llanbedr Pont Steffan / Llambed.
. . . . Lampeter
Llanbedr-y-Fro . Peterston-super-Ely
Llanbydderi . . . . Llanbythery
Llandeglau . . . . Llandegley
Llandeilo Ferwallt . . . . Bishopston
Llandeilo Gresynni . . . .
. . . . Llantilo Crosenny
Llandrillo-yn-rhos . . . Rhos-on-sea
Llandochau . . . . Llandough
Llandudoch . . . . St Dogmaels
Llandudwg . . . . Tythegston
Llandŵ . . . . Llandow
Llandyfái . . . . Lamphey
Llanddewi . . . . Dewston
Llanddewi Felffre Llanddewi Velfrey
Llanddewi Nant Hodni . . . Llantony
Llanddewi Ysgyryd . . . .
. . . . Llanthewy Skirrid
Llanddunwyd . . . . Welsh St Donats
Llaneilfyw . . . . St Elvis
Llaneirwg . . . . St Mellons

Llanelwy . . . . St Asaph
Llannerch Banna . . . . Penley
Llaneurgain . . . . Northop
Llanfable . . . . Llanvapley
Llanfaches . . . . Llanvaches
Llan-fair . . . . St Mary Church
Llanfair-ym-Muallt . . . Builth Wells
Llanfarthin . . . . Llanmartin
Llanfihangel . . . .
. . . . . . Llanvihangel near Roggiet
Llanfihangel-ar-Elái . . . .
. . . . Michaelston-super-Ely
Llanfihangel Crucornau . . . .
. . . . Llanfihangel Crucorney
Llanfihangel Dyffryn Arwy . . . . . .
. . . . Michaelchurch-on-Arrow
Llanfihangel Troddi . . Mitchel Troy
Llanfihangel y Bont-faen . . . .
. . . . Llanmihangel
Llanfihangel-y-fedw . . . .
. . . . Michaelston-y-Vedw
Llanfihangel-ynys-Afan . . . .
. . . . Michaelston
Llanfihangel-y-Pwll . . . .
. . . . Michaelston-le-Pit
Llanfleiddian . . . . Llanblethian
Llanfocha . . . . St Maughan's
Llan-ffwyst . . . . Llanfoist
Llangatwg (Fawr) . . . .
. . . . Cadoxton-juxta-Neath
Llangrallo . . . . Coychurch
Llangynydd . . . . Llangennith
Llanhuadain . . . . Llawhaden
Llanilltud Faerdref . Llantwit Vardre
Llanilltud Fawr . . . . Llantwit Major
Llanilltud Gŵyr . . . . Ilston
Llanisien . . . . Llanishen

Llanllŷr (-yn-Rhos) . . . . . . Llanyre
Llanofer Fawr . . . . Llanover
Llanrhymni . . . . Llanrumney
Llansanffraid-ar-Elái . . . .
. . . . St Brides-super-Ely
Llansanffraid-ar-Ogwr . . . .
. . . . St Brides Minor
Llansanffraid Gwynllŵg . . . .
. . . . St Brides Wentloog
Llansanwyr . . . . Llansannor
Llansawel . . . . Britton Ferry
Llanwarw . . . . Wonaston
Llanwynell . . . . Wolvesnewton
Llanwynno . . . . Llanwonno
Llanymddyfri . . . . Llandovery
Llwyneliddon . . . . St Lythan's
Llys-faen . . . . Lisvaen

Maendy . . . . Maindee
Maerdy . . . . Mardy
Maenorbŷr . . . . Manorbier
Maesaleg . . . . Bassaleg
Maesyfed . . . . New Radnor
Magwyr . . . . Magor
Marchwiail . . . . Marchwiel
Meisgyn . . . . Miskin
Melin Ifan Ddu . . . . Black Mill
Milffwrd . . . . Milford
Mwynglawdd . . . . Minera
Mynydd Cynffig . . . . Kenfig Hill
Mynwent y Crynwyr . . Quakers Yard

Niwbwrch . . . . Newborough
Niwgwl . . . . Newgale
Nyfer . . . . Nevern

Penalun . . . . Penally

Penarlâg . . . . Hawarden
Pen-bre . . . . Pembrey
Pencraig. . . . . Old Radnor
Pendeulwyn . . . . Pendoylan
Penffordd-las . . . . Staylittle
Pengelli. . . . . Grovesend
Pen-hw . . . . Pen-how
Pen-rhys . . . . Penrice
Pentre-elan . . . . Elan Village
Pentywyn . . . . Pendine
Pen-y-bont ar Ogwr . . . . Bridgend
Pontarfynach. . . . . . Devil's Bridge
Pontsenni . . . . Sennybridge
Pont-y-pŵl . . . . Pontypool
Porthaethwy . . . . . . Menai Bridge
Porth Sgiwed . . . . Portskewett
Post-mawr . . . . Synod Inn
Pwllmeurig . . . . Pwll Meyrick
Radur . . . . Radyr

Rhaeadr Gwy. . . . . Rhayader
Rhaglan . . . . Raglan
Rhisga . . . . Risca
Rhiwabon . . . . Ruabon
Rhiwlen . . . . Rhulen
Rhosili . . . . Rhossili
Rhydaman . . . . Ammanford
Rhydri . . . . Rudry

Sain Dunwyd . . . . St Donat's
Sain Ffagan . . . . St Fagans
Sain Ffraid . . . . St Brides
Sain Nicolas . . . .
. St Nicholas [Vale of Glamorgan]
Sain Petrog. . . . . St Petrox
Sain Pŷr . . . . St Pierre
Sain Silian . . . . St Julians

Sain Siorys . . . St George-super-Ely
Sain Tathan . . . . St Athan
Saint Andras . . . St Andrews Major
Saint-y-brid . . . . . St Brides Major
Saint-y-brid . St Brides Nertherwent
Sanclêr . . . . St Clears
Sgeti. . . . . Sketty
Sgiwen . . . . Skewen
Sili . . . . Sully
Silstwn . . . . Gileston
Solfach . . . . Solva
Sychdyn . . . . Soughton

Tal-y-bont ar Wysg . . . .
. . . . Tal-y-bont on Usk
Talyllychau . . . . Talley
Treamlod. . . . . Ambleston
Trebannws. . . . . Trebanos
Trebefered. . . . . Boverton
Treberfedd . . . . Middletown
Tredegyr. . . . . Tredegar
Tredelerch . . . . Rumney
Tredynog . . . . Tredunnock
Trefaldwyn . . . . Montgomery
Trefdraeth. . . Newport [Ceredigion]
Trefddyn . . . . Trefethin
Trefelen . . . . Bletherston
Trefesgob . . . . Bishton
Trefonnen . . . .
. . . . Nash [Newport]
Treforgan . . . . Morganstown
Trefwrdan . . . . Jordanston
Treforys . . . . Morriston
Trefyclo . . . . Knighton
Trefynwy . . . . Monmouth
Trefflemin . . . . Flemingston
Treffynnon . . . . Holywell

Treganna . . . . Canton
Tregatwg. . . . . Cadoxton
Tregolwyn . . . . Colwinston
Tre-groes . . . . Whitchurch [Pembs]
Tre-gŵyr . . . . Gowerton
Trehopcyn . . . . Hopkinstown
Tre-lái . . . . Ely
Trelales . . . . Laleston
Trelawnyd. . . . . Newmarket
Treletert. . . . . Letterston
Tremarchog . . St Nicholas [Pembs]
Tre'r-llai . . . . Leighton
Tresigin. . . . . Siginston
Tresimwn . . . . Bonvilston
Tretŵr . . . . Tretower
Trewyddel . . . . Moylgrove
Tryleg . . . . Trylek
Tŷ-du . . . . Rogerstone
Tyddewi . . . . St David's
Tyllgoed. . . . . Fairwater
Tyndyrn . . . . Tintern

Wdig. . . . . Goodwick

Y Barri . . . . Barry
Y Bont-faen . . . . Cowbridge
Y Bynie . . . . Bynea
Y Castell Coch . . . . . Powys castle
Y Clun . . . . Clyne
Y Cocyd. . . . . Cockett
Y Crwys . . . . Three Crosses
Y Drenewydd . . . . Newtown
Y Ddraenen Wen . . . . . . Hawthorn
Y Ddwyryd . . . . Druid
Y Faenor. . . . . Vaynor
Y Fenni. . . . . Abergavenny
Y Ferwig . . . . Verwick

Y Friog . . . . Fairbourne
Y Fflint . . . . Flint
Y Garn . . . . Roch
Y Gelli (Gandryll) . . . . Hay-on-Wye
Y Goetre . . . . Goytre
Y Grysmwnt . . . . Grosmont
Y Parlwr Du . . . . Point of Ayr
Y Pîl . . . . Pyle
Y Rhath . . . . Roath
Y Rhws . . . . Rhoose
Y Sblot . . . . Splott
Y Trallwng . . . . Welshpool
Y Tyllgoed . . . . . Fairwater [Cardiff]
Y Waun . . . . Chirk
Y Wig . . . . Wick
Yr As Fach . . . . . Nash [Vale/Glam]
Yr As Fawr . . . . Monknash
Yr Eglwys Lwyd . . . . . . Ludchurch
Yr Eglwys Newydd . . . .
. . . . Whitchurch [Cardiff]
Yr Hob . . . . Hope
Yr Orsedd . . . . Rossett
Yr Wyddgrug . . . . Mold
Yr Ystog . . . . Churchstoke
Ynysgynwraidd . . . . Skenfrith
Ynysowen . . . . Merthyr Vale
Ystrad-fflur . . . . Strata Florida
Ystumllwynarth . . . . . Oystermouth

Nodweddion
Features

Afon Arwy . . . . River Arrow
Afon Cleddy Ddu . Eastern Cleddau
Afon Cleddy Wen. Western Cleddau
Afon Clun . . . . River Clown
Afon Dyfi . . . . . . River Dyfi (Dovey)
Afon Ddawan . . . . River Thaw
Afon Ebwy . . . . River Ebbw
Afon Efyrnwy . . . . River Vyrnwy
Afon Elái . . . . River Ely
Afon Gwy . . . . River Wye
Afon Hafren . . . . River Severn
Afon Helygi . . . . Luggy Brook
Afon Llwchwr . . . . . . River Loughor
Afon Llugwy . . . River Lugg [Powys]
Afon Menai . . . . Menai Strait
Afon Miwl . . . . River Mule
Afon Mynwy . . . . . . River Monnow
Afon Nedd . . . . River Neath
Afon Nyfer . . . . River Nevern
Afon Ogwr . . . . River Ogmore
Afon Solfach . . . . River Solva
Afon Taf . . . . River Taff
Afon Tefeidiad . . . . River Teme
Afon Tywi . . . . . . River Tywi (Towy)
Afon Wysg . . . . River Usk

Bae Caerfyrddin . . Carmarthen Bay
Bae Caernarfon . . Caernarfon Bay
Bae Ceredigion . . . . Cardigan Bay
Bannau Brycheiniog . . . .
. . . . Brecon Beacons
Bannau Sir Gâr . . Carmarthen Vans
Bryn Owen . . . . Stalling Down
Bryniau Clwyd . . . . . Clwydian Hills
Bryniau Preseli . . . . . . Preseli Hills
Bwlch Crimea . . . . . . Crimea Pass
Bwlch yr Oernant / Yr Oernant . . .
. . . . Horseshoe Pass
Cadair Idris . . . . Cadair Idris
Cefn Digoll . . . . . . Long Mountain

Eryri . . . . Snowdonia

Glyn-y-groes / Glynegwestl
. . . . Valle Crucis
Gŵyr . . . . Gower

Llyn Efyrnwy . . . . Lake Vyrnwy
Llyn Tegid . . . . Bala Lake
Llyn Syfaddan . . . . Llangorse Lake

Maen y Bugail . . . . . . West Mouse
Morfa Gwent . . . . . . Gwent Levels
Môr Hafren . . . .
. . . . Severn Sea / Bristol Channel
Môr Iwerddon . . . . Irish Sea
Mynydd Du . . . . . Black Mountains
Y Mynydd Du . . The Black Mountain
Mynydd Pen-y-fâl . . . .
. . . . Sugar Loaf Mountain
Mynydd Tŵr . . . Holyhead Mountain

Pen-llŷn / Penrhyn Llŷn . . . .
. . . . The Llŷn Peninsula
Penmaendewi . . . St David's Head
Pen Pyrod . . . . Worm's Head
Penygogarth . . Great Orme's Head
Porth Neigwl . . . . Hell's Mouth Bay
Porthceri . . . . Porthkerry
Porthor . . . . Whistling Sands
Pumlumon . . . . Plynlimon

Rhaeadr Ewynnol . . . Swallow Falls

Traeth Coch. . . . . . . Red Warf Bay
Traeth Lafan. . . . . . . Lavan Sands
Trwyn Larnog . . . . Lavernock Point
Trwyn y Fuwch. . . . . . . Little Orme

Y Gelli Aur . . . . Golden Grove
Y Gogarth. . . . . Great Orme
Y Môr Celtaidd . . . . The Celtic Sea
Y Mynydd Du . . . . Black Mountain
Yr Eifl . . . . The Rivals
Yr Wyddfa . . . . Snowdon
Ynys Amlwch . . . . East Mouse
Ynys Bŷr . . . . Caldey Island
Ynys Dewi . . . . Ramsey Island
Ynys Enlli. . . . . Bardsey Island
Ynys Gybi . . . . Holy Island
Ynys Seiriol . . . .
. . . . Puffin Island / Priestholm
Ynysoedd y Moelrhoniaid . . . . . .
. . . . The Skerries
Ysgyryd. . . . . Skirrid
Ysgyryd Fach . . . . Skirrid Hill
Ysgyryd Fawr . . . . Skirrid Mountain
Ystrad Fflur . . . . Strata Florida

Prydain ac Iwerddon
Britain and Ireland

Amwythig . . . . Shrewsbury
Bryste. . . . . Bristol
Caer . . . . Chester
Caeredin . . . . Edinburgh
Caerefrog. . . . . York
Caerfaddon . . . . Bath
Caer-gaint. . . . . Canterbury
Caergrawnt . . . . Cambridge
Caerliwelydd . . . . Carlisle
Caerloyw . . . . Gloucester
Caerwynt . . . . Winchester
Caerwysg . . . . Exeter
Cernyw. . . . . Cornwall
Cilgwri . . . . The Wirral
Croesoswallt . . . . Oswestry
Dulyn . . . . Dublin
Dyfnaint . . . . Devon
Gogledd Iwerddon . . . .
. . . . Northern Ireland
Gwlad-yr-haf . . . . Somerset
Henffordd . . . . Hereford
Iwerddon . . . . Ireland
Lerpwl . . . . Liverpool
Llanllieni. . . . . Leominster
Lloegr. . . . . England
Llundain . . . . London
Llwydlo. . . . . Ludlow
Manceinion . . . . Manchester
Môr y Gogledd . . . . The North Sea
Môr Udd. . . . The (English) Channel
Penbedw . . . . Birkenhead
Prydain / Prydain Fawr . . . .
. . . . Britain / Great Britain
Rhydychen . . . . Oxford
Y Deyrnas Unedig. . . . .
. . . . The United Kingdom
Yr Alban. . . . . Scotland
Ynys Manaw . . . . Isle of Man
Ynys Wyth. . . . . Isle of Wight
Ynysoedd Erch . . . . Orkney
Ynysoedd Heledd . . . The Hebrides

Gweddill y byd
The rest of the world

Affrica . . . . Africa
America . . . . America
Ariannin . . . . Argentina
Awstralia . . . . Australia
Awstria. . . . . Austria
Caersalem / Jerwsalem Jerusalem
Canada . . . . Canada
Cefnfor India . . . The Indian Ocean
Cefnfor Iwerydd / Yr Iwerydd . . . .
. . . . The Atlantic (Ocean)
De Affrica . . . . South Africa
De America . . . . . . South America
Denmarc . . . . Denmark
Efrog Newydd . . . . New York
Ewrop . . . . Europe
Ffrainc . . . . France
Gwlad Belg . . . . Belgium
Gwlad Groeg. . . . . Greece
Gwlad Pŵyl. . . . . Poland
Gwlad yr Iâ . . . . Iceland
Holand . . . . Holland
Hwngari . . . . Hungary
India. . . . . India
India'r Gorllewin . . . . . West Indies
Japan . . . . Japan
Llychlyn. . . . . Scandinavia
Llydaw. . . . . Brittany
Luxembourg . . . . Luxembourg
Norwy . . . . Norway
Portiwgal . . . . Portugal
Rwsia . . . . Russia
Rhufain . . . . Rome
Sbaen . . . . Spain

Seland Newydd . . . . New Zealand
Sweden . . . . Sweden
Tsieina . . . . China
Twrci . . . . Turkey
Unol Daleithiau'r America / U.D.A.
. . . . U.S.A.
Y Ffindir . . . . Finland
Y Gymuned Ewropeaidd . . . .
. . . . The European Community
Y Cefnfor Tawel The Pacific (Ocean)
Y Gwlff . . . . The Gulf
Y Môr Canoldir . . . .
. . . . The Mediterranean Sea
Y Môr Marw . . . . . . The Dead Sea
Y Swistir . . . . Switzerland
Yr Aifft . . . . Egypt
Yr Almaen . . . . Germany
Yr Alpau . . . . The Alps
Yr Eidal . . . . Italy
Yr Iseldiroedd . . . The Netherlands

The new unitary authorities
Yr awdurdodau unedol newydd

See pages 321 and 328

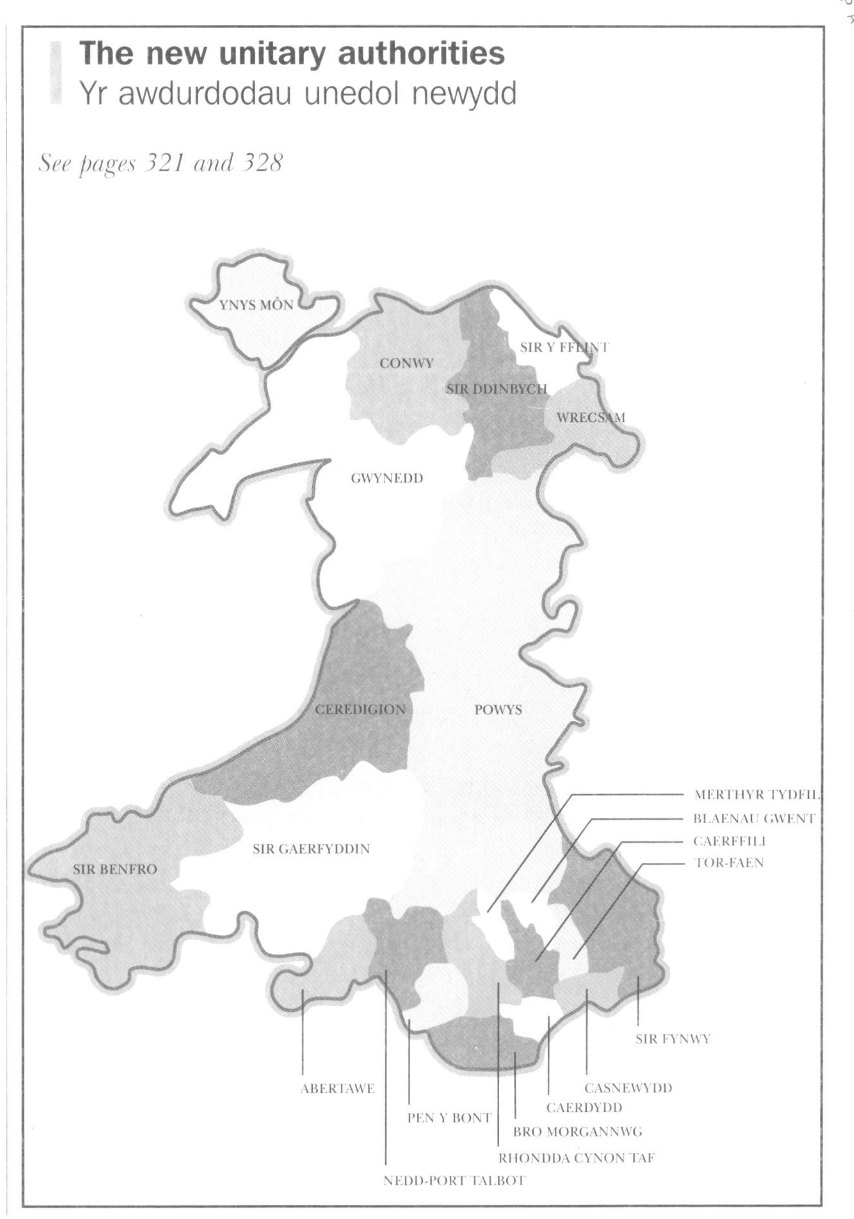

ENWAU LLEOEDD: SAESNEG – CYMRAEG
PLACE NAMES: ENGLISH – WELSH

Wales
Cymru

Mid Wales	**Y Canolbarth**
North Wales	**Y Gogledd**
South Wales	**Y De**
West Wales	**Y Gorllewin**

The counties (1974-1996)
Y siroedd (1974-1996)

Clwyd	**Clwyd**
Dyfed	**Dyfed**
Gwent	**Gwent**
Gwynedd	**Gwynedd**
Mid Glamorgan	**Morgannwg Ganol**
Powys	**Powys**
South Glamorgan	**De Morgannwg**
West Glamorgan	**Gorllewin Morgannwg**

The new unitary authorities
Yr awdurdodau unedol newydd

See map on page 327

Anglesey	**Ynys Môn**
Blaenau Gwent	**Blaenau Gwent**
Bridgend	**Pen-y-bont ar Ogwr**
Caerphilly	**Caerffili**
Cardiff	**Caerdydd**
Carmarthenshire	**Sir Gaerfyrddin**
Ceredigion	**Ceredigion**
Conwy	**Conwy**
Denbyshire	**Sir Ddinyych**
Gwynedd	**Gwynedd**
Flintshire	**Sir y Fflint**
Merthyr Tydfil	**Merthyr Tudful**
Monmouthshire	**Sir Fynwy**
Newport	**Casnewydd**
Neath Port Talbot	**Castell-nedd - Port Talbot**
Powys	**Powys**
Rhondda, Cynon, Taff	**Rhondda, Cynon, Taf**
Pembrokeshire	**Sir Benfro**
Swansea	**Abertawe**
Vale of Glamorgan	**Bro Morgannwg**
Torfaen	**Tor-faen**
Wrexham	**Wrecsam**

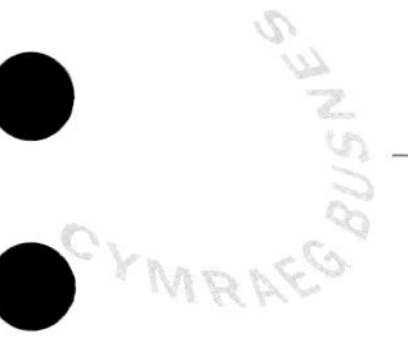

Places
Lleoedd

Abergavenny	**Y Fenni**
Aberkenfig	**Abercynffig**
Abertillery	**Abertyleri**
Aberthaw	**Aberddawan**
Acton	**Gwaunterfyn**
Ambleston	**Treamlod**
Ammanford	**Rhydaman**
Bangor-on-Dee	**Bangor-is-coed**
Bargoes	**Bargod**
Barmouth	**Abermaw / Y Bermo**
Barry	**Y Barri**
Bassaleg	**Maesaleg**
Beaufort	**Cendl**
Beaumaris	**Biwmares**
Begelly	**Begeli**
Beguildy	**Bugeildy**
Berriew	**Aberriw**
Bishopston	**Llandeilo Ferwallt**
Bishton	**Trefesgob**
Black Mill	**Melin Ifan Ddu**
Blackwood	**Coed-duon**
Blaina	**Blaenau**
Bletherston	**Trefelen**
Bonvilston	**Tresimwn**
Boughrood	**Bochrwyd**
Boverton	**Trebefered**
Broughton	**Brychdwn**
Brecon	**Aberhonddu**
Bridgend	**Pen-y-bont ar Ogwr**
Britton Ferry	**Llansawel**
Buckley	**Bwcle**
Builth Wells	**Llanfair-ym-muallt**
Bynea	**Y Bynie**
Cadoxton	**Tregatwg**
Cadoxton-juxta-Neath	**Llangatwg (Fawr)**
Caerleon	**Caerllion**
Caerphilly	**Caerffili**
Canton	**Treganna**
Cardiff	**Caerdydd**
Cardigan	**Aberteifi**
Carew	**Caeriw**
Carmarthen	**Caerfyrddin**
Carway	**Carwe**
Castle Morris	**Casmorys**
Castleton	**Cas-bach**
Cemaes (Bay)	**Cemais [Môn]**
Cemmaes Road	**Glantwymyn**
Chepstow	**Cas-gwent**
Chirk	**Y Waun**
Christchurch	**Eglwys y Drindod**
Churchstoke	**Yr Ystog**
Church Village	**Gartholwg**
Cidwelly	**Cydweli**
Clyne	**Y Clun**
Clyro	**Cleirwy**
Cockett	**Y Cocyd**
Colwinston	**Tregolwyn**
Colwyn Bay	**Bae Colwyn**
Cornelly	**Corneli**
Cowbridge	**Y Bont-faen**
Coychurch	**Llangrallo**
Crickhowell	**Crucywel**
Crinow	**Crynwedd**
Crucorney	**Crucornau Fawr**
Denbigh	**Dinbych**
Devil's Bridge	**Pontarfynach**
Devynock	**Defynnog**
Dewston	**Llanddewi**
Diserth	**Dyserth**
Druid	**Y Ddwyryd**
Dunvant	**Dynfant**
Ebbw Vale	**Glyn Ebwy**
Elan Village	**Pentre-elan**
Ely	**Tre-lái**
Fairbourne	**Y Friog**
Fairwater [Cardiff]	**Tyllgoed**
Ferryside	**Glanyfferi**
Fishguard	**Abergwaun**
Flemingston	**Trefflemin**
Flint	**Y Fflint**
Fonmon	**Ffwl-y-mwn**
Forden	**Ffordun**
Gileston	**Silstwn**
Glasbury	**Clas-ar-Wy**
Goodwick	**Wdig**
Gowerton	**Tre-gŵyr**
Goytre	**Y Goetre**
Gresford	**Gresffordd**
Grosmont	**Y Grysmwnt**
Grovesend	**Pengelli (-ddrain)**
Guilsfield	**Cegidfa**
Halkyn	**Helygain**
Halghton	**Halchdyn**
Haverford West	**Hwlffordd**
Hawarden	**Penarlâg**
Hawthorn	**Y Ddraenen Wen**
Haycastle	**Cas-lai**
Hay-on-Wye	**Y Gelli (Gandryll)**
Holyhead	**Caergybi**
Holywell	**Treffynnon**
Hope	**Yr Hôb**
Hopkinstown	**Trehopcyn**

Ilston . . . . **Llanilltud Gŵyr**

Jordanston . . . . **Trefwrdan**
Kenfig . . . . **Cynffig**
Kenfig Hill. . . . . . . **Mynydd Cynffig**
Kemeys. . . . . **Cemais [Gwent]**
Kerry . . . . **Ceri**
Killay . . . . **Cilâ**
Kilvey . . . . **Cilfái**
Knighton . . . . **Trefyclo**
Knucklas. . . . . **Cnwclas**

Laleston . . . . **Trelales**
Landore . . . . **Glandŵr**
Lampeter . . **Llanbedr Pont Steffan**
Lamphey . . . . **Llandyfái**
Largharne . . . . **Lacharn**
Lavernock. . . . . **Larnog**
Leckwith . . . . **Lecwydd**
Leeswood . . . . **Coed-llai**
Leighton . . . . **Tre'r-llai**
Letterston. . . . . **Treletert**
Lisvaen . . . . **Llys-faen**
Little Newcastle . **Casnewydd-bach**
Llanbedr (Paincastle) . . . .
. . . . **Llanbedr (Castell-Paen)**
Llanblethian . . . . **Llanfleiddian**
Llanbythery . . . . **Llanbydderi**
Llanddewi Velfrey **Llanddewi Felffre**
Llandegley. . . . . **Llandeglau**
Llandough . . . . **Llandochau**
Llandovery . . . . **Llanymddyfri**
Llandow . . . . **Llandŵ**
Llanfoist . . . . **Llan-ffwyst**
Llangennith. . . . . **Llangynydd**
Llanishen. . . . . **Llanisien**
Llanmartin. . . . . **Llanfarthin**

Llanmihangel. . . . .
. . . . . **Llanfihangel y Bont-faen**
Llanover . . . . **Llanofer Fawr**
Llanrumney . . . . **Llanrhymni**
Llanthewy Skirrid . . . .
. . . . **Llandewi Ysgyryd**
Llantilo Crosseny . . . .
. . . . **Llandeilo Gresynni**
Llantony . . . **Llanddewi Nant Hodni**
Llantwit Major . . . . **Llanilltud Fawr**
Llantwit Vardre . **Llanilltud Faerdref**
Llanvaches . . . . **Llanfaches**
Llanvapley . . . . **Llanfable**
Llanvihangel Crucorney . . . .
. . . . . . **Llanfihangel Crucornau**
Llanvihangel near Roggiet . . . .
. . . . **Llanfihangel**
Llanwonno. . . . . **Llanwynno**
Llanyre . . . . . . **Llanllŷr (-yn-Rhos)**
Llawhaden . . . . **Llanhuadain**
Loughor . . . . **Casllwchwr**
Ludchurch . . . . . . **Yr Eglwys Lwyd**

Magor. . . . . **Magwyr**
Maindee . . . . **Maendy**
Manorbier . . . . **Maenorbŷr**
Marchwiel . . . . **Marchwiail**
Mardy . . . . **Maerdy**
Meliden . . . . **Allt Melyd**
Menai Bridge . . . . . . **Porthaethwy**
Merthyr Vale . . . . **Ynysowen**
Michaelchurch-on-Arrow . . . .
. . . . **Llanfihangel Dyffryn Arwy**
Michaelston . . . .
. . . . . . **Llanfihangel-ynys-Afan**
Michaelston-le-Pit . . . .
. . . . **Llanfihangel-y-Pwll**

Michaelston-super-Ely . . . .
. . . . **Llanfihangel-ar-Elái**
Michaelston-y-Vedw . . . .
. . . . **Llanfihangel-y-fedw**
Middle Mill. . . . . **Felinganol**
Middletown . . . . **Treberfedd**
Milford Haven . . . **Aberdaugleddau**
Milford . . . . **Milffwrd**
Miskin . . . . **Meisgyn**
Mitchel Troy . . **Llanfihangel Troddi**
Mold . . . . **Yr Wyddgrug**
Monknash . . . . **Yr As Fawr**
Monmouth . . . . **Trefynwy**
Montgomery . . . . **Trefaldwyn**
Morganstown. . . . .
. . . . . **Treforgan / Pentre-poeth**
Morriston . . . . **Treforys**
Mountain Ash. . . . . . . **Aberpennar**
Moylgrove . . . . **Trewyddel**

Narberth . . . . **Arberth**
Nash [Vale of Glamorgan] . . . .
. . . . **Yr As Fach**
Nash [Newport]. . . . . . . **Trefonnen**
Neath . . . . **Castell-nedd**
Nevern . . . . **Nyfer**
New Radnor . . . . **Maesyfed**
Newborough . . . . **Niwbwrch**
Newcastle Emlyn . . . .
. . . . **Castellnewydd Emlyn**
Newgale . . . . **Niwgwl**
Newmarket. . . . . **Trelawnyd**
Newport [Gwent] . . . .
. . . . **Casnewydd (-ar-Wysg)**
Newport [Dyfed] . . . . . . **Trefdraeth**
Newquay. . . . . **Ceinewydd**

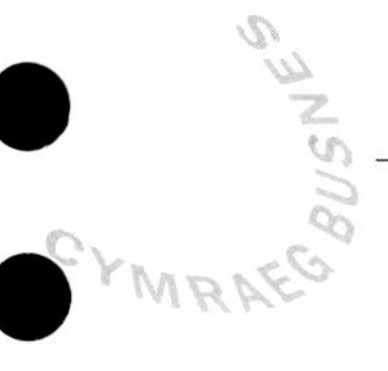

Newton Nottage . . . . **Drenewydd yn Notais**
Newtown . . . . **Y Drenewydd**
Northop . . . . **Llaneurgain**

Ogmore-by-sea . . . . **Aberogwr**
Old Radnor . . . . **Pencraig**
Oystermouth . . . . . **Ystumllwynarth**

Painscastle . . . . **Castell-paen**
Pembrey . . . . **Pen-bre**
Penally . . . . **Penalun**
Pendine . . . . **Pentywyn**
Pendoylan . . . . **Pendeulwyn**
Penhow . . . . **Penhw**
Penley . . . . **Llannerch Banna**
Penrice . . . . **Pen-rhys**
Peterston-super-Ely . **Llanbedr-y-fro**
Peterston-super-montem . . . . **Llanbedr ar fynydd**
Peterston Wentloog . . . . **Llanbedr Gwynllŵg**
Point of Ayr . . . . **Y Parlwr Du**
Pontneathvaughan . . . . **Pontneddfechan**
Pontypool . . . . **Pont-y-pŵl**
Portskewett . . . . **Porth Sgiwed**
Powys Castle . . . . . **Y Castell Coch**
Presteigne . . . . **Llanandras**
Puncheston . . . . **Cas-mael**
Pwll Meyrick . . . . **Pwll Meurig**
Pyle . . . . **Y Pîl**

Quakers Yard . . . . **Mynwent y Crynwyr**

Radyr . . . . **Radur**
Raglan . . . . **Rhaglan**
Rhayader . . . . **Rhaeadr Gwy**
Rhoose . . . . **Y Rhws**
Rhossili . . . . **Rhosili**
Rhos-on-sea . . . **Llandrillo-yn-rhos**
Rhulen . . . . **Rhiwlen**
Risca . . . . **Rhisga**
Roath . . . . **Y Rhath**
Roch . . . . **Y Garn**
Rogerstone . . . . **Tŷ-du**
Rossett . . . . **Yr Orsedd**
Ruabon . . . . **Rhiwabon**
Rudry . . . . **Rhydri**
Rumney . . . . **Tredelerch**

Sennybridge . . . . **Pontsenni**
Seven Sisters . . . . **Blaendulais**
Shirenewton . . . . **Drenewydd Gelli-farch**
Siginston . . . . **Tresigin**
Skenfrith . . . . **Ynysgynwraidd**
Sketty . . . . **Sgeti**
Skewen . . . . **Sgiwen**
Solva . . . . **Solfach**
Soughton . . . . **Sychdyn**
Splott . . . . **Y Sblot**
St Andrews Major . . . **Saint Andras**
St Asaph . . . . **Llanelwy**
St Athan . . . . **Sain Tathan**
St Brides . . . . **Sain Ffraid**
St Brides Major . . . . **Saint-y-brid [Bro Morgannwg]**
St Brides Minor . . . . **Llansanffraid-ar-Ogwr**
St Brides Netherwent . . . . **Saint-y-brid [Mynwy]**

St Brides-super-Ely . . . . **Llansanffraid-ar-Elái**
St Bride's Wentloog . . . . **Llansanffraid Gwynllwg**
St Clears . . . . **Sanclêr**
St David's . . . . **Tyddewi**
St Dogmaels . . . . **Llandudoch**
St Donat's . . . . **Sain Dunwyd**
St Elvis . . . . **Llaneilfyw**
St Fagans . . . . **Sain Ffagan**
St Julians . . . . **Sain Silian**
St Lythan's . . . . **Llwyneliddon**
St Mary Church . . . . **Llan-fair**
St Mary Hill . **Eglwys Fair y Mynydd**
St Maughan's . . . . **Llanfocha**
St Mellons . . . . **Llaneirwg**
St Nicholas [Pembs] . . **Tremarchog**
St Nicholas [Vale of Glamorgan] . . . . **Sain Nicolas**
St Petrox . . . . **Sain Petrog**
St Pierre . . . . **Sain Pŷr**
Staylittle . . . . **Penffordd-las**
Strata Florida . . . . **Ystrad-fflur**
Sully . . . . **Sili**
Synod Inn . . . . **Post-mawr**

Taff's Well . . . . **Ffynnon Taf**
Talley . . . . **Talyllychau**
Tal-y-bont on Usk . . . . **Tal-y-bont ar Wysg**
Tenby . . . . **Dinbych-y-pysgod**
Three Crosses . . . . **Y Crwys**
Tintern . . . . **Tyndyrn**
Trebanos . . . . **Trebannws**
Tredegar . . . . **Tredegyr**
Tredunnock . . . . **Tredynog**
Trefethin . . . . **Trefddyn**

Treleck. . . . . **Tryleg**
Tretower . . . . **Tretŵr**
Tythegston. . . . . **Llandudwg**

Undy . . . . **Gwndy**
Upper Boat . . . . **Glan-bad**
Upper Chapel . . . . . . **Capel Uchaf**
Usk . . . . **Brynbuga**

Vaynor. . . . . **Y Faenor**
Verwick . . . . **Y Ferwig**

Welsh St Donats . . . . **Llanddunwyd**
Welshpool . . . . **Y Trallwng**
Wenvoe . . . . **Gwenfô**
Whitchurch [Cardiff] . . . .
. . . . **Yr Eglwys Newydd**
Whitchurch [Pembs] . . . . **Tre-groes**
Whitechurch [Pembs] . **Eglwys Wen**
Whitland . . . **Hendy-gwyn (-ar-Daf)**
Whitford. . . . . **Chwitffordd**
Wick . . . . **Y Wig**
Wiston . . . . **Cas-wis**
Wolf's Castle . . . . **Cas-blaidd**
Wolvesnewton . . . . **Llanwynell**
Wonastow . . . . **Llanwarw**

Features
Nodweddion

Anglesey. . . . . **(Ynys) Môn**

Bala Lake. . . . . **Llyn Tegid**
Bardsey Island. . . . . **Ynys Enlli**
Black Mountain . . . . . . **Mynydd Du**
Black Mountains . . . . **Y Mynydd Du**
Brecon Beacons . . . .
. . . . **Bannau Brycheiniog**
Brecon Beacons National Park . . . .
. . . **Parc Cenedlaethol Bannau**
. . . . **Brycheiniog**
Bristol Channel / Severn Sea . . . . .
. . . . **Môr Hafren**

Cader Idris . . . . **Cader Idris**
Caernarfon Bay . . **Bae Caernarfon**
Caldey Island . . . . **Ynys Bŷr**
Cardigan Bay . . . . **Bae Ceredigion**
Carmarthen Bay. . **Bae Caerfyrddin**
Carmarthen Vans. . **Bannau Sir Gâr**
Clwydian Hills . . . . . **Bryniau Clwyd**
Crimea Pass . . . . . . **Bwlch Crimea**

Eastern Cleddau . **Afon Cleddy Ddu**
East Mouse . . . . **Ynys Amlwch**

Golden Grove . . . . **Y Gelli Aur**
Gower . . . . **Gŵyr**
Gower Peninsula . . . . . . **Bro Gŵyr**
Great Orme. . . . . **Y Gogarth**
Great Orme's Head . **Pen y Gogarth**
Gwent Levels . . . . . . **Morfa Gwent**
Holyhead Mountain . . . **Mynydd Tŵr**

Holy Island . . . . **Ynys Gybi**
Horseshoe Pass. . . . .
. **Yr Oernant / Bwlch yr Oernant**

Irish Sea. . . . . **Môr Iwerddon**

Lake Vyrnwy . . . . **Llyn Efyrnwy**
Lavan Sands. . . . . . . **Traeth Lafan**
Lavernock Point . . . . **Trwyn Larnog**
Little Orme. . . . . . . **Trwyn y Fuwch**
Llangorse Lake . . . . **Llyn Syfaddan**
Lond Mountain . . . . . . **Cefn Digoll**
Luggy Brook . . . . **Afon Helygi**
Llŷn (Lleyn) . . . . **Llŷn**

Menai Strait . . . . **Afon Menai**

Pembrokeshire Coast National
Park. . . . . . . **Parc Cenedlaethol**
. . . . **Arfordir Penfro**
Plynlimon . . . . **Pumlumon**
Porthkerry . . . . **Porthceri**
Preseli Hills. . . . . . **Bryniau Preseli**
Puffin Island / Priestholm. . . . .
. . . . **Ynys Seiriol**

Ramsey Island . . . . **Ynys Dewi**
Red Warf Bay. . . . . . . **Traeth Coch**
River Arrow. . . . . **Afon Arwy**
River Clown. . . . . **Afon Clun**
River Dyfi (Dovey) . . . . . . **Afon Dyfi**
River Ebbw. . . . . **Afon Ebwy**
River Ely . . . . **Afon Elái**
River Mule . . . . **Afon Miwl**
River Loughor . . . . . . **Afon Llwchwr**
River Lugg [Powys] . . . **Afon Llugwy**
River Monnow . . . . . . **Afon Mynwy**

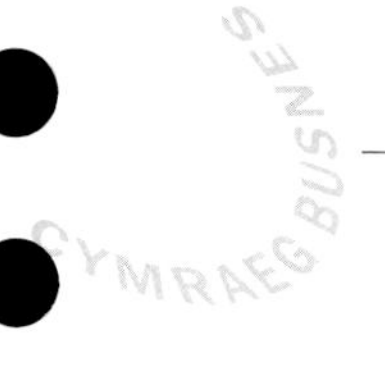

River Neath . . . . **Afon Nedd**
River Nevern . . . . **Afon Nyfer**
River Ogmore . . . . **Afon Ogwr**
River Severn . . . . **Afon Hafren**
River Solva. . . . . **Afon Solfach**
River Thaw. . . . . **Afon Ddawan**
River Taff . . . . **Afon Taf**
River Teme [Powys] . **Afon Tefeidiad**
River Tywi (Towy) . . . . . . **Afon Tywi**
River Usk. . . . . **Afon Wysg**
River Vyrnwy. . . . . . . **Afon Efyrnwy**
River Wye . . . . **Afon Gwy**

Severn Sea / Bristol Channel . . . . .
. . . . **Môr Hafren**
Skirrid (mtn). . . . . . . **Ysgyryd Fawr**
Skirrid (hill) . . . . **Ysgyryd Fach**
Snowdon . . . . **Yr Wyddfa**
Snowdonia . . . . **Eryri**
Snowdonia National Park. . . . .
. . . . . . **Parc Cenedlaethol Eryri**
St David's Head . . . **Penmaendewi**
Stalling Down . . . . **Bryn Owen**
Strata Florida . . . . **Ystrad Fflur**
Sugar Loaf Mountain . . . . **Pen-y-fâl**
Swallow Falls . . . **Rhaeadr Ewynnol**

The Celtic Sea . . . . **Y Môr Celtaidd**
The Llŷn Peninsula . **(Penrhyn) Llŷn**
The Rivals . . . . **Yr Eifl**
The Skerries . . . .
. . . . . **Ynysoedd y Moelrhoniaid**

Valle Crucis . . . .
. . . . **Glyn-y-groes / Glynegwestl**

Western Cleddau . . . .
. . . . **Afon Cleddy Wen**
West Mouse. . . . . . **Maen y Bugail**
Whistling Sands . . . . **Porthor**
Worm's Head . . . . **Pen Pyrod**

Britain and Ireland
Prydain ac Iwerddon

Bath . . . . **Caerfaddon**
Birkenhead . . . . **Penbedw**
Bristol. . . . . **Bryste**
Britain / Great Britain . . . .
. . . . **Prydain / Prydain Fawr**
Cambridge . . . . **Caergrawnt**
Canterbury. . . . . **Caer-gaint**
Carlisle . . . . **Caerliwelydd**
Chester . . . . **Caer**
Cornwall. . . . . **Cernyw**
Devon . . . . **Dyfnaint**
Dublin . . . . **Dulyn**
Edinburgh . . . . **Caeredin**
England. . . . . **Lloegr**
Exeter . . . . **Caer-wysg**
Gloucester . . . . **Caeloyw**
Hereford . . . . **Henffordd**
Ireland . . . . **Iwerddon**
Isle of Man . . . . **Ynys Manaw**
Isle of Wight. . . . . **Ynys Wyth**
Jerusalem . . . .
. . . . . . **Caersalem / Jerwsalem**
Leominster . . . . **Llanllieini**
Liverpool . . . . **Lerpwl**
London . . . . **Llundain**
Ludlow. . . . . **Llwydlo**
Manchester . . . . **Manceinion**
New York . . . . **Efrog Newydd**
Nothern Ireland . . . .
. . . . **Gogledd Iwerddon**
London . . . . **Llundain**
Oswestry . . . . **Croesoswallt**
Orkney . . . . **Ynysoedd Erch**

Oxford . . . . **Rhydychen**
Scotland. . . . . **Yr Alban**
Shrewsbury . . . . **Amwythig**
Somerset . . . . **Gwlad-yr-haf**
York. . . . . **Caerefrog**
Rome . . . . **Rhufain**
The (English) Channel. . . . **Môr Udd**
The Hebrides . . . **Ynysoedd Heledd**
The North Sea . . . . **Môr y Gogledd**
The Wirral . . . . **Cilgwri**
The United Kingdom . . . . **Y Deyrnas Unedig**
Winchester. . . . . **Caer-wynt**

The rest of the world
Gweddill y byd

Africa . . . . **Affrica**
America . . . . **America**
Argentina . . . . **Ariannin**
Australia . . . . **Awstralia**
Austria. . . . . **Awstria**
Belgium . . . . **Gwlad Belg**
Brittany. . . . . **Llydaw**
Canada . . . . **Canada**
China. . . . . **Tsieina**
Cornwall. . . . . **Cernyw**
Denmark . . . . **Denmarc**
Egypt . . . . **Yr Aifft**
English Channel. . . . . **Môr Udd**
Europe . . . . **Ewrop**
Finland. . . . . **Y Ffindir**
France . . . . **Ffrainc**
Germany . . . . **Yr Almaen**
Greece. . . . . **Gwlad Groeg**
Poland. . . . . **Gwlad Pŵyl**
Holland . . . . **Holand**
Hungary . . . . **Hwngari**
Iceland . . . . **Gwlad yr Iâ**
India. . . . . **India**
Italy . . . . **Yr Eidal**
Japan . . . . **Japan**
Luxembourg . . . . **Luxmebourg**
New York . . . . **Efrog Newydd**
New Zealand . . . . **Seland Newydd**
Norway . . . . **Norwy**
Portugal . . . . **Portiwgal**
Rome . . . . **Rhufain**
Russia . . . . **Rwsia**
Scandinavia. . . . . **Llychlyn**
South Africa . . . . **De Affrica**
South America . . . . . . **De America**
Spain . . . . **Sbaen**
Sweden . . . . **Sweden**
Switzerland . . . . **Y Swisdir**
The Alps . . . . **Yr Alpau**
The Atlantic (Ocean) . . . . **Cefnfor Iwerydd**
The Dead Sea . . . . . . **Y Môr Marw**
The European Community . . . . **Y Gymuned Ewropeaidd**
The Gulf . . . . **Y Gwlff**
The Indian Ocean . . . **Cefnfor India**
The Mediterranean Sea. . . . . **Y Môr Canoldir**
The Netherlands . . . **Yr Iseldiroedd**
The Pacific (Ocean) . . . . **Y Cefnfor Tawel**
Turkey. . . . . **Twrci**
U.S.A. . . **Unol Daleithiau America**
West Indies . . . . . **India'r Gorllewin**

ADRAN 2

GEIRIADUR CYMRAEG/SAESNEG A SILLAFWR

SECTION 2

WELSH/ENGLISH DICTIONARY AND SPELLCHECK

Yn yr Adran hon – In this Section

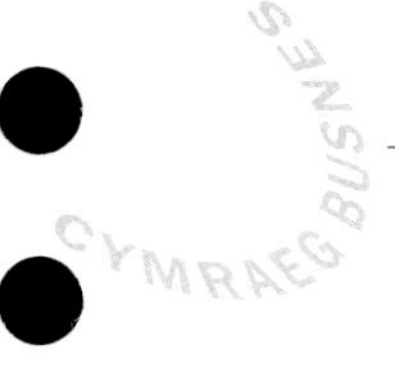

RHAGAIR
FOREWORD

Pwrpas yr adran hon yw darparu rhestr sylfaenol o eiriau a thermau Cymraeg-Saesneg. Mae'n cynnwys cenedl a lluosog enwau a rhai ffurfiau berfol ac mae'n gweithredu fel sillafwr ar gyfer materion fel dyblu 'n' ac 'r' a defnyddio acenion.

This section provides a basic list of Welsh-English words and terms. It contains the gender and plurals of nouns and some verb forms; it also serves as a spellcheck for matters concerning the doubling of 'n' and 'r' and the use of accents.

Enwau
Nouns

(a) **Unigol/Lluosog** – Singular/Plural

There is no one method of forming plurals in Welsh which corresponds to adding 's' in English. There are in fact 7 different ways of forming plurals, together with a number of different endings. It is vital therefore that plural forms are checked against the singular form. Note that vowel changes sometimes occur between singular and plural forms. Care should also be taken with the use of double **'n'** *and* **'r'**. *Singular meanings only are given in English; alternative meanings are separated by a semi-colon* **(;)**, *e.g.*

achos/achosion – case; cause
cadair/cadeiriau – chair
ysgrifennydd/ysgrifenyddion – secretary

(b) **Cenedl** – Gender

(i) masculine/feminine
Nouns are either **masculine** *or* **feminine** *in Welsh; when they refer to people, apart from those which obviously refer to a male* (**tad** – father) *or female* (**mam** – mother), *they generally have*

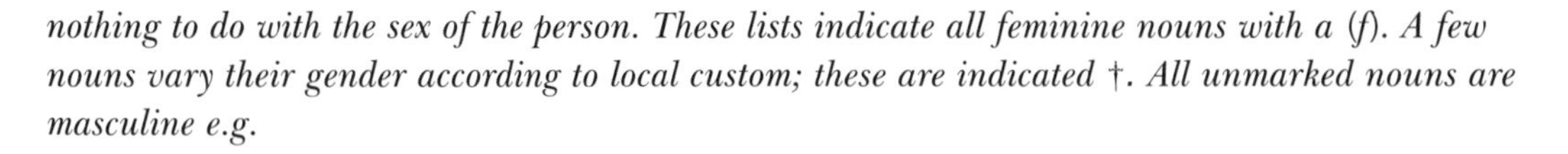

nothing to do with the sex of the person. These lists indicate all feminine nouns with a (f). A few nouns vary their gender according to local custom; these are indicated †. All unmarked nouns are masculine e.g.

adeilad/adeiladau – building
amlen/amlenni *f* – envelope
apêl/apeliadau † – appeal

(ii) male/female classification

Feminine forms of some words have existed in the language for a long time:

-es ending	**dyn** – man	**dynes** – woman
	sant – saint	**santes** – female saint
	Albanwr – Scotsman	**Albanes** – Scotswoman
-wraig ending	**myfyriwr** – student	**myfyrwraig** – female student

(iii) job or action classification

Words which describe people's work or their actions are often formed by adding an ending to the verb stem. Words ending in **-wr/-iwr** *are all masculine and form their plurals in* **-wyr**. *Similarly, words ending in* **-ydd** *are also masculine; some form their plurals in* **-wyr**, *others by adding* **-ion**.

rheoli – to manage	> **rheolwr/rheolwyr** – manager/-s
rhedeg – to run	> **rhedwr/rhedwyr** – runner/-s
cynhyrchu – to produce	> **cynhyrchydd/cynhyrchwyr** – producer/-s
derbyn – to receive	> **derbynnydd/derbynyddion** – receptionist/-s

There have been moves over recent years to try and promote the use of the **-wraig** *ending to refer to a job or action done by a female e.g.*

rhedwr – runner	> **rhedwraig** – a female runner
rheolwr – manager	> **rheolwraig** – female manager

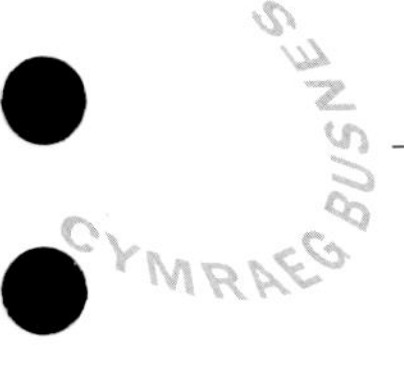

More recently, some have tried to encourage the wider use of the 'neutral sounding' **-ydd** *ending in the belief that it is less sexist than the* **-wr** *ending e.g.*

cyfarwyddwr – director   **cyfarwyddydd**

These developments ignore the fact that both **-wr** *and* **-ydd** *are masculine noun endings and that gender in Welsh grammar is concerned primarily with the classification of nouns and not the sex of people. They have also at times thrown up some rather unwieldy terms.*

Berfau
Verbs

Verbs are listed in their verb-noun forms (**mynd**), *explained in English by the infinitive* (to go). e.g.

achosi – to cause
cyrraedd – to arrive; to reach

Note that the verb-noun is sometimes used in Welsh where a noun is used in English e.g.

adleoli – to relocate
  adleoli staff – relocation of staff

In addition to the verb-noun, the forms of the 3rd person past tense together with the forms of the impersonal (present, future and past) *are shown where special care is required. e.g.*

derbyn – to receive
  (derbyniodd; derbynnir; derbyniwyd)

Gramadeg
Grammar

For those who want to understand how the language works, see the fuller grammar notes in ***PART C Section 3***.

GEIRIADUR A SILLAFWR
DICTIONARY AND SPELLCHECK

A

See also words beginning with **G**

a: ac – and
â: ag – with; as
abaty/abatai – abbey
aber/aberoedd † – estuary; confluence; mouth of river
absennol – absent
absenoldeb/absenoldebau – absence
academi/academïau *f* – academy
acen/acenion *f* – accent
acer/aceri *f* – acre
act/actau *f* – act
actio – to act
actor/actorion – actor
achlysur/achlysuron – occasion
achlysurol – occasional
achos/achosion – case; instance; cause
 achos da – good cause
 yn achos – in the case of
achos – because
 o achos – because of
achosi – to cause
 (achosodd; achosir; achoswyd)
achub – to rescue; to save *(not money)*
 achub cam – to defend
 achub y cyfle – to take the opportunity
ad- – re-
adar – birds
adborth – feedback
ad-daliad/ad-daliadau – refund
ad-drefnu – to reorganise
adeg/adegau *f* – time
 adeg y Nadolig – Christmas time
adeilad/adeiladau – building
adeiladu – to build
adeiladwaith – construction; structure
adeiladwr/adeiladwyr – builder
adennill – to regain
 (adenillodd; adenillir; adenillwyd)
aderyn/adar – bird
adfail/adfeilion – ruin
adfer – remedial *(adj)*
 dosbarth adfer – remedial class
 gwaith adfer – remedial work
adfer – to restore
adferiad – recovery
adfywiad – revival
adfywio – to revive
adleoli – to relocate
 (adleolodd; adleolir; adleolwyd)
 adleoli staff – relocation of staff
adleoliad – relocation
adlewyrchiad – reflection
adlewyrchu – to reflect
adloniadol – entertaining; recreational
adloniant – entertainment; recreation
adnabod – to recognise; to know *(person)*
 (adnabu; adnabyddir; adnabuwyd)
adnabyddus – well-known
adnawdd/adnoddau – resource
adnewyddu – to renew
adnoddau – resources
adolygiad/adolygiadau – review
adolygu – to review
adran/adrannau *f* – department; section
adref – homeward
adrodd – to report
adroddiad/adroddiadau – report
 Adroddiad Blynyddol – Annual Return; Annual Report
adwaith/adweithiau – reaction
addas – suitable; fitting
addasiad/addasiadau – adaptation
addasrwydd – suitability
addasu – to adapt
addawol – promising; auspicious
addewid/addewidion – promise
addo – to promise
 (addawodd; addewir; addawyd)
addurn/addurniadau – decoration
addurniadol – decorative
addurno – to decorate
addysg *f* – education
addysgiadol – educational

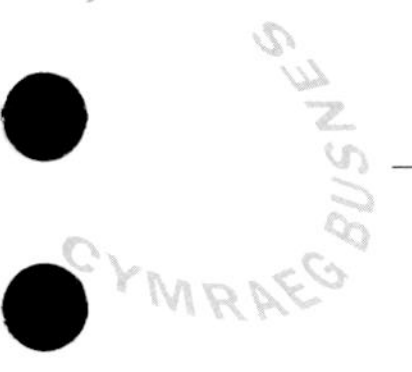

addysgol – educational
aelod/aelodau – member
aelodaeth *f* – membership
afiechyd/afiechydon – disease; illness
aflwyddiannus – unsuccessful
afon/afonydd *f* – river
  Afon Teifi – the river Teifi
  Afon Menai – Menai Straits
afreolaidd – irregular
afreolus – uncontrollable
afresymol – unreasonable
ag – with *(in front of vowels)*
agor – to open
  ar agor – open
agored – open *(adj)*
agoriad/agoriadau – opening; opportunity; key
agos – near; close
agosáu – to approach
angen/anghenion – need
anghenraid/angenrheidiau – necessity
angenrheidiol – essential
anghofio – to forget
anghwrtais – discourteous; rude
anghwrteisi – discourtesy; rudeness
anghydfod – disagreement
anghyfarwydd (â) – unfamiliar (with); unaccustomed (to)
anghyfiawn – unjust; unfair
anghyfiawnder/anghyfiawnderau – injustice
anghyflawn – incomplete
anghyfleus – inconvenient
anghyfleustra – inconvenience
anghyfreithiol – non-legal
anghyfreithlon – illegal; unlawful
anghyfrifol – irresponsible
anghyfforddus: anghyffyrddus – uncomfortable
anghyffredin – unusual; uncommon
anghyson – inconsistent
anghysondeb/anghysondebau – inconsistency
anghytundeb/anghytundebau – disagreement
anghytuno – to disagree
anghywir – incorrect
ail – second
ail- – re-
ailadrodd – to repeat
ailagor – to reopen
ailgylchu – to recycle
ailystyried – to reconsider
all- – out-
  allbwn – output
  all-lif – outflow
allan – out
  allan o – out of
allanfa/allanfeydd *f* – exit
  allanfa dân – fire exit
  allanfa frys – emergency exit
allanol – external
allbrint/allbrintiau – printout
allbwn – output
allforio – to export
  (allforiodd; allforir; allforiwyd)
allforyn/allforion – export
allgyrsiol – extracurricular
allwedd/allweddi *f* – key
allweddell/allweddellau *f* – keyboard *(music)*
allweddol – key *(adj)*
am – for; about; because
amaethyddiaeth *f* – agriculture
amaethyddol – agricultural
amatur/amaturiaid – amateur
amatur – amateur *(adj)*
  cynhyrchiad amatur – an amateur production
amaturaidd – amateurish
amau – to doubt; to suspect
  (amheuodd; amheuir; amheuwyd)
ambell – some; occasional
  ambell dro – occasionally
  ambell waith – sometimes
ambiwlans/ambiwlansys – ambulance
amcan/amcanion – intention; objective; notion
amcangyfrif/amcangyfrifon – estimate
amcangyfrif – to estimate
  (amcangyfrifodd; amcangyfrifir; amcangyfrifwyd)
amddiffyn – to defend; to protect
amddiffyniad – defence
am faint – (for) how long
amg. – enc.
  amgaeedig – enclosed
amgáu – to enclose
  (amgaeaf; amgaeir; amgaewyd)
amgen – alternative
amgenach – better
amgueddfa/amgueddfeydd *f* – museum
amgylchedd – environment; circumference
amgylchfyd – environment

amgylchiad/amgylchiadau – circumstance
amharod – unprepared; unwilling
amharu (ar) – to harm; to spoil
amhersonol – impersonal
amherthnasol – irrelevant
amheuaeth/amheuon *f* – doubt
amheus – suspicious; doubtful
amhosibl – impossible
aml – often; frequent
amlen/amlenni *f* – envelope
amlwg – obvious; evident; prominent
amod/amodau – term; condition
amodol – conditional
amryw – various
amrywiad/amrywiadau – variation
amrywiaeth † – variety
amrywio – to vary
amrywiol – variable; various; different
amser – time; period
  amser llawn – full time
  rhan-amser– part-time
amserlen/amserlenni *f* – timetable
amserlennu – to timetable
amserol – timely
amseru – to time
amwynder/amwynderau – amenity
amwys – ambiguous
amwysedd – ambiguity
amynedd – patience
amyneddgar – patient *(adj)*
anabl – disabled
anabledd – disability
anaddas – unsuitable
anarferol – unusual
anawsterau – difficulties

aneffeithiol – ineffective; ineffectual
aneglur – unclear; obscure
anelu (at) – to aim (to/at) **(anelodd; anelir; anelwyd)**
anerchiad/anerchiadau – address; greeting
anfantais/anfanteision *f* – disadvantage
  dan anfantais – disadvantaged
anfodlon – unwilling; discontented
anfoddhaol – unsatisfactory
anfon – to send **(anfonodd; anfonir; anfonwyd)**
anfoneb/anfonebau *f* – invoice
anfonebu – to invoice
anfwriadol – unintentional
anffodus – unfortunate
anffurfiol – informal
anhawster/anawsterau – difficulty
anhrefn – confusion; anarchy
anhrefnus – disorganised
anhygoel – unbelievable; incredible
anifail/anifeiliaid – animal
  anifail anwes – pet
anlwcus – unlucky
annerbyniol – unacceptable
annerch – to address **(anerchodd; anerchir; anerchwyd)**
annhebygol – unlikely
annheg – unfair
annhegwch – unfairness
annibyniaeth *f* – independence
annibynnol – independent
anniddorol – uninteresting
annigonol – insufficient
anniolchgar – ungrateful

annisgwyl – unexpected
annog – to urge
annwyd – cold *(illness)*
annwyl – dear
annymunol – unpleasant
anobeithiol – hopeless
anochel – inevitable
anodd – difficult
anorffenedig – incomplete
anos – more difficult
anrheg/anrhegion *f* – gift; present
anrhydedd/anrhydeddau † – honour
  er anrhydedd – honorary
ansawdd – quality; state; condition
ansicr – uncertain
ansicrwydd – uncertainty
answyddogol – unofficial
antur/anturiau *f* – venture; adventure
anturus – adventurous
anuniongyrchol – indirect
anwiredd/anwireddau – untruth; lie
anwybodaeth † – ignorance
anwybodus – ignorant
anwybyddu – to ignore; to disregard
anymarferol – impractical
apêl/apeliadau † – appeal
apelio (ar) – to appeal (to)
apwyntiad/apwyntiadau – appointment *(job)*
apwyntio – to appoint
ar – on
  ar gael – available
  ar goll – missing; lost
  ar gyfer – for the purpose of
  ar hyn o bryd – at this time

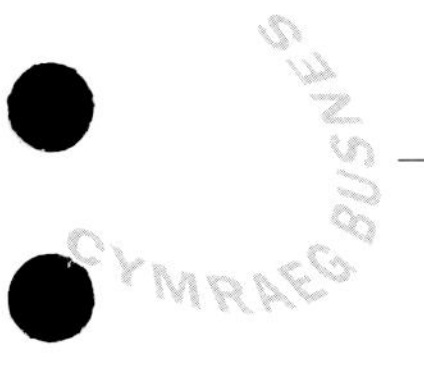

ar ôl – after
ar ran – on behalf of
ar wahân – appart
ar wahân i – appart from
araf – slow
arafu – to slow (down)
arafwch –slowness
araith/areithiau *f* – speech
arall – another; other
eraill – others; other *(with plural nouns)*
arbed – to save *(not waste)*
arbedion – savings
arbenigo – to specialise
arbenigwr/arbenigwyr – specialist; expert
arbennig – special
arbrawf/arbrofion – experiment
arbrofi – to experiment **(arbrofodd; arbrofir; arbrofwyd)**
arch/eirch *f* – coffin; ark
arch- – arch-; chief-; super-
archeb/archebion *f* – order
archeb banc – banker's order
archebu – to order; to book
archfarchnad/archfarchnadoedd *f* – supermarket
archifdy/archifdai – archive
archwiliad/archwiliadau – investigation; survey; audit
archwilio – to inspect/to examine
archwilydd/archwilwyr – auditor
ardal/ardaloedd *f* – area; district
arddangos – to exhibit
arddangosfa/arddangosfeydd *f* – exhibition
arddegau – teens
arddegyn/arddegion – teenager
ardderchog – excellent
arfer/arferion † – custom; habit
arfer – to use; to accustom
arferiad/arferiadau – custom
arferol – usual
arfordir/arfordiroedd – coast
argraff/argraffiadau *f* – impression
argraffdy/argraffdai – printing office; printers'
argraffiad/argraffiadau – edition; imprint
argraffu – to print **(argraffodd; argreffir; argraffwyd)**
argraffydd/argraffwyr – printer
argyfwng/argyfyngau – emergency
argymell – to recommend **(argymhellodd; argymhellir; argymhellwyd)**
argymhelliad/argymhellion – recommendation
arholi – to examine *(test)*
arholiad/arholiadau – examination
arholwr/arholwyr – examiner
arhosfan/arosfannau – bus stop
arhosiad – a stay
arian – money; silver
arian papur – note(s); paper money
arian parod – cash
arian poced – pocket money
ariannol – financial
ariannu – to finance; to fund
arloesi – to pioneer
arloeswr/arloeswyr – pioneer
arloesol – pioneering
arlwyo – to cater; to prepare
arlwy-ydd/arlwy-yddion – caterer
arllwys – to pour *(South)*
arllwys y glaw – to pour with rain
arolwg/arolygon – survey
arolwg barn – opinion poll
Arolwg Blynyddol – Annual Review
arolygu – to inspect; to survey; to supervise
arolygwr/arolygwyr – supervisor; inspector
arolygydd/arolygwyr – inspector; supervisor
aros – to wait; to stay **(arhosodd)**
artist/artistiaid – artist
arwain – to lead **(arweiniodd; arweinir; arweiniwyd)**
arweiniad – guidance; direction
arweinydd/arweinyddion – leader; conductor *(music)*
arwerthiant/arwerthiannau – auction; sale
arwerthwr/arwerthwyr – auctioneer
arwydd/arwyddion † – sign
arwyddair – motto
arwyddlun – symbol; emblem
arwyddo – to sign; to signify
arwyddocâd – significance
arwyddocaol – significant
arwyddocáu – to signify
asesu – to assess
asesiad/asesiadau – assessment
asiant/asiantau – agent
asiant tir – land agent

asiantaeth/asiantaethau *f* – agency
astudiaeth/astudiaethau *f* – study
astudio – to study
  (astudiodd; astudir; astudiwyd)
at – to; towards
  at sylw – for the attention of
atal – to prevent; to refrain; to stop
  (ataliodd; atelir; ataliwyd)
ateb/atebion – answer; solution
ateb – to answer
  (atebodd; atebir; atebwyd)
atebol – responsible; able; answerable
atgoffa – to remind
atgynhyrchu – to reproduce
atgyweirio – to repair
atodiad – appendix; supplement
atyniad/atyniadau – attraction
atyniadol – attractive
athrawes/athrawesau *f* – teacher *(female)*
athro/athrawon – teacher; professor
  Athro, Yr – Professor
aur – gold
awdur/awduron – author
awdurdod/awdurdodau – authority
awdurdodi – to authorise
awdurdodol – authoritative
awgrym/awgrymiadau – suggestion
awr/oriau *f* – hour
Awst – August
awydd – desire; eagerness
awyddus – eager; anxious
awyr *f* – sky
  awyr agored – open air
  awyr iach – fresh air
  awyr las – blue sky
  malu awyr – to prattle; to talk rubbish
awyren/awyrennau *f* – aeroplane
awyrgylch *f* – atmosphere
ayyb – etc.

B

See also words beginning with **P**

baban/babanod – baby
bach – small
bachgen/bechgyn – boy
bad/badau – boat
  bad achub – lifeboat
bae/baeau – bay
bag/bagiau – bag
  bag dillad – suitcase
bai/beiau – fault; blame
  bod ar fai – to be at fault
balch – pleased; proud
balchder – pride
banc/banciau – bank
bancio – to bank
band/bandiau – band
baner/baneri *f* – flag; banner
bar/bariau – bar
bara – bread
bargen/bargeinion *f* – bargain
bargeinio – to bargain
bargyfreithiwr/bargyfreithwyr – barrister
barn/barnau *f* – opinion; judgement
barnu – to conclude; to judge; to try *(court)*
bath – bath
bathodyn/bathodynnau – badge
bedd/beddau – grave
beic/beiciau – bike
beio – to blame; to fault
beichiog – pregnant
beirniadaeth/beirniadaethau *f* – criticism; adjudication

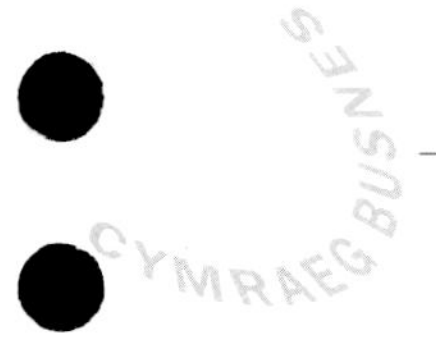

beirniadol – critical
beirniadu – to criticise
bellach – by now; any longer; further
benthyca: benthyg – to lend; to borrow
benthyciad/benthyciadau – loan
biliwn/biliynau – billion
  dau filiwn – two billion
biliwnydd/biliwnyddion – billionaire
blaen – front; point; tip
  o flaen – in front of
  o'r blaen – previously; before
  rhag blaen – immediately
blaendal/blaendaliadau – deposit
blaengar – progressive; prominent
blaenoriaeth/blaenoriaethau *f* – priority
blaenoriaethu – to prioritise
blaenorol – previous
blas/blasau – taste
  Blas ar Gymru – a Taste of Wales
  cael blas ar – to enjoy
blasu – to taste
blasus – tasty; delicious
ble – where
blin – angry; tired
blinder – fatigue; tiredness
blinedig – tired; tiring
blino – to tire; become tired
  wedi blino – tired
blodyn/blodau – flower
blwch/blychau – box
blwydd-dâl/blwydd-daliadau – annuity
blwyddyn/blynyddoedd *f* – year
  blynedd – years *(with numbers)*
  Blwyddyn Newydd Dda – Happy New Year
blynyddol – annual
bocs/bocsys – box
bod – to be; that
bodlon – satisfied; willing
bodloni – to satisfy; to be satisfied
bodolaeth – existence
bodoli – to exist
boddhad – enjoyment; satisfaction
boddhaol – satisfactory
bonws – bonus
bonyn/bonion – counterfoil; stub
bore/boreau – morning
bradychu – to betray
braf – fine; nice
braidd – rather
brawd/brodyr – brother
brawd/brodyr – friar
  tŷ brodyr – friary
  Tŷ'r Brodyr – the Friary
brecwast – breakfast
brechdan/brechdanau *f* – sandwich
brechiad/brechiadau – vaccination; inoculation
brechu – to vaccinate; to inoculate
bregus – fragile; flimsy
brodordy/brodordai – friary
brenin/brenhinoedd – king
brenhines/breninesau *f* – queen
brenhinol – royal; regal
brethyn – (woollen) cloth; material
breuddwyd/breuddwydion †
breuddwydio – to dream
bridiwr/bridwyr – breeder
brifo – to hurt; to injure
bro/bröydd *f* – region; vale
brodor/brodorion – native
brodorol – indigenous; native
broliant – blurb
bron – almost; nearly *(adv)*
brwd – enthusiastic
brwdfrydedd – enthusiasm
brwdfrydig – fervent
brwnt – dirty *(South)*; rough; nasty; cruel *(North)*
brws/brwsys – brush
bryn/bryniau – hill
brys – haste
brysio – to hurry
  Brysiwch Wella – Get Well Soon
brysiog – hasty
buan – soon; swift; fast
budr – dirty; filthy *(North)*
  hogyn budr – a dirty boy
  bachgen budr – a bit of a lad *(South)*
budd – benefit *(well being)*
budd-dâl/budd-daliadau – benefit *(finance)*
buddiannau – welfare; interests
buddiol – beneficial
buddsoddi – to invest
buddugol – victorious
buddugoliaeth/buddugoliaethau *f* – victory
buddugwr/buddugwyr – victor; winner
busnes/busnesau – business
busnesa – to meddle; to interfere
busneslyd – nosey
  person busneslyd – a busy-body
bwcio – to book
bwffe – buffet

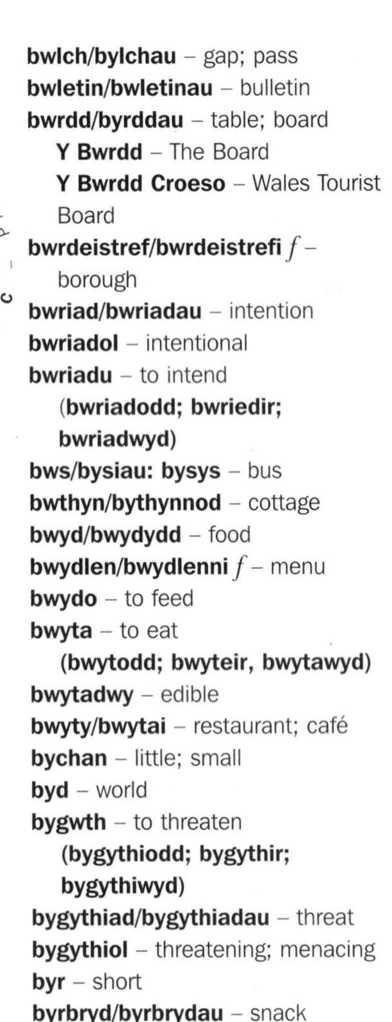

bwlch/bylchau – gap; pass
bwletin/bwletinau – bulletin
bwrdd/byrddau – table; board
  Y Bwrdd – The Board
  Y Bwrdd Croeso – Wales Tourist Board
bwrdeistref/bwrdeistrefi *f* – borough
bwriad/bwriadau – intention
bwriadol – intentional
bwriadu – to intend (**bwriadodd; bwriedir; bwriadwyd)**
bws/bysiau: bysys – bus
bwthyn/bythynnod – cottage
bwyd/bwydydd – food
bwydlen/bwydlenni *f* – menu
bwydo – to feed
bwyta – to eat **(bwytodd; bwyteir, bwytawyd)**
bwytadwy – edible
bwyty/bwytai – restaurant; café
bychan – little; small
byd – world
bygwth – to threaten **(bygythiodd; bygythir; bygythiwyd)**
bygythiad/bygythiadau – threat
bygythiol – threatening; menacing
byr – short
byrbryd/byrbrydau – snack
bysell/bysellau *f* – key *(typing/instrumental)*
bysellfwrdd/bysellfyrddau – keyboard *(typing)*
byth – always; ever; never *(in negative sentence)*
byw – to live
byw – lively; living; alive *(adj)*
bywoliaeth/bywoliaeth *f* – livelihood; living
bywyd/bywydau – life

C

cacen/cacennau *f* – cake
cadair/cadeiriau *f* – chair
cadarn – strong; firm
cadarnhau – to confirm **(cadarnhaodd; cadarnheir; cadarnhawyd)**
cadeirydd/cadeiryddion – chairperson
cadw – to keep; to save; to reserve
cadwraeth *f* – conservation
cadwriaethol – conservation *(adj)*
  corff cadwriaethol – a conservation body
cae/caeau – field
cael – to have; to get **(cafodd; ceir; cafwyd)**
caer/caerau *f* – fort; castle
caffi/caffis – café
cangen/canghennau *f* – branch
cais/ceisiadau – application; request
caled – hard
caledi – hardship; adversity
caledu – to harden; to solidify; to temper *(metal)*
caledwedd – hardware
calendr/calendrau – calendar
calon/calonnau *f* – heart; core; centre
calonogol – encouraging
cam/camau – step; pace
  bob cam – all the way
  cam gwag – false step
  camau breision – good progress

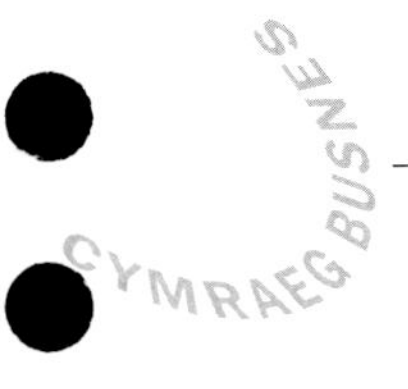

cam – a wrong
achub cam – to defend
cael cam – to be wronged
unioni cam – to right a wrong
cam- – mis-
camargraff – false impression
camarwain – to mislead
camarweiniol – misleading
camddeall – to misunderstand
camddealltwriaeth – misunderstanding
camddefnyddio – to misuse
camera/camerâu – camera
camgymeriad/camgymeriadau – mistake
camgymryd – to mistake
camp/campau *f* – feat; game
campfa/campfeydd *f* – gymnasium
campus – excellent; splendid
campwaith/campweithiau – masterpiece
camymddwyn – to misbehave
canfed – hundredth
caniatâd – permission
caniataol – granted
cymryd yn ganiataol – to take for granted
caniatáu – to permit; to allow **(caniataodd; caniateir; caniatawyd)**
canlyn – to follow
canlyniad/canlyniadau – result
canlynol – following
canllaw/canllawiau – guideline
canmol – to praise
canmoladwy – praiseworthy; commendable
cannoedd – hundreds
canol – middle
ar ganol – in the middle of
Canolbarth, y – Mid-Wales
canolbwynt – central point; focus
canolbwyntio – to concentrate; to focus
canolfan/canolfannau † – centre
canoli – to centre; to centralise; to mediate
canolig – moderate; mediocre; middling
canolog – central; basic; middle
canolwr/canolwyr – mediator; referee *(job)*
canran/canrannau *f* – percentage
canrif/canrifoedd *f* – century
canslo – to cancel
cant/cannoedd – hundred
y cant – per cent
canu – to sing; to ring
canu cloch – to ring a bell
capel/capeli – chapel
capten/capteniaid – captain
car/ceir – car
carafán/carafanau – caravan
carchar/carcharau – jail; prison
carcharor/carcharorion – prisoner
carcharu – to imprison
carden/cardiau *f* – card
caredig – kind
carfan/carfanau † – faction; squad
cario – to carry; **(cariodd; cludir; cariwyd)**
carped/carpedi – carpet
carpedu – to carpet
carreg/cerrig *f* – stone; pip
carreg filltir – milestone
cartref/cartrefi – home
gartref – at home
oddi cartref – away from home
cartrefol – homely; at home
cartrefu – to house
cartŵn/cartwnau – cartoon
carthffosiaeth *f* – sewerage; drainage
caru – to love
cas – nasty
cas – case *(container)*
cas arddangos – showcase; display cabinet
casáu – to hate; to dislike
casét/casetiau – cassette
casét fideo – video cassette
casét sain – audio cassette
casgliad/casgliadau – conclusion; collection
casglu – to conclude; to collect; to congregate **(casglodd; cesglir; casglwyd)**
casglwr/casglwyr – collector
castell/cestyll – castle
catalog/catalogau – catalogue
categori/categorïau – category
cau – to close; to shut **(caeodd; caeir; caewyd)**
cawod/cawodydd *f* – shower
caws – cheese
caws llyffant – toadstool
ccc – plc
cwmni cyfyngedig cyhoeddus – public limited company
cebl/ceblau – cable
cefn/cefnau – back; rear

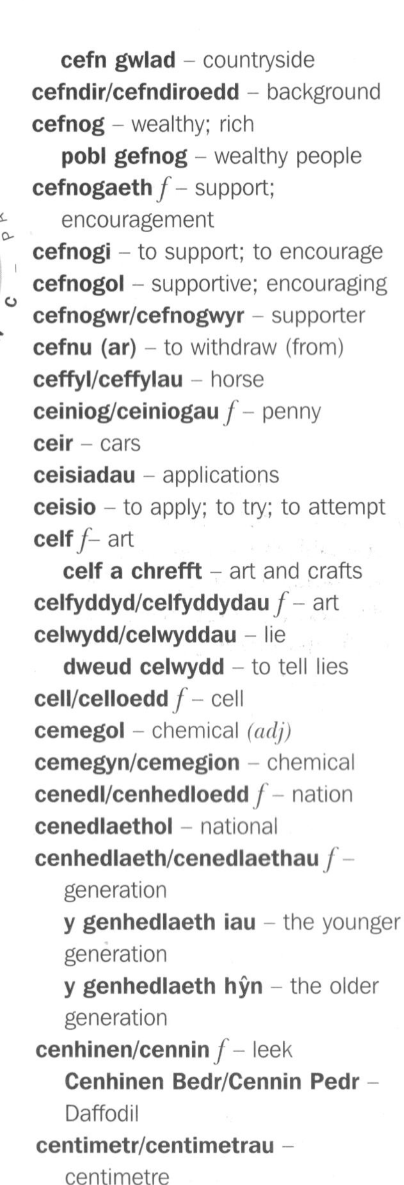

  - **cefn gwlad** – countryside
- **cefndir/cefndiroedd** – background
- **cefnog** – wealthy; rich
  - **pobl gefnog** – wealthy people
- **cefnogaeth** *f* – support; encouragement
- **cefnogi** – to support; to encourage
- **cefnogol** – supportive; encouraging
- **cefnogwr/cefnogwyr** – supporter
- **cefnu (ar)** – to withdraw (from)
- **ceffyl/ceffylau** – horse
- **ceiniog/ceiniogau** *f* – penny
- **ceir** – cars
- **ceisiadau** – applications
- **ceisio** – to apply; to try; to attempt
- **celf** *f*– art
  - **celf a chrefft** – art and crafts
- **celfyddyd/celfyddydau** *f* – art
- **celwydd/celwyddau** – lie
  - **dweud celwydd** – to tell lies
- **cell/celloedd** *f* – cell
- **cemegol** – chemical *(adj)*
- **cemegyn/cemegion** – chemical
- **cenedl/cenhedloedd** *f* – nation
- **cenedlaethol** – national
- **cenhedlaeth/cenedlaethau** *f* – generation
  - **y genhedlaeth iau** – the younger generation
  - **y genhedlaeth hŷn** – the older generation
- **cenhinen/cennin** *f* – leek
  - **Cenhinen Bedr/Cennin Pedr** – Daffodil
- **centimetr/centimetrau** – centimetre
- **cerbyd/cerbydau** – carriage; vehicle
- **cerdyn/cardiau** – card
  - **cerdyn aelodaeth** – membership card
  - **cerdyn credyd** – credit card
- **cerdd/cerddi** *f* – music; poem
- **cerdded** – to walk
  - **(cerddodd; cerddir; cerddwyd)**
- **cerddor/cerddorion** – musician
- **cerddorfa/cerddorfeydd** *f* – orchestra
- **cerddoriaeth** *f* – music
- **cerddorol** – musical
- **cerddwr/cerddwyr** – pedestrian; walker
- **cerflun/cerfluniau** – statue; sculpture
- **cerflunydd/cerflunwyr** – sculptor
- **cerydd/ceryddon** – rebuke; reprimand
- **ceryddu** – to rebuke; to reprimand
- **ci/cŵn** – dog
  - **dim cŵn** – no dogs
  - **ci gwarchod** – guard dog
  - **ci tywys** – guide dog
  - **cŵn tywys yn unig** – guide dogs only
- **cig/cigoedd** – meat
- **cigydd/cigyddion** – butcher
- **cildwrn/cildyrnau** – tip; bribe
- **cinio/ciniawau** – lunch; dinner
- **cilogram/cilogramau** – kilogram
- **cilometr/cilometrau** – kilometre
- **ciniawa** – to dine
- **cinio/ciniawau** – lunch; dinner
- **cist/cistiau** *f* – chest *(box)*
  - **cist arian** – safe
  - **cist car** – car boot
- **ciw/ciwiau** – queue; cue
- **ciwbig** – cubic
- **ciwio** – to queue; queuing
  - **dim ciwio** – no queuing
- **claddu** – to bury
- **claf/cleifion** – patient; sick person
- **claf** – sick; ill *(adj)*
- **clafdy** – sickbay
- **clawr/cloriau** – cover; board *(game)*
- **clefyd/clefydau** – illness; disease; infection
- **clem** *f* – idea
  - **di-glem** – clueless
  - **dim clem** – no idea
- **clerc/clercod** – clerk
  - **clerc cyflogau** – wages clerk
  - **clerc cyllid** – finance clerk
- **cleren/clêr** *f* – fly
- **clerigol** – clerical
- **clinig/clinigau** – clinic
- **clir** – clear
  - **cadw'n glir** – to keep clear
  - **cadwch yn glir** – keep clear
- **clirio** – to clear
- **clo/cloeon** – lock
  - **ar glo** – locked
  - **tan glo** – under lock and key
- **cloc/clociau** – clock; speedometer
- **clocio allan** – to clock out
- **clocio i mewn** – to clock in
- **cloch/clychau** *f* – bell
  - **cloch dân** – fire alarm
  - **o'r gloch** – o'clock
- **clod/clodydd** – praise; credit
- **clodwiw** – praiseworthy; laudable
- **cloddio** – to quarry; to excavate

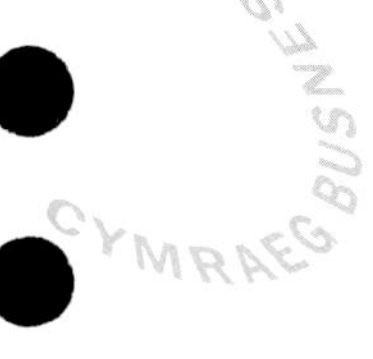

cloi – to lock **(cloiodd/clodd; cloir; clowyd)**
cludadwy – portable
cludiant – transport, delivery; carriage
cludo – to transport; to carry; to deliver
cludwr/cludwyr – carrier; transporter
cludydd/cludyddion – courier
clustnodi – to earmark
clwb/clybiau – club
clwstwr/clystyrau – cluster
clwyd/clwydi *f* – gate; hurdle
clyfar – clever
clywed – to hear **(clywodd; clywir; clywyd)**
clyweled – audio-visual
clyweliad/clyweliadau – audition
cnwd/cnydau – crop
côd/codau – code
  côd post – post code
codi – to lift; to raise; to increase; to charge; to build **(cododd; codir; codwyd)**
  codi arian – to raise money
codiad – rise
  codiad cyflog *f* – pay rise
codwm – fall; tumble *(accident)*
coeden/coed *f* – tree
  coed – timber
coedwig/coedwigoedd *f* – forest; wood
coedwigaeth *f* – forestry
  Y Comisiwn Coedwigaeth – The Forestry Commission
cof – memory; remembrance; recollection
  er cof (am) – in memory (of); in remembrance
cofiadwy – memorable
cofio – to remember **(cofiodd; cofir; cofiwyd)**
cofion – regards
  cofion cynnes – warm regards
  cofion gorau – best regards
cofnod/cofnodion – record; minute *(meetings)*
cofnodi – to record; to minute
cofrestredig – registered
cofrestru – to register
cofrestrydd/cofrestryddion – registrar
cofrodd/cofroddion – souvenir
coffa – memorial/remembrance
coffáu – to commemorate
coffi – coffee
cogydd/cogyddion – cook
cogyddes/cogyddesau – cook (female)
coleg/colegau – college
colofn/colofnau *f* – column
colur – make-up
coll – lost; missing
  ar goll – lost; mising
colled/colledion *f* – loss; bereavement
  ar golled – at a loss
collfarnu – to condemn
colli – to lose **(collodd; collir; collwyd)**
comedi/comedïau *f* – comedy
comisiwn/comisiynau – commission
comisiynu – to commission
condemnio – to condemn
copi/copïau – copy
copïo – to copy
corff/cyrff – body
  corff datblygu – development body
corfforaeth/corfforaethau *f* – corporation; constitution
corffori – to incorporate; to embody
cornel/corneli † – corner
cornelu – to corner
cosb/cosbau *f* – punishment; penalty; fine
cosbi – to punish; to penalise
cost/costau *f* – cost
  costau – expenses
  costau teithio – travelling expenses
costio – to cost
costus – expensive; dear
cownter/cownteri – counter
crac/craciau – crack; split
crac – angry
craidd – centre; essence; crux; foundation
craig/creigiau *f* – rock; boulder; crag
creadigol – creative
creadur/creaduriaid – creature
credadwy – credible; believable
credu – to believe **(credodd; credir; credwyd)**
credyd/credydau – credit
credydu – to credit
crefft/crefftau *f* – craft
crefftwaith – craftmanship; handicraft

crefftwr/crefftwyr – craftsman
creu – to create
(creodd; creir; crewyd)
creulon – cruel
creulondeb – cruelty
crochenwaith – pottery
crochendy/crochendai – pottery *(works)*
croen/crwyn – skin; hide
croes/croesau *f* – cross
croesawu – to welcome
croesfan/croesfannau *f* – crossing
croesffordd/croesffyrdd *f* – crossroad; junction
croesi – to cross
croeso – welcome
croeso! – you're welcome!
cronfa/cronfeydd *f* – fund; reservoir
crwydro – to wander; to roam; to digress
cryf – strong; tough; powerful
cryfder/cryfderau – strength; power; might
cryfhau – to strengthen; to grow powerful
crynodeb – summary
cryno-ddisg/cryno-ddisgiau *f* – CD
cuddio – to hide; to obscure
cul – narrow
cwbl, y – everything
wedi'r cwbl – after all
cwblhau – to complete; to finish
cwdyn/cydynau – bag
cwestiwn/cwestiynau – question
cwestiynu – to question
cwmni/cwmnïau – company
cwmni cyfyngedig trwy warant – company limited by guarantee
cwmni cyhoeddus cyfyngedig – public limited company
cwmpasu – to encompass
cwmwl/cymylau – cloud
cwpan/cwpanau † – cup
cwpanaid/cwpaneidiau – a cup of; cupful
cwpwl/cyplau – couple
cwpwrdd/cypyrddau – cupboard; cabinet
cwpwrdd ffeilio – filing cabinet
cwrdd (â) – to meet **(cwrddodd)**
cwricwlwm – curriculum
cwrs/cyrsiau – course
cwrtais – courteous
cwrteisi – courtesy
cwsmer/cwsmeriaid – customer
cwtogi – to shorten; to curtail; to contract
cwymp – fall
cwympo – to fall; collapse
cŵyn/cwynion – complaint
cwyno – to complain
cychwyn – to start; to begin
(cychwynnodd; cychwynnir; cychwynnwyd)
cychwynnol – initial *(adj)*
cyd- – co-
cydbwysedd – balance
cyd-destun – context
cyd-ddigwyddiad/cyd-ddigwyddiadau – coincidence
cyd-ffederasiwn – confederation
cyd-fynd – to agree; to correspond
cydlynu – to co-ordinate
cydlynydd/cydlynwyr – co-ordinator
cydnabod – to acknowledge
(cydnabu; cydnabyddir; cydnabyddwyd)
cydnabyddiaeth *f* – acknowledgement
cydnabyddedig – acknowledged; recognised
cydradd – equal
cydraddoldeb – equality
cydran/cydrannau – component
cydweithio – to co-operate; to collaborate
cydweithiwr/cydweithwyr – colleague
cydweithrediad – co-operation
cydweithredol – co-operative
cydweithredu – to co-operate
cyd-weld – to agree; to see eye-to-eye
cydwladol – international
cydwybod – conscience
cydwybodol – conscientious
cydymdeimlad – sympathy
cydymdeimlo (â) – to sympathise (with)
cydymffurfio (â) – to conform (with)
cyf. (cyfeirnod) – ref. (reference)
Cyf. – Ltd.
cyfadran/cyfadrannau *f* – faculty
cyfaddawd/cyfaddawdau – compromise
cyfaddawdu – to compromise
cyfaddef – to admit; to confess
cyfaddefiad – admission; confession

cyfaill/cyfeillion – friend
Gyfeillion – Friends *(address)*
cyfalaf – capital *(finance)*
cyfalafwr/cyfalafwyr – capitalist
cyfamser – meantime; meanwhile
cyfan – whole
ar y cyfan – on the whole
wedi'r cyfan – after all
cyfandir/cyfandiroedd – continent
cyfansoddiad/cyfansoddiadau – constitution; composition
cyfansoddiadol – constitutional
cyfanswm – total; sum
cyfarch – to greet; to address
cyfarchiad/cyfarchion – greeting
Cyfarchion y Tymor – Season's Greetings
Cyfarchion yr Ŵyl – Festive Greetings
cyfarfod/cyfarfodydd – meeting
cyfarfod – to meet **(cyfarfu)**
cyfarpar – equipment
cyfartal – equal
cyfartaledd – equality; proportion; average
ar gyfartaledd – on average
cyfarwydd – familiar
cyfarwyddo – to instruct; to direct
cyfarwyddwr/cyfarwyddwyr – director
cyfarwyddyd/cyfarwyddiadau – instruction
cyfateb – to correspond; to tally
cyfatebol – corresponding
cyfathrebol – communicative
cyfathrebu – to communicate
cyfathrebwr/cyfathrebwyr – communicator
cyfeillgar – friendly; user-friendly
cyfeillion – friends
cyfeiriad/cyfeiriadau – address; reference; direction
cyfeiriadur/cyfeiriaduron – directory
cyfeirio (at) – to address; to refer; to direct **(cyfeiriodd; cyfeirir; cyfeiriwyd)**
cyfeirnod – reference
cyfeirif – reference number
cyfenw/cyfenwau – surname
cyferbynnu – to contrast
cyfiawnder – justice
cyfiawnhad – justification
cyfiawnhau – to justify
cyfieithiad/cyfieithiadau – translation
cyfieithu – to translate **(cyfieithodd; cyfieithir; cyfieithwyd)**
cyfieithydd/cyfieithwyr – translator
cyflawn – complete
cyflawni – to complete; to achieve; to fulfil **(cyflawnodd; cyflawnir; cyflawnwyd)**
cyfle/cyfleoedd – opportunity; chance
cyfle cyfartal – equal opportunity
cyflenwad/cyflenwadau – supply
cyflenwi – to supply **(cyflenwodd; cyflenwir; cyflenwyd)**
cyflenwad/cyflenwadau – supply
cyflenwr/cyflenwyr – supplier
cyfleu – to convey *(idea)*
cyfleus – convenient
cyfleusdod/cyfleusdodau – utility
cyfleuster/cyfleusterau – facility; convenience
cyflog/cyflogau † – wage
cyflogi – to employ
cyflogwr/cyflogwyr – employer
cyflunio – to fax
cyflunydd – fax machine
cyflwr – condition *(state)*
cyflwyniad/cyflwyniadau – introduction; presentation
cyflwyno – to introduce; to present
cyflym – fast; quick
cyfnewid – to exchange; to swop
cyfnewidfa/cyfnewidfeydd *f* – exchange
cyfnewidiol – changeable; variable
cyfnod/cyfnodau – period/time
cyfnod mamolaeth – maternity leave
cyfnod penodol – fixed period
cyfoes – modern; contemporary
cyfoethog – rich; wealthy
cyfradd/cyfraddau *f* – rate
cyfradd llog – rate of interest; interest rate
Cyfradd y Banciau – Bank Rate
cyfradd sylfaenol – basic rate
cyfranddaliad/cyfranddaliadau – share
cyfranddaliwr/cyfranddalwyr – shareholder
cyfraniad/cyfraniadau – contribution
cyfrannu (at) – to contribute (to)
cyfrannwr/cyfranwyr – contributor

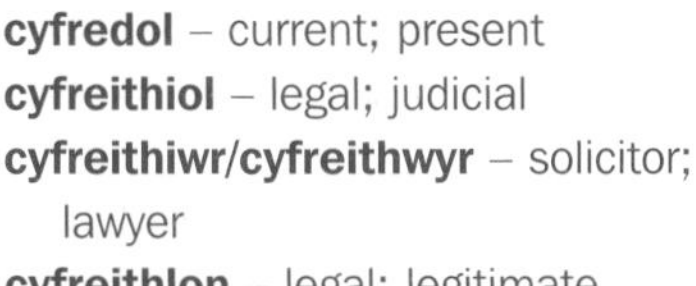

cyfredol – current; present
cyfreithiol – legal; judicial
cyfreithiwr/cyfreithwyr – solicitor; lawyer
cyfreithlon – legal; legitimate
cyfrif/cyfrifon – account
cyfrif – to count; to calculate; to account for **(cyfrifodd; cyfrifir; cyfrifwyd)**
cyfrifeg *f* – accounting; accountancy
cyfrifen/cyfrifenni *f* – statement *(financial)*
cyfrifiad – census
cyfrifiadur/cyfrifiaduron – computer
cyfrifiadurwr/cyfrifiadurwyr – computer operator
cyfrifiannell/cyfrifianellau *f* – calculator
cyfrifol – responsible
cyfrifoldeb/cyfrifoldebau – responsibility
cyfrifydd/cyfrifwyr – accountant
  cyfrifwyr siartredig – chartered accountants
cyfrifyddiaeth *f* – accountancy; accountantship
cyfrinach/cyfrinachau *f* – secret; confidence
cyfrinachedd – secrecy; confidentiality
cyfrinachol – secret/confidential
cyfundrefn/cyfundrefnau – system
cyfuniad/cyfuniadau – combination; blend
cyfuno – to combine
cyfweld – to interview
cyfweledig/cyfweledigion – interviewee
cyfweliad/cyfweliadau – interview
cyfwelydd/cyfwelwyr – interviewer
cyfyngedig – limited
cyffredin – ordinary; common
cyffredinol – general
cyffredinoli – to generalise
cyffro – excitement
cyffrous – exciting
cyffur/cyffuriau – drug
Cyng (cynghorydd) – Cllr (councillor)
cyngerdd/cyngherddau † – concert
cynghori – to counsel; to advise
cynghorydd/cynghorwyr – councillor; counsellor
cynghrair/cynghreiriau – league; alliance
cyngor – advice; counsel
cyngor/cynghorau – council
  Cyngor Bwrdeistref Sirol – County Borough Council
  Cyngor Sir – County Council
  Cyngor y Defnyddwyr – Consumers' Council
cyhoedd, y – public (the)
cyhoeddi – to publish; to announce
cyhoeddiad/cyhoeddiadau – publication; announcement
cyhoeddus – public
cyhoeddusrwydd – publicity
cyhoeddwr/cyhoeddwyr – publisher; announcer
cylchgrawn/cylchgronau – magazine
cylchrediad – circulation
cyllid – finance
cyllideb/cyllidebau *f* – budget
cyllido – to finance
cyllidol – financial
cymal/cymalau – clause
cymdeithas/cymdeithasau *f* – society
  cymdeithas adeiladu – building society
  cymdeithas gydweithredol – co-operative society
cymdeithasu – to socialise
cymdogaeth/cymdogaethau *f* – neighbourhood
cymell – to urge; to motivate **(cymhellodd; cymhellir; cymhellwyd)**
cymeradwyo – to recommend; to approve
cymhariaeth/cymariaethau *f* – comparison
cymharu – to compare
cymhelliad/cymelliadau – incentive
cymhelliant/cymelliannau – motivation
cymhleth – complex; complicated
cymhlethdod/cymlethdodau – complexity; complication
cymhwyster/cymwysterau – qualification
cymorth – help; aid
  cymorth cyntaf – first aid
Cymraeg – Welsh *(language)*
cymryd – to take **(cymerodd; cymerir; cymerwyd)**
cymudo – to commute/commuting
cymudwr/cymudwyr – commuter
cymuned/cymunedau *f* – community

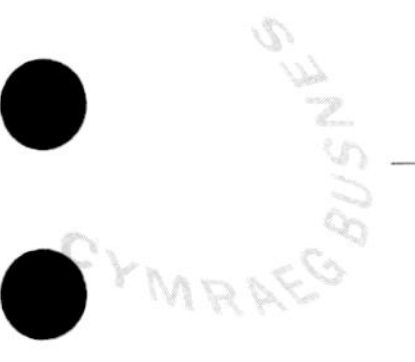

cymunedol – community *(adj)*
cymwysterau – qualifications
cymydog/cymdogion – neighbour
cymysg – mixed; assorted
cymysgedd † – mixture; assortment
cymysgu – to mix; to confuse
cyn – before
cyn- – former-; past-
cynefin/cynefinoedd – habitat; haunt
cyn gynted â/ag – as soon as
cynhadledd/cynadleddau *f* – conference
cynhesu – to warm; to heat
cynhwysfawr – comprehensive
cynhyrchiad/cynyrchiadau – production
cynhyrchu – to produce (**cynhyrchodd; cynhyrchir; cynhyrchwyd**)
cynhyrchydd/cynhyrchwyr – producer
cynilo – to save (**cyniliodd**; **cynilir; cyniliwyd**)
cynilion – savings
cynllun/cynlluniau – plan; scheme; design
cynllunio – to plan; to design (**cynlluniodd; cynllunir; cynlluniwyd**)
cynlluniwr/cynllunwyr – planner; draughtsman
cynlluniwr gerddi – landscape gardener
cynllunydd/cynllunwyr – designer
cynnal – to hold; to support (**cynhaliodd; cynhelir; cynhaliwyd**)
cynnar – early
cynharach – earlier
cynnes – warm
cynnig/cynigion – offer; propsosal
cynnig – to offer (**cynigiodd; cynigir; cynigiwyd**)
cynnwys/cynhwysion – content; ingredient
cynnwys – to contain; include (**cynhwysodd; cynhwysir; cynhwyswyd**)
cynnydd – increase; growth; progress
ar gynnydd – on the increase; increasing
cynnyrch/cynhyrchion – product; produce
cynhorthwy – assistance; help
cynorthwyo – to assist
cynorthwyol – assistant *(adj)*
cynorthwyydd/cynorthwywyr – assistant
cynorthwyydd personol – personal assistant
cynrychioli – to represent
cynrychiolydd/cynrychiolwyr – representative
cynt – before
cyntaf – first
cyntedd – foyer; entrance area; hall
cynulleidfa/cynulleidfaoedd *f* – audience
cynyddol – increasing; progressive
cynyddu – to increase (**cynyddodd; cynyddir; cynyddwyd**)
cynyrchiadau – productions
cyrhaeddiad/cyraeddiadau – arrival; achievement
cyrraedd – to arrive (**cyrhaeddodd; cyrhaeddir; cyrhaeddwyd**)
cysgod/cysgodion – shadow; shade; shelter
cysgu – to sleep
cysodi – to set *(type)*
cyson – consistent; constant; regular
cysondeb – consistency; regularity
cysoni – to reconcile
cystadlu – to compete
cystadleuaeth/cystadlaethau *f* – competition
cystadleuydd/cystadleuwyr – competitor
cystal (â) – as good (as); so good
cysylltiad/cysylltiadau – connection; link
mewn cysylltiad (â) – in touch *(with)*
cysylltu (â) – to contact; link
cytundeb/cytundebau – contract; agreement
cytuno – to agree (**cytunodd; cytunir; cytunwyd**)
cywilydd – shame; disgrace
cywilyddus – shameful; disgraceful
cywir – correct; true; honest; faithful
(yr eiddoch) yn gywir – yours faithfully
cywirdeb – correctness; accuracy
cywiriad/cywiriadau – correction
cywiro – to correct

CH

See also words beginning with **C**

chi – you *(formal/plural)*
chwaer/chwiorydd *f* – sister
chwaethus – tasteful
chwarae – to play **(chwaraeodd; chwaraeir; chwaraewyd)**
chwaraeon – sports
chwaraewr/chwaraewyr – player
chwarter – a quarter
chwarterol – quarterly
chwech: chwe – six
chweched – sixth
chwe deg – sixty
chwedl/chwedlau *f* – legend; story; myth
chwedloniaeth *f* – mythology
chwedlonol – legendary
Chwefror – February
chwerthin – to laugh
chwilio – to look for; to search
chwith – left *(direction)*
chwithig – awkward
chwyddiant – inflation
chwythu – to blow; to blow up

D

See also words beginning with **T**

da – good
dadansoddi – to analyse
dadansoddiad/dadansoddiadau – analysis
dadl/dadleuon *f* – argument; debate
dadlau – to argue; to debate
dadlennu – to reveal *(fact)* **(dadlennodd; dadlennir; dadlennwyd)**
dadleuol – controversial; debatable
dadlwytho – to unload
dadorchuddio – to unveil; to reveal **(dadorchuddiodd; dadorchuddir; dadorchuddiwyd)**
dadwneud – to undo **(dadwnaeth; dadwneir; dadwnaethpwyd)**
dafad/defaid *f* – sheep
dal – to hold; catch **(daliodd; delir; daliwyd)**
dalen/dalennau *f* – sheet *(paper)*
dalgylch/dalgylchoedd – catchment area
damcaniaeth/damcaniaethau *f* – theory
damcaniaethu – to speculate; to conjecture
damwain/damweiniau *f* – accident
damweiniol – accidental
danfon – to send; to escort; to accompany
dangos – to show; to demonstrate **(dangosodd; dangosir; dangoswyd)**
darfod – to finish; to cease; to end; to terminate
darganfod – to discover **(darganfu; darganfyddir; darganfyddwyd)**
darganfyddiad/darganfyddiadau – discovery
darganfyddwr/darganfyddwyr – discoverer
dargyfeiriad/dargyfeiriadau – diversion
dargyfeiriad traffig – traffic diversion
darlith/darlithoedd *f* – lecture
darlithfa/darlithfeydd *f* – lecture room
darlithio – to lecture
darlithydd/darlithwyr – lecturer
darlun/darluniau – picture
darluniad/darluniadau – illustration
darlledu – to broadcast **(darlledodd; darlledir; darlledwyd)**
darllediad/darllediadau – broadcast
darlledwr/darlledwyr – broadcaster
darllen – to read **(darllenodd; darllenir; darllenwyd)**
darllenadwy – readable
darlleniad/darlleniadau – a reading
darllenydd/darllenwyr – reader
darn/darnau – piece; part
darostyngedig i – subject to
darpariaeth/darpariaethau *f* – provision
darparu – to provide **(darparodd; darperir; darparwyd)**

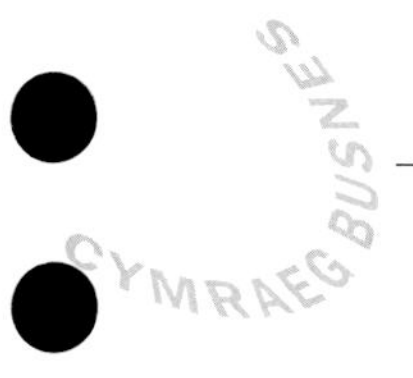

datblygiad/datblygiadau – development
datblygwr/datblygwyr – developer
datblygu – to develop **(datblygodd; datblygir; datblygwyd)**
datgan – to declare; to announce
datganiad/datganiadau – declaration; statement; recital
datganiad i'r wasg – press statement
datganoli – devolution
datganoli – to devolve; to decentralise
datguddio – to reveal
datgysylltu – to disconnect; to dismantle
datrys – to resolve; to solve
dathliad /dathliadau – celebration
dathlu – to celebrate **(dathlodd; dethlir; dathlwyd)**
dau – two
dau ddeg – twenty
dawn/doniau *f* – talent; knack
dawns/dawnsfeydd *f* dance
dawnsio – to dance
dawnsiwr/dawnswyr – dancer
dawnus – talented; skilful; gifted
de – south
i'r de – to the south; southward
Y De – South Wales
de *f* – right *(position)*
ar y dde – on the right
i'r dde – to the right
deall – to understand **(deallodd; deellir; deallwyd)**
dealltwriaeth *f* – understanding
deallus – intelligent
dechrau: dechreuad – beginning; start
dechrau – to begin; to start **(dechreuodd; dechreuir; dechreuwyd)**
deddf/deddfau *f* – law; act; statute
deddfu – to legislate; to decree
deddfwriaeth *f* – legislation
defnydd/defnyddiau – use; material; textile
defnyddio – to use **(defnyddiodd; defnyddir; defnyddiwyd)**
defnyddiwr/defnyddwyr – consumer; user
deg – ten
deg y cant – ten per cent
degawd/degawdau – decade
degfed – tenth
dehongliad – interpretation
deialu – to dial
deialog *f* – dialogue
deiliad/deiliaid – tenant; householder; holder
deillio – to stem from; to derive
deillion, y – the blind
deintydd/deintyddion – dentist
deiseb/deisebau *f* – petition
delfrydol – ideal *(adj)*
delio (â) – to deal (with)
delwedd/delweddau *f* – image
deniadol – attractive
denu – to attract; to draw **(denodd; denir; denwyd)**
derbyn – to accept; to receive **(derbyniodd; derbynnir; derbyniwyd)**
derbynfa *f* – reception *(place)*
derbyniad/derbyniadau – reception *(act; party)*
derbyniol – acceptable
derbynneb/derbynebau *f* – receipt
derbynnydd/derbynyddion – receptionist; receiver
desg/desgiau *f* – desk
dethol – to choose; to select
detholiad/detholiadau – selection
detholyn/detholion – seed *(player)*
deuddeg – twelve
deuddegfed – twelfth
deunaw – eighteen
deunawfed – eighteenth
deunydd/deunyddiau – material
deunydd crai – raw material
dewis – choice; selection
dewis – to choose; to select **(dewisodd; dewisir; dewiswyd)**
dewr – brave
dianc – to escape **(dihangodd)**
diben/dibenion – purpose
dibrofiad – inexperienced
dibwys – unimportant; trivial
dibynadwy – dependable
dibynnol ar – dependent on
dibynnu (ar) – to depend (on) **(dibynnodd; dibynnir; dibynnwyd)**
didrafferth – trouble-free; easy
didwyll – sincere
diddan – amusing; entertaining
diddanu – to amuse; to entertain
diddanwr/diddanwyr – entertainer
diddordeb/diddordebau – interest; hobby

diddorol – interesting
dieithr – strange; unknown; foreign
dieithryn/dieithriaid – stranger
diet: deiet – diet
diflannu – to disappear
diflas – depressing; boring
di-flas – tasteless
diflasu (ar) – to be bored (with)
difrifol – serious
difrod – damage; destruction
difrodi – to damage; to destroy
difyr – amusing; pleasant
difyrru – to entertain; to amuse
difyrrwch – entertainment
difyrrwr/difyrwyr – entertainer
diffodd – to extinguish; to put out
  diffodd trydan – to switch off electricity
  diffodd y golau – to put out the light
diffuant – sincere
  yn ddiffuant – sincerely
diffyg/diffygion – lack; deficiency; defect
  diffyg amser – not enough time
  diffyg arian – lack of money
  diffyg cyllid – lack of funds
  o ddiffyg – due to the lack of
diffygiol – defective; deficient
digon (o) – enough; plenty; ample
digonedd – abundance; plenty
digwydd – to happen
digwyddiad/digwyddiadau – happening; event; occurrence; incident
digyfaddawd – uncompromising
di-Gymraeg – non-Welsh speaking
digyswllt – unconnected
digywilydd – impudent; brazen; bold; unashamed
dihafal – unequalled; incomparable; unrivalled
dileu – to delete; to abolish
dilyn – to follow **(dilynodd; dilynir; dilynwyd)**
dilyniant – sequence; progression
dilynol – following; subsequent
dilys – genuine; authentic; valid
dillad – clothes
  dillad isaf – underwear
dilledyn – item of clothing
dim – zero; nothing; anything
  am ddim – free
  dim byd – nothing (at all)
  dim clem – no idea
  dim diolch – no thanks
  dim ond – only
dinas/dinasoedd *f* – city
dinesig – civic; urban
dinistrio – to destroy
diod/diodydd *f* – drink
dioddef – to suffer
diog – lazy; idle
diogel – safe; certain
diogelu – to protect; to safeguard; to ensure; to assure
diogelwch – safety; security
diolch/diolchiadau – thanks
  diolch byth! – thank goodness!
diolch (i) – to thank
  diolch – thank you
  diolch am siopa yn... – thanks for shopping in/at...
  diolch yn fawr – thank you very much
diolchgar – grateful
dirgelwch – mystery
dirprwy/dirprwyon – deputy
  dirprwy bennaeth – deputy head
dirprwyo – to delegate; to deputise
dirwasgiad – depression; slump *(economic)*
dirwy/dirwyon *f* – fine
dirwyo – to fine **(dirwyodd; dirwyir; dirwywyd)**
dirywiad – decline; deterioration
dirywio – to decline; to deteriorate
di-sail – unfounded; groundless
disg/disgiau † – disk; disc
  disg caled – hard disk
  disg hyblyg – floppy disk
  disg meddal – floppy *(lit. soft)* disk
disglair – bright; brilliant
  dyfodol disglair – a bright future
disgownt/disgowntiau – discount
disgrifiad/disgrifiadau – description
  Deddf Disgrifiadau Masnachol – Trades Descriptions Act
  disgrifiad swydd – job description
  disgrifiad masnachol – trade description
disgrifio – to describe **(disgrifiodd; disgrifir; disgrifiwyd)**
disgwyl – to expect; to await; to look *(South)* **(disgwyliodd; disgwylir; disgwyliwyd)**
digwyliad/disgwyliadau – expectation
disgyblaeth *f* – discipline
disgyblu – to discipline

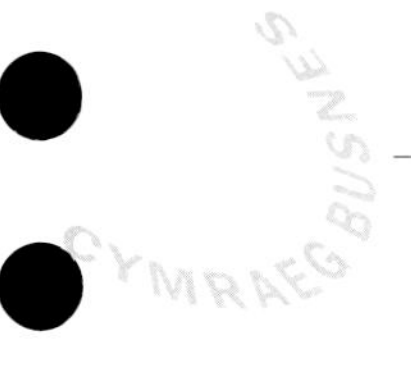

disgyn – to fall; to descend; to drop
disodli – to replace **(disodlodd; disodlir; disodlwyd)**
distaw – quiet; silent
distawrwydd – quiet; silence; peace
diswyddiad/diswyddiadau – dismissal; sack; sacking
diswyddo – to dismiss; to sack
diwedd – end
  ar y diwedd – at the end
  o'r diwedd – at last
  yn y diwedd – at the end of the day
diweddar – recent
diweddaraf – most recent
diweddaru – to update; to modernise
diweddglo – conclusion; finale
diwethaf – last
diwrnod/diwrnodau – day
diwyd – diligent; hardworking
diwydiannol – industrial
diwydiannwr/diwydianwyr – industrialist
diwydiant/diwydiannau – industry
diwyg – appearance
diwygio – to amend; to reform
diwylliannol – cultural
diwylliant/diwylliannau – culture
diystyru – to ignore; to disregard **(diystyrodd; diystyrir; diystyrwyd)**
doctor/doctoriaid – doctor
dod – to come **(daeth; deuir; daethpwyd)**
  dod â – to bring
  dod dros – to get over
  dod i ben – to come to an end; to expire
  dod o hyd i – to come across; to find
  dod ymlaen – to get on
dodi – to put; to place
dodrefn – furniture
dodrefnu – to furnish
dodrefnyn – a piece of furniture
doeth – wise; discreet
dogfen/dogfennau *f* – document
dôl – dole
dolen/dolennau *f* – link; handle; loop
doniol – amusing; funny
dosbarth/dosbarthiadau – class
dosbarthiad – classification
dosbarthu – to classify; to arrange; to disbribute; to deliver
drama/dramâu *f* – drama; play
dramatig – dramatic
dringo – to climb
dringwr/dringwyr – climber
dros – over
dros dro – temporary
drosodd – over *(adv)*
drud – expensive; dear
drutach – more expensive; dearer
drutaf – most expensive; dearest
drwg – harm
drwg – bad; rotten
  o ddrwg i waeth – from bad to worse
drwgdeimlad/drwgdeimladau – ill-feeling; friction
drws/drysau – door
drwy – through
drysfa/drysfeydd *f* – maze
dryslyd – muddled; confused
drysu – to confound; to be confused
DS (Dalier Sylw) – NB (Nota Bene)
dull/dulliau – method; manner; system
dwbl – double
dweud – to say **(dywedodd; dywedir; dywedwyd)**
dwfn – deep
dŵr/dyfroedd – water
dwy – two *(feminine)*
  dwy ran o dair – two thirds
dwyieithog – bilingual
dwylo – hands
dwyn – to steal; to bring; to bear **(dygodd; dygir; dygwyd)**
dwywaith – twice
dwyrain – east
dyblu – to double
dyblygu – to duplicate
dyblygydd/dyblygyddion – duplicator
dychwelyd – to return **(dychwelodd; dychwelir; dychwelwyd)**
dydd/dyddiau – day
dyddiad/dyddiadau – date
  dyddiad cau – closing date
dyddiadur/dyddiaduron – diary
dyddiedig – dated
dyfais/dyfeisau: dyfeisiadau *f* – device; gadget
dyfalbarhad – perseverance
dyfalbarhau – to persevere
dyfarniad – adjudication; decision; verdict

dyfarniad cyflog – pay settlement
dyfarnu – to adjudge; to decide; to sentence
dyfarnwr/dyfarnwyr – umpire; judge; referee
dyfeisio – to devise
dyfodol – future
dyfrio – to water
dyfynnu – to quote **(dyfynnodd; dyfynnir; dyfynnwyd)**
dyfynbris – estimate; quotation *(price)*
dyfyniad/dyfyniadau – quote; quotation *(saying)*
dyladwy – due; fitting
dylanwad/dylanwadau – influence
dyled/dyledion *f* – debt
dyledus – owing; outstanding
dyletswydd/dyletswyddau *f* – duty
dyluniad/dyluniadau – design
dylunio – to design
dylunydd/dylunwyr – designer
dyma – this is; here is/are
dymuniad/dymuniadau – wish
Dymuniadau Da – Good Wishes
Dymuniadau Gorau – Best Wishes
dymuno – to wish **(dymunodd; dymunir; dymunwyd)**
dymunol – pleasant; agreeable; delightful
dyn/dynion – man
dyna – that is; there's
dynes – woman *(North)*
dynodi – to denote; to indicate
dyrchafiad – promotion
dyrchafu – to promote
dyrys – complex; complicated
dysgu – to learn
dyweddïad – engagement
dyweddi – fiancé; fiancée
dyweddïo – to become engaged

DD

Words beginning with **DD** *are all mutations.*
See words beginning with **D**

ddoe – yesterday
(always used in its mutated form)

E

See also words beginning with **G**

e – he; him *(South)*
e.e. (er enghraifft) – e.g. (exampli gratia)
eang – vast; wide; extensive
Ebrill – April
economi – economy
economaidd – economic
economegydd/economegwyr – economist
echdoe – the day before yesterday
edmygedd – admiration
edmygu – to admire
edrych – to look; to appear **(edrychodd; edrychir; edrychwyd)**
ef – he; him
efo; hefo – with *(North)*
efallai – perhaps; possibly, maybe
effaith/effeithiau *f* – effect
effeithio (ar) – to have an effect; to affect
effeithiol – effective
effeithiolrwydd – effectiveness
effeithlon – efficient
effeithlonrwydd – efficiency
eglur – clear
egluro – to explain; to clarify
eglurhad – explanation
eglwys/eglwysi *f* – church
egni – energy; vigour
egnïol – energetic; vigorous
egwyddor/egwyddorion *f* – principle
mewn egwyddor – in principle

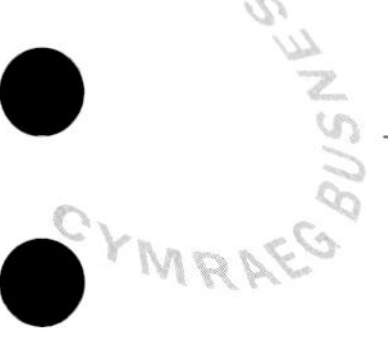

egwyl/egwyliau *f* – break; interval
enghraifft/enghreifftiau *f* – example
  er enghraifft – for example
ei – his; her; its
eich – your
eiddgar – enthusiastic; ardent
eiddo – property
eiliad/eiliadau † – second *(time)*; moment
ein – our
eisiau – need; want
eisiau – to want; to need
eisoes – already
eistedd – to sit **(eisteddodd)**
eisteddiad – sitting
eitem/eitemau – item
eithriad/eithriadau – exception
eithriadol – exceptional
eleni – this year
elfen/elfennau *f* – element; factor
elfennol – elementary
elusen/elusennau *f* – charity
elusennol – charitable
elw/elwon – profit; gain; proceeds
elwa (ar) – to profit; to benefit
enfawr – huge
enillion – winnings; earnings
ennill – to win; to earn; to gain **(enillodd; enillir; enillwyd)**
enw/enwau – name; noun
  enw cyntaf – forename; first name
enwebiad/enwebiadau – nomination
enwebu – to nominate **(enwebodd; enwebir; enwebwyd)**
enwi – to name
enwog – famous; celebrated
  person enwog – famous person; celebrity
enwogion – celebrities
enwogrwydd – fame
er – although; since
  er gwell, er gwaeth – for better or worse
  er gwybodaeth – for your information
  er mwyn – in order to; for the sake of
eraill – others; other *(with plural nouns)*
erbyn – by *(time)*; in time for; by the time
ergyd/ergydion – blow; blast
erioed – ever; never
erlid – to persecute; to hound
erlyn – to prosecute; to sue **(erlynodd; erlynir; erlynwyd)**
ers – since
erthygl/erthyglau *f* – article; clause
erw/erwau *f* – acre
erydiad – erosion
erydu – to erode; erosion
eryr/eryrod – eagle; shingles; herpes
  Eryri – Snowdonia
esboniad/esboniadau – explanation; exposition
esbonio – to explain **(esboniodd; esbonnir; esboniwyd)**
esgeulus – negligent; careless; slipshod
esgeuluso – to neglect; to disregard
esgeulustod – negligence; carelessness
esgus/esgusodion – excuse
esgusodi – to excuse; to condone
esgusodwch fi – excuse me
esiampl/esiamplau *f* – example
est (estyniad) – ext (extension)
estron/estroniaid – foreigner; alien
estron – foreign; alien *(adj)*
estyn – to extend; to reach **(estynnodd; estynnir; estynnwyd)**
estynedig – extended
estyniad/estyniadau – extension
etifeddiaeth *f* – inheritance
etifeddu – to inherit
eto – again; ditto; yet; still
  byth eto – never again
  eto fyth – yet again
  eto i gyd – nevertheless
ethnig – ethnic
ethol – to elect **(etholodd; etholir; etholwyd)**
etholaeth – electorate; constituency; ward
etholwr/etholwyr – elector; voter
etholedig – elected
eu – their
euog – guilty
ewyllys *f* – will
  ewyllys da – goodwill

See also words beginning with **B** *and* **M**

faint – how much
  faint ydy/yw? – how much is?
fandal/fandaliaid – vandal
fandaleiddio – to vandalise
fandaliaeth *f*– vandalism
fe – he; him *(South)*
fel – as; like; similar
  fel arall – otherwise
felly – therefore; so; thus
fersiwn/fersiynau *f* – version
festri/festrïoedd *f* – vestry
fesul un – one by one
fideo – video
fo – he; him *(North)*
fy – my
fyny, i – up

FF

ffactor/ffactorau † – factor
ffair/ffeiriau *f* – fair; fairground
  ffair sborion – jumble sale
ffaith/ffeithiau *f* – fact
ffasiwn/ffasiynau *f*– fashion
ffasiynol – fashionable
ffatri/ffatrïoedd *f* – factory
ffeil/ffeiliau *f* – file
ffeilio – to file **(ffeiliodd; ffeilir; ffeiliwyd)**
ffeithiol – factual
ffenestr/ffenestri *f* – window
fferm/ffermydd *f* – farm
ffermwr/ffermwyr – farmer
fferyllfa/fferyllfeydd *f* – pharmacy; dispensary; chemist's (shop)
fferyllydd/fferyllwyr – chemist; pharmacist
ffigur/ffigurau – figure
ffilm/ffilmiau *f* – film
ffilmio – to film
ffin/ffiniau – boundary; border
ffit – fit *(adj)*
ffitio – to fit
ffitiwr – fitter
fflach/fflachiadau *f* – flash
fflam/fflamau *f* – flame
fflat/fflatiau – flat
fflyd/fflydoedd *f* – fleet
ffocws – focus
ffon/ffyn *f* – stick; walking stick
ffôn/ffonau – telephone
ffonio – to phone
ffordd/ffyrdd *f* – way; road
  ffordd allan – way out; exit
  ffordd ddeuol – dual carriageway
  ffordd osgoi – by-pass
fforddio – to afford
fforio – to explore
fforiwr/fforwyr – explorer
fforman/ffotmyn – foreman
ffomiwla/ffoimiwlau *f* – formula
ffos/ffosydd *f* – ditch; trench; moat
ffotograffydd/ffotograffwyr – photographer
ffrae/ffraeon *f* – quarrel; squabble; row
ffraeo – to quarrel; to squabble; to row
ffrâm/fframiau *f* – frame
fframio – to frame
fframwaith/fframweithiau – framework; structure
ffres – fresh
ffresni – freshness
ffreutur/ffreuturau – refectory; canteen
ffrwydro – to explode
ffrwydrol – explosive *(adj)*
ffrwyth/ffrwythau – fruit
ffug – false; fake; counterfeit
ffugio – to pretend; to falsify; to fake; to counterfeit
ffuglen *f* – fiction
ffurf/ffurfiau *f* – form; shape
  ar ffurf – in the form/shape of
ffurfio – to form **(ffurfiodd; ffurfir; ffurfiwyd)**
ffurfiol – formal
ffurflen/ffurflenni *f* – form *(paper)*
  ffurflen gais – application form

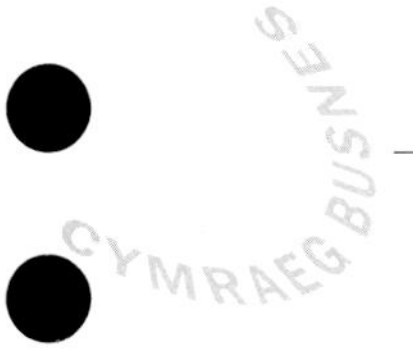

ffurflenni cais – application forms
ffwdan *f* – fuss
ffŵl/ffyliaid – fool; idiot
ffydd *f* – faith; trust; confidence
ffyddiog – full of faith; trustful; confident
ffyddlon – faithful
ffyddlondeb – faithfulness; loyalty
ffynhonnell/ffynonellau *f* – source; fountain *(knowledge)*
ffyniannus – successful; prosperous
ffyniant – success; prosperity
ffynnon/ffynhonnau *f* – fountain *(water)*
ffynnu – to thrive; to succeed; to prosper
ffyrdd – roads; ways

G

See also words beginning with **C**

gadael – to leave; to allow **(gadawodd; gadewir; gadawyd)**
gaeaf – winter
gaeafol – wintry
gafael – to take hold; to grasp **(gafaelodd; gafaelir; gafaelwyd)**
gair/geiriau – word
gair i gall – a word to the wise
galw – demand; call
galw – to call **(galwodd; gelwir; galwyd)**
galw i gof – to recall
galw i gyfrif – to call to account
galwad/galwadau *f* – call
galwad frys/galwadau brys – emergency call
galwad ffôn – telephone call
galwad meddyg – doctor's visit
galwedigaeth/galwedigaeth *f* – vocation; profession; occupation; calling
gallu/galluoedd – ability; power
gallu – to be able **(gallai; gellir; gellid)**
galluog – clever; able; gifted
galluogi – to enable
gan – from; by; since; because
gan amlaf – mostly
gan bwyll – carefully
gan mwyaf – for the most part
ganed: ganwyd – was born
gardd/gerddi *f* – garden
garddwr/garddwyr – gardener
garddwr masnachol – market gardener
garej/garejys † – garage
gartref – at home
geirda – reference; testimonial
geiriadur/geiriaduron – dictionary
geiriau – words
gem/gemau † – gem; jewel
gêm/gêmau *f* – game; match
gemydd/gemyddion – jeweller
genedigaeth/genedigaethau *f* – birth
geni – to give birth; to be born **(genir; ganed; ganwyd)**
gilydd – together
at ei gilydd – all in all; on the whole
gyda'n gilydd – (we/us) together
gyda'ch gilydd – (you) together
gyda'i gilydd – (they/them) together
glan/glannau *f* – bank; shore
glan yr afon – riverbank
glan y dŵr – waterside
glan y môr – seaside
glân – clean; pure
glanfa/glanfeydd *f* – runway; jetty
glanhau – to clean
glanhawr/glanhawyr – cleaner
glendid – cleanness; cleanliness; purity
glo – coal
glofa/glofeydd *f* – colliery
gobaith/gobeithion – hope
gobeithio – to hope; hopefully
gobeithiol – hopeful; optimistic

goblygiad/goblygiadau – implication; consequence
gofal – care; trouble
  dan ofal – in the care of
  tan ofal (t/o) – care of (c/o)
gofalu (am) – to care (for); to look after
gofalus – careful; vigilant; mindful
gofalwr/gofalwyr – caretaker; custodian
  gofalwr tŷ – housekeeper
gofod/gofodau – space
gofyn – request; call
  ar ofyn – on request
  yn ôl y gofyn – as the need arises
gofyn (i) – to ask **(gofynnodd; gofynnir; gofynnwyd)**
gogledd – north
  Y Gogledd – North Wales
gohebiaeth/gohebiaethau *f* – correspondence *(letters)*
gohebu – to correspond
gohebydd/gohebwyr – correspondent; reporter
gohirio – to postpone **(gohiriodd; gohirir; gohiriwyd)**
gôl/goliau *f* – goal
golau/goleuadau – light; illumination
  goleuadau traffig – traffic lights
golau – light; fair; bright *(adj)*
goleuni – light; brightness; enlightenment
golchi – to wash **(golchodd; golchir; golchwyd)**
golff – golf
golwg – sight; vision; view
  cadw golwg ar – to keep an eye on
  mewn golwg – in view; in mind
  o'r golwg – out of sight
  yn y golwg – in view; in sight
golwg *f* – appearance; look (of)
  cael golwg ar – to take a look at
  yn ôl pob golwg – to all appearances; apparently
golygfa/golygfeydd *f* – view; scene
golygu – to edit; to mean
golygydd/golygyddion – editor
gollwng – to drop; to release; to let go; to leak **(gollyngodd; gollyngir; gollyngwyd)**
gonest: onest – honest
gonestrwydd: onestrwydd – honesty
goramser – overtime
gorau – best
  gorau glas – level best
  gorau i gyd: gorau oll – all the better
  gorau po gyntaf – the sooner the better
  o'r gorau – very well
  rhoi'r gorau (i) – to give up
  y goreuon – the best (ones)
gorchymyn/gorchmynion – command; order
gorchymyn – to command; to order **(gorchmynnodd; gorchmynnir; gorchmynnwyd)**
gorddibynnu – over-dependent
gor-ddweud – to exaggerate
gorddyledus – overdue
goresgyn – to overcome
  goresgyn trafferthion – to overcome difficulties
gorfod – must; to have to; to be compelled **(gorfodir; gorfodwyd)**
gorfodaeth/gorfodaethau *f* – compulsion; constraint
gorfodi – to compel; to enforce
gorfodol – compulsory
gorffen – to finish **(gorffennodd; gorffennir; gorffennwyd)**
gorffenedig – finished; completed
Gorffennaf – July
gorffennol – past
gorllewin – west
  Y Gorllewin – West Wales
gormod (o) – too much; too many
gormodedd – glut; excess
goroesi – to survive
gorsaf/gorsafoedd *f* – station
gorwedd – to lie (down)
gorwel/gorwelion – horizon
gorymdaith/gorymdeithiau *f* – procession; march
goryrru – to speed
gosod – to put; to place; to let *(rent)*; to set **(gosododd; gosodir; gosodwyd)**
  gosod blodau – to arrange flowers
  gosod tasg – to set a task
  gosod tŷ – to let a house
gostwng – to reduce **(gostyngodd; gostyngir; gostyngwyd)**
gostyngiad/gostyngiadau – reduction
gostyngol – reduced
gradd/graddau *f* – degree; grade

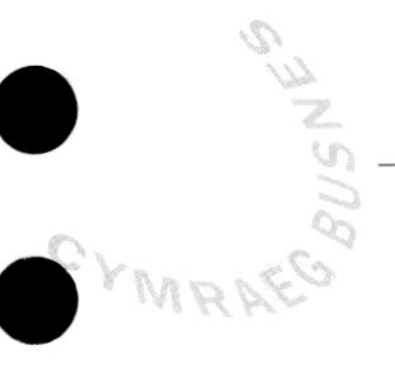

graddfa/graddfeydd – *f* scale; rate
graddfa cyflog – pay scale
graddfa chwyddiant – inflation rate
graddfa sylfaenol – basic scale
grant/grantiau – grant
gris/grisiau – stair; step
grŵp/grwpiau – group
grwpio – to group
grym – force; strength
dod i rym – to come into force
grymus – forceful; strong
gwaed – blood
trallwysiad gwaed – blood transfusion
trallwyso gwaed – to transfuse blood
gwaelod/gwaelodion – base; bottom
gwaeth – worse
gwaethaf – worst
gwaetha'r modd – unfortunately
gwag – empty; free *(not in use)*
gwahaniaeth/gwahaniaethau – difference
gwahaniaethu – to differentiate; to differ
gwahanol – different
gwahardd – to prohibit; to forbid **(gwaharddodd; gwaherddir; gwaharddwyd)**
gwaharddiad/gwaharddiadau – ban; prohibition
gwahodd – to invite **(gwahoddodd; gwahoddir; gwahoddwyd)**
gwahoddiad/gwahoddiadau – invitation
gwaith – work; job; task
gwaith/gweithfeydd – works; plant
gwaith/gweithiau *f* – time; occasion
ambell waith – occasionally
unwaith – once
weithiau – sometimes
gwall/gwallau – mistake; error
gwallus – incorrect
gwan – weak
gwanhau – to weaken; to become weak
gwanwyn – spring
gwarant/gwarantau *f* – warrant; guarantee
dan warant – under guarantee; guaranteed
gwarantu – to warrant; to guarantee **(gwarantodd; gwarentir; gwarantwyd)**
gwarchod – to protect; to defend; to guard
gwarchodfa/gwarchodfeydd *f* – reserve
gwarchodfa natur – nature reserve
gwariant – spending; expenditure
gwas/gweision – servant; hand
gwas sifil – civil servant
gwasanaeth/gwasanaethau – service
gwasanaethau cyllidol – financial services
gwasanaethau cymdeithasol – social services
gwasanaethau diwylliannol – cultural services
gwasanaethau masnachol – commercial services
gwasanaethu – to serve; to service
gwasg/gweisg *f* – press (printing)
i'r wasg – to press
gwasgu – to press/to squeeze
gwastraff – waste
gwastraffu – to waste
gweddill/gweddillion – rest; surplus; remnant; remainder
gweddillion – remains
gweddol – fair; reasonable
gweddus – fitting; proper; seemly
gweiddi – to shout
gweinydd/gweinyddion – waiter; attendant
gweinyddes – waitress; attendant
gweinyddiaeth *f* – administration
gweinyddol – administrative
gweinyddu – to administer; manage; officiate
gweinyddwr/gweinyddwyr – administrator
prifweinyddwr – chief administrator
gweithdy/gweithdai – workshop
gweithgar – hard working; industrious
gweithgaredd/gweithgareddau – activity
gweithgarwch – activity *(business)*; industry
gweithgor/gweithgorau – working party
gweithio – to work **(gweithiodd; gweithir; gweithiwyd)**
gweithiwr/gweithwyr – worker; employee
gweithiwr peiriannau – machinist

RHAN C – PART C
2

gweithle/gweithleoedd – workplace
gweithred/gweithredoedd *f* – act; action
gweithredol – executive; acting
gweithredu – to act; to operate; to implement
gweithredwr/gweithredwyr – executive
  prif weithredwr – chief executive
gwell – better
gwella – to improve; to get better
gwellhad – recovery *(from illness)*
gwelliant/gwelliannau – improvement; amendment
Gwener – Friday
gwendid/gwendidau – weakness; fault
gwenwyn – poison; venom
  gwenwyn bwyd – food poisoning
gwenwynig – poisonous; venomous
gwenwyno – to poison
gwerin – folk
gwers/gwersi *f* – lesson
gwersyll/gwersylloedd – camp
gwersylla – to camp; camping
gwersyllfa/gwersyllfeydd *f* – campsite
gwerth – value; worth
  ar werth – for sale
  gwerth arian – valuable
gwerthfawr – valuable
gwerthfawrogi – to appreciate; to value
gwerthiant/gwerthiannau – sale
gwerthu – to sell; to vend
gwerthwr/gwerthwyr – salesperson; seller; vendor
  gwerthwr ceir – car dealer
  gwerthwr hen bethau – antiques dealer
  gwerthwr tai – estate agent
  gwerthwr yswiriant – insurance salesperson
gwestai/gwesteion – guest
gwesty/gwestyau – hotel
gwin/gwinoedd – wine
gwir – truth
  dweud y gwir – to tell the truth
gwir – true; real; genuine
  yn wir – indeed; really
gwirio – to check; to verify
gwirionedd – truth
  mewn gwirionedd – actually
gwirfoddol – voluntary
gwirfoddoli – to volunteer
gwirfoddolwr/gwirfoddolwyr – volunteer
gwisg/gwisgoedd *f* – dress; clothing; costume
gwisgo – to dress; to wear; to put on
gwlad/gwledydd *f* – country
gwladol – of (the) state
gwladwriaeth/gwladwriaethau *f* – state *(country)*
gwledig – rural
gwledd/gwleddau *f* – feast; banquet; treat
gwledda – to feast
gwleidyddol – political
gwlyb – wet
gwlychu – to wet; to get wet
gwneud – to do; to make **(gwnaeth; gwneir; gwnaed; gwnaethpwyd)**
gŵr/gwŷr – husband; men
gwraig/gwragedd *f* – wife
  gwraig tŷ – housewife
gwrandawiad – hearing; audition
gwrandawr/gwrandawyr – listener
gwrando – to listen **(gwrandawodd; gwrandewir; gwrandawyd)**
gwreiddiol – original
gwres – heat; temperature
  gwres canolog – central heating
gwresogydd/gwresogyddion – heater; radiator
gwrthdaro – conflict; clash
gwrthdaro – to conflict; to clash
gwrthdrawiad – collision; clash; conflict
gwrth-ddweud – to contradict
gwrthod – to refuse; to reject **(gwrthododd; gwrthodir; gwrthodwyd)**
gwrthwynebiad/gwrthwynebiadau – objection
gwrthwynebu – to oppose
gwybod – to know
gwybodaeth *f* – knowledge; information
gwych – superb; great
gwydr/gwydrau – glass
gwydr – glass *(adj)*
gwydraid (o) – glassful; a glass of
gwyddoniaeth – science
gwyddonol – scientific
gwyddonydd/gwyddonwyr – scientist
gwyddor/gwyddorau *f* – science
  gwyddorau cymdeithasol – social sciences
  Yr Wyddor – The Alphabet

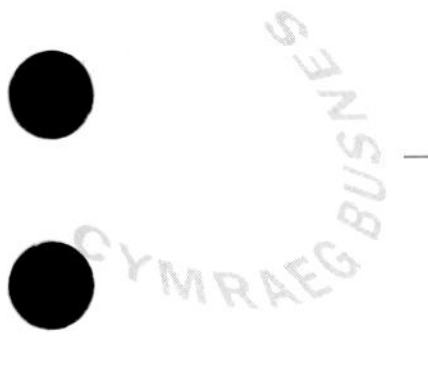

gŵyl/gwyliau *f* – holiday; holy day; feast day
ar wyliau – on holiday
gŵyl banc – banc holiday
gwyliau – holiday; holidays
gwylio – to watch; to view; to observe **(gwyliodd; gwylir; gwyliwyd)**
gwyliwr/gwylwyr – viewer; observer
gwyllt – wild
gwylltio – to become angry
gwyn – white
gwynt/gwyntoedd – wind
gwyrdd – green; blue
gwyriad – diversion *(road)*
gwyriad traffig – traffic diversion
gyda: gydag – with
gyda llaw – by the way
gyda'r nos – evening; in the evening
gyda'r troad – by return
gyrru – to drive; to send **(gyrrodd; gyrrir; gyrrwyd)**
gyrrwr/gyrrwyr – driver
gyrrwr ambiwlans – ambulance driver

H

See also words beginning in a vowel – **A, E, I, O, U, W, Y**

h.y. (hynny yw) – i.e. (id est)
haeddu – to deserve
haeddiannol – deserving; derserved
haf – summer
haint/heintiau † – disease; infection; fit
halen – salt
hallt – salty
hamdden – recreation; leisure
hamddena – to take one's leisure; to relax
hamddenol – leisurely
hanfodol – essential
haneru – to halve; to divide in two
hanes – history; story; tale
hanesyddol – historical
hanner/haneri – half
hanner cant – fifty
hanner canfed – fiftieth
hapus – happy
hardd – beautiful
harddwch – beauty
hawdd – easy
hawlfraint/hawlfreintiau *f* – copyright
hawl/hawliau *f* – right
hawlfraint/hawlfreintiau *f* – copyright
haws – easier
hawsaf – easiest
heb – without
hedfan – to fly; flying **(hedfanodd; hedfenir; hedfanwyd)**
hedfaniad/hedfaniadau – flight
heddferch/heddferched *f* – policewoman
heddiw – today
heddlu – police
heddwas/heddweision – policeman
heddwch – peace
help – help; aid
helpu – to help
hefyd – also; too
heibio – past; by
mynd heibio – to go by; to go past
heintus – infected; infectious; contagious
helynt/helyntion – trouble; bother; predicament
hen – old
heneb/henebion *f* – ancient monument
heno – tonight
henoed – aged; old age
yr henoed – O.A.Ps; old people
her/heriau *f* – challenge
herio – to challenge; to defy
heriol – challenging
heulog – sunny
heulwen *f* – sunshine
hi – she
hiliol – racist; racial *(adj)*
hir – long
HMS – INSET
hofrennydd/hofrenyddion – helicopter
hoff – favourite *(adj)*

RHAN C 2 PART C

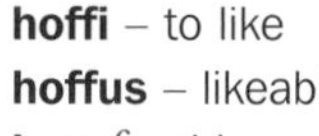

hoffi – to like
hoffus – likeable; lovable
hon *f* – this
honedig – alleged
honiad/honiadau – claim; allegation
honna: honno *f* – that one
honni – to claim; to allege
  (honnodd; honnir; honnwyd)
hud – magic; charm
hudol: hudolus – enchanting; magical
hufen – cream
hufen iâ – ice cream
hun – self
  fy hun – myself
  ei hun – himself; herself; itself
hunan/hunain – self; selves
  ein hunain – ourselves
  eich hunain – yourselves
  eu hunain – themselves
hwb – encouragement; boost; push
hwn – this
hwy: nhw – they; them
hwyl/hwyliau *f* – mood
  mewn hwyliau da – in a good mood
  mewn hwyliau drwg – in a bad mood
hwyl *f* – fun; luck
  cael hwyl – to have fun
  cael hwyl am ben – to make fun of
  llawer o hwyl – great fun; a lot of fun
  pob hwyl – good luck; all the best
hwyl/hwyliau *f* – sail
hwyl fawr – goodbye
hwylio – to sail; to set sail
hwylus – convenient; handy
hwyluso – to facilitate; to expedite
hwyr – evening
  gyda'r hwyr – in the evening
hwyr – late
  gwell hwyr na hwyrach – better late than never
hwyrach – later
hwyrach – perhaps; maybe
hybu – to promote; to encourage; to boost
hyd – length
hyd – until
hyd at – as far as; up to
hyd nes – until
hyd y gwn i – as far as I know
hyd yn hyn – up to now; so far
hyder – confidence
hyderus – confident
Hydref – October; autumn
hyfryd – lovely; pleasant; nice; delightful
hyfforddedig/hyfforddedigion – trainee
hyfforddi – to train; to instruct
hyfforddiant – training; instruction
  Hyfforddiant Mewn Swydd – In Service Training
hyfforddwr/hyfforddwyr – trainer; instructor
hygrededd – credibility
hylif – fluid; liquid
  hylif cywiro – correction fluid
  hylif ymfflamychol – flammable liquid
hyll – ugly
hyn – this; these
hŷn: henach – older; senior
hynaf – oldest; eldest
hynny – that
hynod – remarkable
hyrwyddo – to facilitate; to promote
hyrwyddwr/hyrwyddwyr – facilitator; promoter
hysbyseb/hysbysebion *f* – advertisement
hysbysebu – to advertise
  (hysbysebodd; hysbysebir; hysbysebwyd)
hysbysfwrdd/hysbysfyrddau – noticeboard
hysbysiad/hysbysiadau – announcement; notice
hysbysu – to inform **(hysbysodd; hysbysir; hysbyswyd)**

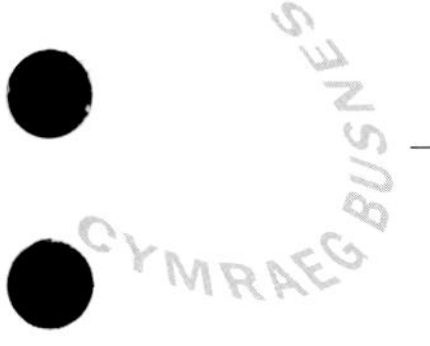

I

i – to; for
i ddau – for two
i fyny – up
i gyd – all
i lawr – down
i mewn – into; inside
iach – healthy; wholesome; fresh
awyr iach – fresh air
bwyd iach – healthy food
iaith/ieithoedd – language
yr Iaith – the Welsh language
Iau – Thursday
iau – liver *(North)*
iau – younger
iawn – all right; fine; very
iawndal – compensation; damages
ie – yes
iechyd – health
ieuenctid – youth; young people
ifanc – young *(adj)*
ifancach – younger
incwm – income
treth incwm – income tax
ïoneiddydd – ioniser
Ionawr – January
is- – sub-; vice-
isadran – subdivision; subsection
is-banel – sub-panel
is-bwyllgor – sub-committee
is-lywydd – vice-president
isafswm – minimum *(figure)*
isel – low; depressed
iselder – depression *(feeling)*
isetholiad – by-election
islawr – basement
isod – below *(adv)*
ithfaen – granite

J

These are mainly loan words.

jac codi baw – JCB; excavator
jar/jariau – jar
jiwdo – judo
jòb – job
jôc/jôcs – joke

L

See also words beginning in **LL**

label/labeli † – label
labelu – to label
labordy/labordai – laboratory
labrwr/labrwyr – labourer
lefel/lefelau *f* – level
lefelu – to level
lein/leiniau *f* – line
lifft/lifftiau – lift; elevator
lol – nonsense
lolfa/lolfeydd *f* – lounge
lôn/lonydd *f* – lane
dwy lôn – two lanes
ffordd ddwy lôn – two lane carriageway
ffordd deir lôn – three lane carriageway
tair lôn – three lanes
y lôn araf – the slow lane
y lôn gyflym – fast lane
lori/loriau *f* – lorry
lwc *f* – luck
gyda lwc – with luck
lwc dda – good luck
lwfans/lwfansau – allowance
lwfans car – car allowance

LL

lladrad/lladradau – theft
lladrata – to steal; to pilfer; to rob
lladd – to kill
lladd gwair – to cut grass; to mow
lladd poen – to relieve pain
lladd-dy/lladd-dai – slaughterhouse; abattoir
llaeth – milk
llaethdy – dairy
llafar – verbal; oral
llafur – labour
llai – smaller; less
llais/lleisiau – voice; say
llaith – damp *(adj)*
llanc/llanciau – youth; lad
llances/llancesi *f* – lass
llanw – tide; flow
llanw: llenwi – to fill **(llanwodd: llenwodd; llenwir; llanwyd: llenwyd)**
llath: llathen/llathenni *f* – yard *(measurement)*

llaw/dwylo *f* – hand
gyda llaw – by the way
help llaw – helping hand
llaw chwith – left hand
llaw dde – right hand
llond llaw – a handful
llawdriniaeth/llawdriniaethau *f* – operation *(medical)*
llawen – happy; cheerful; joyful; merry
llawenydd – happiness; cheer; joy; merriment
llawer – many; a lot
llawer gwaith – often
llawn – full
llawr/lloriau – floor
lle/lleoedd – place
lleithydd/lleithyddion – humidifier
llen/llenni *f* – curtain
llenyddiaeth – literature
lleoli – to locate; be located; to situate **(lleolir; lleolwyd)**
lleoliad/lleoliadau – position; location; venue
llestr/llestri – dish; vessel
llety – accommodation
llety/lletyau – lodging
llif – flow
llif arian – cash-flow
llif/llifogydd – flood; current
llinell/llinellau *f* – line
llofnod/llofnodau – signature
llofnodi – to sign **(llofnododd; llofnodir; llofnodwyd)**
llog/llogau – interest *(financial)*
llog isel – low interest
llog syml – simple interest
llog uchel – high interest
llogi – to hire
llong/llongau *f* – ship
llongyfarch – to congratulate
llongyfarchiadau – congratulations
Llun – Monday
llun/lluniau – picture; drawing
llungopi/llungopïau – photocopy
llungopïo – to photocopy
llungopïwr – photocopying machine
lluniaeth – refreshments; sustenance
llunio – to form; construct
lluosi – to multiply
llwyddiannus – successful
llwyddiant/llwyddiannau – success
llwyddo – to succeed
llyfr/llyfrau – book
llyfrgell/llyfrgelloedd *f* – library
llyfrgellydd/llyfrgellwyr – librarian
llyn/llynnoedd – lake
llythrennu – lettering
llythrennol – literal
llythyr/llythyrau – letter
llythyren/llythrennau *f* – letter *(of alphabet)*
prif lythrennau – capital letters
llythyru – to write a letter; to correspond

M

mab/meibion – son
maes/meysydd – field
maes awyr – airport
maes parcio – car park
Mai – May
maint/meintiau – size
mamolaeth – maternity
cyfnod mamolaeth – maternity leave
man/mannau † – place
mân – tiny; minute
manion – trivia; minutae
mantais/manteision *f* – advantage
manteisio (ar) – to take advantage (of)
manteisiol – advantageous
manwl – detailed
manylyn/manylion – detail
marw – to die
marwolaeth/marwolaethau *f* – death
masnach/masnachau *f* – trade
masnachu – to trade
masnachwr/masnachwyr – tradesman; merchant
mater/materion – matter
math/mathau – kind; type
Mawrth – March
mecanic – mechanic
meddiannu – to take possession; to occupy **(meddiannodd; meddiennir; meddianwyd)**
meddiant/meddiannau – possession
meddu – to own; to possess

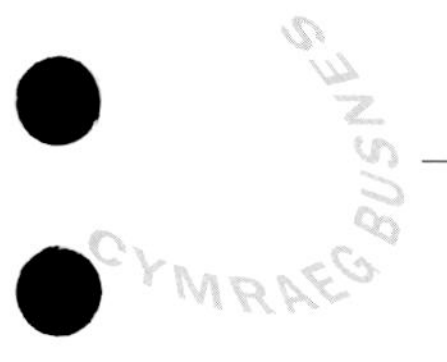

meddyg/meddygon – doctor
Medi – September
Mehefin – June
merch/merched *f* – daughter; girl; woman
Mercher – Wednesday
mesur/mesurau – measure
mesur – to measure **(mesurodd; mesurir; mesurwyd)**
methiant/methiannau – failure
methu (â) – to fail
metr/metrau – metre
mewn – in
mewn- – in-
  mewnbwn – input
  mewnlif – inflow
mil/miloedd *f* – thousand
  dwy fil – two thousand
miliwn/miliynau *f* – million
  dwy filiwn – two million
miliwnydd/miliwnyddion – millionaire
milltir/milltiroedd *f* – mile
  dwy filltir – two miles
milwr/milwyr – soldier
mis/misoedd – month
model/modelau – model
modurdy/modurdai – garage
môr/moroedd – sea
mudo – to move
munud/munudau † – minute
mwy – more
mwyaf – most
mwyhau – to enlarge
mwyn/mwynau – mineral; ore
mwyn – mild *(weather)*
mwynder/mwynderau – see ***amwynder***
mwynhad – enjoyment; pleasure
mwynhau – to enjoy **(mwynhaodd; mwynheir; mwynhawyd) (mwynheuodd; mwynheuir; mwynheuwyd)**
mwynhewch! – enjoy (it)!
myfyriwr/myfyrwyr – student
mynach/mynachod – monk
mynachdy/mynachdai – monastery
mynachlog/mynachlogydd *f* – monastery
mynd – to go
mynedfa/mynedfeydd *f* – entrance
mynediad – admission; entry; access
  dim mynediad – no entry
  dim tâl mynediad – no admission fee
  tâl mynediad – admission fee
mynegai/mynegeion – index
  mynegai cardiau – card index
mynnu – to insist **(mynnodd; mynnir; mynnwyd)**
mynych – frequent
  yn fynych – frequently; often
mynychu – to attend; to frequent **(mynychodd; mynychir; mynychwyd)**
mynydd/mynyddoedd – mountain
mynyddig – mountainous

N

See also words beginning with **D** (N), **G** (NG) *and* **T** (NH)

na – no
na; nag *(in front of vowels)* – than
nac oes – no *(there isn't)*
nage – no
Nadolig, Y – Christmas
  Nadolig Llawen – Happy Christmas
natur *f* – nature
naturiol – natural
naw – nine
nawdd – sponsorship; patronage; support
  dan nawdd – sponsored by; with the patronage of
  digwyddiad nawdd – a sponsored event
nawfed – ninth
nawr – now
neb – nobody
neges/negeseuon *f* – message
  neges ffacs – fax message
  neges gyflun – fax message
  negeseuon cyflun – fax messages
negyddol – negative
  ymateb negyddol – a negative response
nes – closer
  yn nes ymlaen – later on
nes – until; till
nesaf – next
neu – or

neuadd/neuaddau *f* – hall
  Neuadd y Dref – Town Hall
  Neuadd y Sir – County Hall
newid/newidiadau – change
newid – to change; to alter; to exchange **(newidiodd; newidir; newidiwyd)**
newydd/newyddion – news
  papur newydd – newspaper
  y newyddion – the news
newydd – new *(adjective)*
  newydd sbon – brand new
  o'r newydd – anew
newydd ... – just ...
  newydd adael – just left
newydd-deb – novelty
newydd-ddyfodiad/newydd-ddyfodiaid – newcomer
newyddiadurwr/newyddiadurwyr – journalist
nhw – they; them
ni – we; us
ni; nid *(in front of vowels)* – not
nifer/niferoedd † – number; quantity
niferus – numerous
niwclear – nuclear
niwed/niweidiau – damage; harm
niweidio – to damage; to harm **(niweidiodd; niweidir; niweidiwyd)**
niwl – mist; fog
  niwlog – misty; foggy
niwsans – nuisance
niwtral – neutral
nod/nodau † – aim
nodedig – notable; remarkable

nodi – to note **(nododd; nodir; nodwyd)**
nodwedd/nodweddion *f* – characteristic; feature
nodweddiadol – typical; characteristic
nodyn/nodiadau – note *(message;summary)*
nodyn/nodion – note *(pro-forma)*
  nodyn cludiant – delivery note
noddi – to sponsor; to patronise
noddwr/noddwyr – sponsor; patron
nôl – to fetch
nos/nosau *f* – night
  Nos da! – Good night!
noson/nosweithiau *f* – night
  noson dda – a good night
  noson lawen – evening of entertainment
noswaith/nosweithiau *f* – evening
  Noswaith dda! – Good evening!
nwy – gas
nwyddau – goods

O

See also words beginning with **G**

o – from *(place)*; of
o – him *(North)*
oblegid – because; on account of; owing to
O.C. (Oed Crist) – A.D. (Anno Domini)
ocsiwn/ocsiynau *f* – auction
ochr/ochrau *f* – side; aspect; facet; edge
ochri â – to side with
od – odd; strange
o dan; dan – under
oddi ar – *(from)* off
oddi cartref – from home
oddi isod – from below
oddi mewn – from inside; from within
oddi tan – from under
oddi uchod – from above
oddi wrth – from *(person)*
oddi yma – from here
oddi yno – from there
oed/oedrannau– age
  Oed Crist – Anno Domini
oedi – delay
oedran/oedrannau – age
oer – cold
oes – yes (there is)
oes/oesau *f* – age *(period of time)*; era; lifetime
  Oes yr Iâ – the Ice Age
  Oes y Cerrig – the Stone Age
  yr Oes Efydd – the Bronze Age

yr Oes Haearn – the Iron Age
Yr Oesoedd Canol – The Middle Ages (1000 – 1500)
Yr Oesoedd Tywyll – The Dark Ages (450 – 1000)
ofn/ofnau – fear
ofnadwy – awful; terrible
ofni – to fear; to be afraid
offeryn/offer – tool; implement
offer – equipment
offer swyddfa – office equipment
ogof/ogofau *f* – cave
o gwbl – at all
oherwydd – because
ôl/olion – mark; trace
olaf – final
ôl-daliad/ôl-daliadau – back-pay
ôl-ddyled – arrear
ôl-ddyledion – arrears
olynol – successive; consecutive
olynydd/olynwyr – successor
ON (Ôl Nodyn) – PS (Post Script)
ond – but
oni – unless
oni bai (am) – were it not (for)
optegydd/optegwyr – optician
o'r diwedd – at last
o'r gloch – o'clock
oriau – hours
oriel/orielau *f* – gallery
os – if
osgoi – to avoid
ffordd osgoi – by-pass
os gwelwch (chi) yn dda – please

P

pabell/pebyll *f* – tent; marquee
paced/pacedi – packet
pafiliwn/pafiliynau – pavillion
pafin – pavement
palmant/palmentydd – pavement
pam; paham – why
paned/paneidiau *f* – cup of tea
panel/paneli – panel
papur/papurau – paper
papur bro – local paper
papur newydd – newspaper
papur pennawd – headed paper
pâr/parau – pair
para – to continue; to last
paratoad/paratoadau – preparation
paratoi – to prepare **(paratôdd; paratoir; paratowyd)**
parc/parciau – park
parcio – to park
parch – respect
parchu – to respect **(parchodd; perchir; parchwyd)**
parhad – continuation
parhaol – continuous; permanent; perpetual; durable
parhau – to continue; to last **(parhaodd; parheir; parhawyd)**
parhaus – continual
parod – ready; willing
parodrwydd – readiness; willingness
parti/partïon – party
partner/partneriaid – partner
partneriaeth/partneriaethau *f* – partnership

parthed – concerning; regarding; with reference to
Pasg, Y – Easter
pasio – to pass
patrwm/patrymau – pattern
patrymog – patterned
pawb – everybody
pe – if; were
pedair – four *(feminine)*
pedwar – four
pedwaredd – fourth *(feminine)*
pedwerydd – fourth
pegwn/pegynau – pole
peilot/peilotiaid – pilot
peint/peintiau – pint
peintio – to paint **(peintiodd; peintir; peintwyd)**
peintiwr/peintwyr – painter
peiriannau – machines
peiriannydd/peirianwyr – mechanic; engineer
peiriannydd sifil – civil engineer
peiriant/peiriannau – machine
peiriant ateb – answering machine
peiriant coffi – coffee machine
peiriant ffrancio – franking machine
peirianwaith – machinery
peirianyddol – mechanical
pêl/peli *f* – ball
pêl-droed – football
pêl-fas – baseball
pêl-fasged – basketball
pêl-foli – volleyball
pêl-rwyd – netball

pêl-droediwr/pêl-droedwyr – footballer
pell – far
pellach – further
pell-gyrhaeddol – far-reaching
pellter/pellterau – distance
pen/pennau – end; head; pen
pen-blwydd/pen-blwyddi – birthday
pencadlys/pencadlysoedd – headquarters
  pencadlys yr heddlu – police headquarters
pencampwr/pencampwyr – champion
pencampwriaeth/pencampwriaethau *f* – championship
pendant – positive; definite
penderfyniad/penderfyniadau – decision
penderfynol – determined
penderfynu – decide (**penderfynodd; penderfynir; penderfynwyd**)
pennaeth/penaethiaid – head; chief
  pennaeth adran – head of department
pennawd/penawdau – heading; headline
  prif benawdau – main headings; main headlines
pennod/penodau *f* – chapter
pennu – to decide; to determine
penodi – to appoint (**penododd; penodir; penodwyd**)
penodiad/penodiadau – appointment *(to a post)*
penodol – specific; distinct
pensaer/penseiri – architect
pensil/pensiliau – pencil
pensiwn/pensiynau – pension
pensiynwr/pensiynwyr – pensioner
pentref/pentrefi *f* – village
penwythnos/penwythnosau † – weekend
perchen/perchenogion – owner
perchennog/perchenogion – owner; proprietor
perffaith – perfect
perffeithio – to perfect
perffeithrwydd – perfection
perfformiad/perfformiadau – performance
perfformio – to perform (**perfformiodd; perfformir; perfformiwyd**)
peri – to cause (**parodd; perir; parwyd**)
person/personau – person
personél – personnel
personol – personal
personoliaeth/personoliaethau *f* – personality
perswâd – persuasion
perswadio – to persuade
perthnasol – relevant
perthyn – to belong; to be related
perthynas *f* – relationship
perthynas/perthnasau – relative; relation
perygl/peryglon – danger
peryglu – to endanger
peryglus – dangerous
petruso – to hesitate
peth/pethau – thing
peth – some
pigion – selections; highlights
planhigyn/planhigion – plant *(botanical)*
plaen – plain *(adjective)*
plaid/pleidiau *f* – party *(political; grouping)*
  o blaid – in favour *(of)*
plannu – to plant (**plannodd; plennir; plannwyd**)
plastig – plastic
plât/platiau – plate
  plât enw – nameplate
pleidlais/pleidleisiau *f* – vote
pleidleisio – to vote; to poll (**pleidleisiodd; pleidleisir; pleidleisiwyd**)
plentyn/plant – child
plentyndod – childhood
plentynnaidd – childish
pleser/pleserau – pleasure
plesio – to please; to satisfy (**plesiodd; plesir; plesiwyd**)
plismon/plismyn – policeman
plismona – to police
pnawn/pnawniau – afternoon
pob – each; every
  Pob Lwc – Best of Luck
pobl/pobloedd *f* – people
poblog – populated; populous
poblogaeth/poblogaethau *f* – population
poblogaidd – popular
poblogeiddio – to popularise
poen/poenau – pain

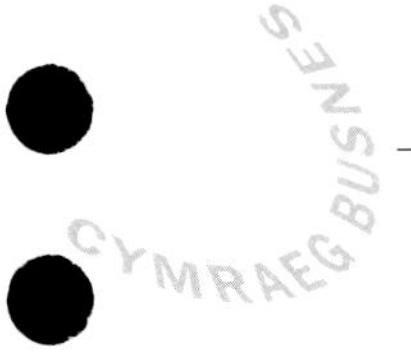

poeni – to pain; to worry; to pester; to bother
poeth – hot
poethi – to heat; to become hot
poenus – painful
polisi/polisïau – policy
pont/pontydd *f* – bridge
pontio – to bridge
popeth – everything
  popeth yn iawn – that's fine
porth/pyrth – door
porthladd/porthladdoedd – port; harbour
posibl – possible
posibiliadau – possibilities
posibilrwydd – possibility
posibl – possible
post – post; mail
  post allanol – external mail
  post mewnol – internal mail
postio – to post; postage
prawf/profion – test; proof
preifat – private
preifateiddio – to privatise
pren – wood
prentis/prentisiaid – apprentice
prentisiaeth/prentisiaethau *f* – apprenticeship
presennol – present
presenoldeb – presence
preswyl – residential
preswylio – to reside; to dwell; to live
prif – chief
  Prif Weithredwr – Chief Executive

priffordd/priffyrdd *f* – main road; highway
prin – rare; scarce
print – print
  mewn print – in print
  print-mân – fine-print
printio – to print
printiwr – printer *(machine)*
priodas/priodasau *f* – wedding; marriage
priodi – to marry
priodol – appropriate
pris/prisiau – price
prisiwr/priswyr – valuer; insurance assessor
profi – to test; to prove; to experience
profiad/profiadau – experience
profiadol – experienced
proflen/proflenni *f* – proof *(copy)*
proffesiwn/proffesiynau – profession
proffesiynol – professional
proses/prosesau *f* – process
prosesydd/prosesyddion – processor
  prosesydd geiriau – word processor
prosiect/prosiectau – project
pryd – when
pryder/pryderon – worry; anxiety
pryderu – to worry; to be anxious
pryderus – worried; anxious
prydferth – beautiful
prydferthwch – beauty
prydles/prydlesi *f* – lease
prydlesu – to lease
prydlon – punctual; prompt

prynhawn/prynhawniau – afternoon
pryniad/pryniadau – purchase
prynu – to buy; to purchase
  (prynodd; prynir; prynwyd)
prysur – busy; engaged *(line)*
prysurdeb – busyness
pumed – fifth
pump – five
punt/punnau – one pound (£)
punt/punnoedd – one pound (£)
pur – pure
pwll/pyllau – pool; pond
pwnc/pynciau – subject; topic
pwrpas/pwrpasau – purpose
pwrpasol – purposeful; intended
pwy – who
pwyllgor/pwyllgorau – committee
  pwyllgor gwaith – executive committee
  pwyllgor llywio – steering committee
pwynt/pwyntiau – point
  pwyntment – appointment *(medical)*
pwysau – weight; pressure
pwysig – important
pwysigrwydd – importance
pwyslais – emphasis; stress
pwysleisio – to emphasise; to stress
pwyso – to press; to weigh
pymtheg – fifteen
pysgodyn/pysgod – fish
pysgota – to fish
pysgotwr/pysgotwyr – fisherman
pythefnos/pythefnosau † – fortnight
pythefnosol – fortnightly

CYMRAEG BUSNES

R

See also words beginning with **RH**

radio – radio
raffl/rafflau *f* – raffle
rali/ralïau *f* – rally
ras/rasys *f* – race
  ras ffos a pherth – steeplechase
  ras gyfnewid – relay race
rasio – to race
record/recordiau *f* – record *(not a note)*
recordiad/recordiadau – recording
recordio – to record *(not to note)*
recordydd/recordyddion – recorder *(machine)*
  recordydd casét – cassette recorder
  recordydd fideo – video recorder
refferendwm/refferenda – referendum
robot/robotau – robot
roced/rocedi *f* – rocket
rownd – around
rownd/rowndiau *f* – round
rîm/rimau *f* – ream
ruban/rubanau – ribbon
rŵan – now *(North)*
rygbi – rugby
rysáit/ryseitiau *f* – recipe

RH

rhad – cheap
  rhad ac am ddim – free
rhaeadr/rhaeadrau *f* – waterfall; cascade
rhag – from; lest; against
rhag- – pre-; fore-; ante-
rhagair – foreword; preface
rhagarweiniad – introduction
rhagarweiniol – introductory; preliminary
  cynnig rhagarweiniol – introductory offer
rhagbrawf/rhagbrofion – preliminary heat
rhagdybio – to assume; to presuppose **(rhagdybiodd; rhagdybir; rhagdybiwyd)**
rhagfarn/rhagfarnau *f* – prejudice; bias
  rhagfarn hiliol – racial prejudice
rhagfarnllyd – prejudiced; biased
rhagflaenydd/rhagflaenwyr – predecessor
rhagflas – foretaste
Rhagfyr – December
rhaglen/rhaglenni *f* – programme; program
rhaglennu – to programme; to program
rhaglennydd/rhaglenwyr – programmer
  rhaglennydd cyfrifiaduron – computer programmer
rhagolwg/rhagolygon – prospect; outlook; forecast
  rhagolygon y tywydd – weather forecast
rhagor – more
rhagor – any more; any longer
rhagori – to excel; to surpass
rhagoriaeth/rhagoriaethau *f* – excellence; distinction
rhagorol – excellent; superb
rhagrith – hypocrisy
rhagrithiol – hypocritical
rhagweld – to forsee
rhagymadrodd/rhagymadroddion – introduction
rhai – some
rhaid/rheidiau – a must; necessity
rhain – these
rhamant – romance
rhamantaidd – romantic
rhamantus – romantic
rhan/rhannau *f* – part
  dwy ran – two parts
  rhan amser – part time
rhanbarth/rhanbarthau – region
rhanbarthol – regional
rhanedig – divided; torn
rhaniad/rhaniadau – division *(not in sense of league)*
rhannu – to divide; to share; to distribute **(rhannodd; rhennir; rhannwyd)**
rhedeg – to run; to manage **(rhedodd; rhedir; rhedwyd)**
rhedwr/rhedwyr – runner
rheidrwydd – compulsion; necessity
rheilffordd/rheilffyrdd *f* – railway

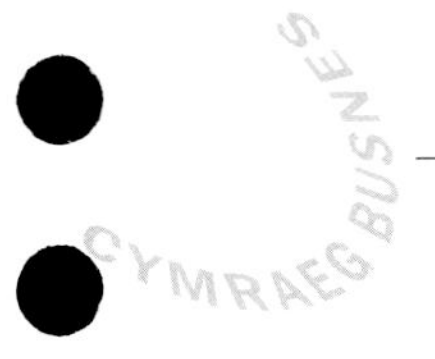

rheini: rheiny (y) – those
rheithfarn/rheithfarnau *f* – verdict *(judicial)*
rheithgor/rheithgorau – jury
rheithiwr/rheithwyr – juror
rhent/rhenti – rent
rhentu – to rent
rheol/rheolau *f* – rule
rheolaeth *f*– control; management
rheolaidd – regular
rheoli – to control; to rule; to govern;
  rheoli traffig – to control traffic
rheoliad/rheoliadau – regulation
rheolwr/rheolwyr – manager
  rheolwr cynorthwyol – assistant manager
rheolwraig *f* – manageress
rheolydd/rheolyddion – controller
rhestr/rhestri *f* – list; file
  rhestr brisiau/rhestri prisiau – price list
rheswm/rhesymau – reason; explanation
  wrth reswm – naturally; of course
rhesymeg *f* – logic
rhesymegol – logical
rhesymol – reasonable
rhew – ice; frost
rhewbwynt – freezing point
rhewgell/rhewgelloedd *f* – freezer; deep-freeze
rhewi – to freeze **(rhewodd; rhewir; rhewyd)**
mae'n rhewi – it's freezing
rhewllyd – icy; freezing
rhiant/rhieni – parent
rhif/rhifau – number *(figure)*
  rhif ffôn – phone number
rhifo – to number; to count
rhifyn/rhifynnau – issue; number *(publication)*
rhodfa/rhodfeydd *f* – walk; trail; promenade
rhodd/rhoddion *f* – gift; present
  cofrodd *f* – souvenir
rhoddwr/rhoddwyr – donor; giver
rhoddi – to give; to put **(rhoddodd; rhoddir; rhoddwyd)**
rhoi – to give; to put **(rhoiodd; rhoir; rhoddwyd)**
rhuthr – rush
  ar ruthr – in a rush
rhuthro – to rush
rhwng – between
rhwydd – easy; free; fluent
  rhwydd hynt – a free hand
rhwymo – to bind; to tie
rhwystr/rhwystrau – obstruction; hindrance; barrier
rhwystro – to obstruct; to hinder; to prevent
rhy – too
rhybudd/rhybuddion – warning; caution; notice
rhybuddio – to warn **(rhybuddiodd; rhybuddir; rhybuddiwyd)**
rhydd – loose; free
rhyddhau – to free; to release **(rhyddhaodd; rhyddheir; rhyddhawyd)**
rhyddid – freedom
rhyfedd – strange; odd
rhyfeddod/rhyfeddodau – wonder; marvel
rhyfeddol – wonderful; marvellous; amazing
rhyfeddu (at) – to wonder; to marvel; to amaze
rhyfel/rhyfeloedd – war
  rhyfel byd – world war
  rhyfel cartref – civil war
  y Rhyfel Byd Cyntaf – the First World War
  yr Ail Ryfel Byd – The Second World War
rhyngwladol – international
rhyw – some
rhyw – sex
rhywbeth – something
rhywbryd – sometime
rhywfaint – some amount
rhywfodd – somehow
rhywle – somewhere
rhywrai – some people
rhywsut – somehow
  rhywsut rywfodd – slap-dash
  rhywsut rywsut – slap-dash
rhywun – somebody
  rhywun rywun – just anyone *(negative sentences)*

RHAN C – PART C 2

See also words beginning in **Y**

Sadwrn – Saturday; Saturn
saernïaeth – workmanship; craftmanship
Saesneg – English *(language)*
Saesnes *f* – Englishwoman
safbwynt/safbwyntiau – point of view; standpoint
safle/safleoedd † – site; location; position
safon/safonau *f* – standard
  safon byw – standard of living
  safonau byw – living standards
  Safonau Masnach – Trading Standards
safonol – standard *(adjective)*
saib/seibiau – pause; rest
saig/seigiau – dish *(course of food)*
sail/seiliau *f* – foundation; basis; ground *(reason)*
  ar sail... – on the grounds of...
sain/seiniau *f* – sound; audio
  tâp sain – audio tape
Sais/Saeson – English *(people)*
saith – seven
sâl – sick; ill
salwch – sickness; illness
sampl/samplau *f* – sample; specimen
sant/saint – saint
sant/seintiau – saint
santes *f* – female saint
sawl?– how many?
sawl – many; a number
sboncen *f* – squash *(game)*
sbwriel – rubbish
sector/sectorau † – sector
sedd/seddau *f* – seat
sef – namely; that is
sefydliad/sefydliadau – establishment; institute
sefydlog – settled; fixed; set
sefydlogi – to stabilise; to fix
sefydlu – to establish; to found; to install **(sefydlodd; sefydlir; sefydlwyd)**
sefyll – to stand **(safodd; sefir; safwyd)**
  sefyll arholiad – to sit an examination
  sefyll dros – to stand for; to represent
  sefyll prawf – to stand trial
sefyllfa/sefyllfaoedd *f* – situation
segur – idle; unemployed; unoccupied
sengl – single
seibiant/seibiannau – pause; rest
seiclo – to cycle
seiclwr/seiclwyr – cyclist
seiliau – foundations
seilio – to base
seiniau – sounds
Seisnig – English *(things/attributes)*
seithfed – seventh
sêl – seal
  sêl bendith – seal of approval
sêl *f* – sale
selio – to seal
  selio bargen – to seal a bargain
senedd/seneddau *f* – parliament; senate
seneddol – parliamentary
sengl – single
sensitif – sensitive
seremoni/seremonïau *f* – ceremony
seren/sêr *f* – star
serth – steep
set/setiau *f* – set
sêt/seti *f* – seat
setlo – to settle
sgïo – to ski
sgil/sgiliau *f* – skill
sgîl-effaith/sgîl-effeithiau *f* – side effect; after effect
sgïwr/sgïwyr – skier
sglefrio – to skate
  sglefrio iâ – ice skating
sglodyn/sglodion – chip
  sglodyn silicon – silicon chip
sgôr – score
sgorio – to score
sgoriwr/sgorwyr – scorer
sgrifennu: ysgrifennu – to write
sgrîn/sgriniau *f* – screen
sgript/sgriptiau *f* – script
sgubo: ysgubo – to sweep
sgutor: ysgutor – executor
sgwâr/sgwariau † – square
sgwrs/sgyrsiau *f* – conversation
si/sïon – hiss; buzz; rumour; whisper
siaced/siacedi *f* – jacket
  siaced achub – lifejacket
  siaced lwch – dust jacket
siambr/siambrau *f* – chamber
sianel/sianeli *f* – channel
sianelu – to channel
siâp/siapiau – shape

siarad – to speak; to talk **(siaradodd; siaredir; siaradwyd)**
siart/siartiau *f* – chart
siarter/siarteri *f* – charter
sicr – sure; certain
sicrhau – to ensure **(sicrhaodd; sicrheir; sicrhawyd)**
sicrwydd – certainty
siec/sieciau *f* – cheque
siecio – to check
silff/silffoedd *f* – shelf
sillafu – to spell
sillafwr/sillafwyr – spellcheck
sinema/sinemâu *f* – cinema
sioc – shock
sioe/sioeau *f* – show
siom *f* – disappointment
siomedig – disappointed; disappointing
siomi – to disappoint
siop/siopau *f* – shop
siopa – to shop
siopwr/siopwyr – shopkeeper
sir/siroedd *f* – county
sirol – county *(adj)*
siryf/siryfion – sheriff
siŵr – sure
siwrnai/siwrneiau *f* – journey
siwt/siwtiau *f* – suit
slogan/sloganau † – slogan
smygu – to smoke
  dim smygu – no smoking
snwcer – snooker
sôn – mention
sôn – to mention **(soniodd; sonir; soniwyd)**

stad/stadau *f* – estate; state *(condition)*
  stad ddiwydiannol – industrial estate
  stadau diwydiannol – industrial estates
stafell/stafelloedd *f* – room
staff – staff
staffio - to staff
statudol – statutory
statws – status
steil/steiliau – style
stiwdio/stiwdios *f* – studio
stoc *f* – stock
stocio – to stock
stondin/stondinau *f* – stall; booth
stop – stop
stôr/storau – store; stock
stori/storïau *f* – story
storio – to store
storm/stormydd *f* – storm
stormus – stormy
straen – strain
streic/streiciau *f* – strike
streicio – to strike; to go on strike
strwythur/strwythurau – structure
stryd/strydoedd *f* – street
stwffwl/styffylau – staple
stwfflwr – stapler
styfnig: ystyfnig – obstinate; stubborn
styfnigrwydd: ystyfnigrwydd – obstinancy; stubbornness
suddo – to sink
Sul – Sunday
sur – sour
suro – to sour; to turn sour

sut – how
sut bynnag – however
sŵ/sŵau – zoo
swil – shy
swits/switsys – switch
switsfwrdd/switsfyrddau – switchboard
swm/symiau – sum; amount
swmpus – substantial; bulky
sŵn/synau – noise
swnio – to sound; complain
swnllyd – noisy
swper † – supper; evening meal
swydd/swyddi *f* – post; job; position
swyddfa/swyddfeydd *f* – office
  swydd wag – vacancy
  swyddfa ranbarthol – regional office
  Swyddfa'r Post – Post Office
swyddog/swyddogion – officer; official
swyddogaeth/swyddogaethau *f* – function; duty
swyddogol – official
sych – dry
sychder – drought; dryness
syched – thirst
sychu – to dry
sydyn – sudden
  yn sydyn – suddenly
syfrdanol – stunning; astounding
syfrdanu – to shock; to amaze; to be shocked
sylfaen/sylfeini *f* – foundation; base
sylfaenol – fundamental; basic
sylfaenu – to found; to base
sylfaenydd/sylfaenwyr – founder

sylw – attention; observation; comment; remark
dan sylw – in question; under discussion
sylw brys – urgent attention
talu sylw i – to pay attention to
sylwebaeth/sylwebaethau *f* – commentary
sylwebydd/sylwebyddion – commentator
sylwebu – to commentate
sylwedydd/sylwedyddion – observer
sylwedd/sylweddau – substance; matter; essence
sylweddol – substantial; significant
sylweddoli – to realise **(sylweddolodd; sylweddoli; sylweddolwyd)**
sylwi – to notice **(sylwodd; sylwir; sylwyd)**
sylwer – please notice
symbol/symbolau – symbol
symbolaidd – symbolic
symbyliad/symbyliadau – incentive; encouragement
symbylu – to encourage; to stimulate
syml – simple
symleiddio – to simplify
symud – to move **(symudodd; symudir; symudwyd)**
symudiad/symudiadau – move; movement; motion
symudol – mobile; moveable
syn – amazed; astonished
syndod – surprise; wonder; amazement
synhwyrau – senses
synhwyro – to sense
synhwyrol – sensible; rational
syniad/syniadau – idea; thought
synnu – to amaze; to surprise **(synnodd; synnir; synnwyd)**
wedi synnu – surprised
synnwyr/synhwyrau – sense
synnwyr cyffredin – common sense
syrcas/syrcasau *f* – circus
syrffed – surfeit
syrffedu (ar) – to be fed up (with)
syrthio – to fall
system/systemau *f* – system
syth – straight
yn syth – straight away; at once; directly
sythu – to straighten

T

tabl/tablau – tables *(lists)*
taclus – tidy; neat; smart
tacluso – to tidy; to smarten
tacsi/tacsis – taxi
tacteg/tactegau *f* – tactic
Tachwedd – November
tacsi – taxi
tad/tadau – father
tafarn/tafarnau † – tavern; pub
tafell/tafellau *f* – slice
taflen/taflenni *f* – leaflet; sheet *(of information)*
taflen waith/taflenni gwaith *f* – worksheet
tafliad – a throw
tafliad carreg – a stone's throw
taflu – to throw; to cast **(taflodd; teflir; taflwyd)**
taflunydd/taflunyddion – projector
tafodiaith/tafodieithoedd *f* – dialect
tafodieithol – colloquial
tagfa/tagfeydd *f* – jam *(traffic)*; blockage
tai – houses
taid/teidiau – grandfather
tair – three *(feminine)*
taith/teithiau *f* – journey; route; tour
ar daith – on tour
tal – tall
tâl/taliadau – pay; payment
taladwy – payable
taleb/talebau *f* – voucher

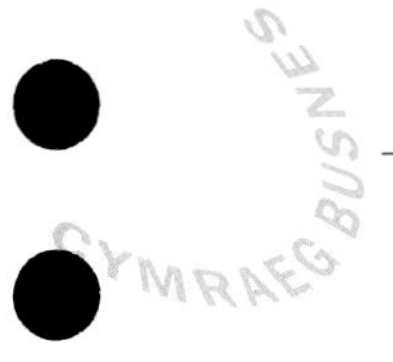

talent/talentau *f* – talent
talentog – talented
talfyriad/talfyriadau – abridgement; abbreviation
talfyrru – to abridge; to abbreviate
taliad/taliadau – payment
talp/talpiau – byte; chunk
talu – to pay
tamaid/tameidiau – bit; piece
  tamaid bach – a little bit
tameidiog – bitty
tamprwydd – damp; dampness
tân/tanau – fire
  tân gwyllt – fireworks
tan – until; under
tanbaid – fiery; very hot
tancer/tanceri – tanker
tanddaearol – underground; subterranean *(adj)*
tanfor – submarine *(adj)*
tanio – to fire; to set alight; to ignite; to start *(engine)*
tanlinellu – to underline
tanseilio – to undermine
tanwydd – fuel
tanysgrifiad/tanysgrifiadau – subscription
tanysgrifio – to subscribe
tanysgrifiwr/tanysgrifwyr – subscriber
tap/tapiau – tap
tâp/tapiau – tape
taran/taranau *f* – clap of thunder
taranu – to thunder
tarddiad/tarddiadau – source
tarddiant/tarddiannau – eruption
tarddu – to spring; to derive from
tarfu (ar) – to disrupt; to interrupt
targed/targedau – target
tarian/tariannau *f* – shield; crest
taro – to hit; to strike **(trawodd; trewir; trawyd)**
  taro ar – to hit upon
  taro deuddeg – to be spot on
tarth – mist *(over water/valley)*; fret
tarw/teirw – bull
  tarw dur – bulldozer
tasg/tasgau *f* – task
tasgu – to splash
TAW (Treth Ar Werth) – VAT (Value Added Tax)
tawch – vapour
tawel – silent; quiet; calm; still
tawelu – to calm; to quieten; to become calm
tawelwch – silence; quiet
te – tea
  te deg – elevenses
tebot/tebotau – teapot
tebyg – similar; like
  mae'n debyg – it seems; it's likely; I suppose
tebygol – likely
tebygolrwydd – probability; likelihood
tebygrwydd – similarity; likeness
techneg/technegau *f* – technique
technegol – technical
technegydd/technegwyr – technician
  technegydd fideo – video technician
  technegydd sain – sound technician
technoleg *f* – technology
teg – fair
  ara' deg – slowly; leisurely
  chwarae teg – fair play
tegan/teganau – toy
tegwch – fairness; beauty
teiar/teiars – tyre
teilwng – worthy; deserving
teilyngdod – merit; worthiness
teilyngu – to be worthy; to deserve
teimlad/teimladau – feeling
teimladol – sentimental; emotional
teimladwy – sensitive; impassioned
teimlo – to feel **(teimlodd; teimlir; teimlwyd)**
teip/teipiau – type; print
teipiadur/teipiaduron – typewriter
teipio – to type
teipydd/teipyddion – typist
teipysgrif/teipysgrifau *f* – typescript
teirgwaith – thrice; three times
teisen/teisennau *f* – cake
teitl/teitlau – title
teithio – to travel
teithiwr/teithwyr – traveller; passenger
telathrebu – to telecommunicate; telecommunication
teledu – television
  set deledu *f* – tv set
  setiau teledu – tv sets
teledu – to televise **(teledodd; teledir; teledwyd)**
teleffon/teleffonau – telephone
telerau – terms
telyn/telynau *f* – harp

teml/temlau *f* – temple
tenant/tenantiaid – tenant
tenantiaeth *f* – tenancy
tenau – thin; slim
tennis – tennis
  tennis bwrdd – table tennis
terfyn/terfynau – end; boundary; limit
terfynell/terfynellau *f* – terminal
terfyniad/terfyniadau – ending
terfynol – final
terfynu – to terminate; to end
terfysg/terfysgoedd – tumult; riot; disturbance
terfysg – thunder *(South)*
term/termau – term (word)
testun/testunau – subject; text
teulu/teuluoedd – family
teuluol – family; domestic
tew – fat; thick
tewi – to quieten; to silence; to become silent
teyrngar – loyal
teyrngarwch – loyalty
teyrnged/teyrngedau *f* – tribute
TGAU – GCSE
ti – you *(informal singular)*
ticed/ticedi – ticket; tag
til/tiliau – till
tila – feeble; puny; insignificant
tîm/timau – team
tipyn – a little; a bit
  ers tipyn – for a while
tir/tiroedd – land; ground
tirfesurydd/tirfesurwyr – surveyor
tirfeddiannwr/tirfeddianwyr – landowner
tiriogaeth/tiriogaethau *f* – territory
tirlun/tirluniau – landscape
tirwedd *f* – relief *(map)*
tiwb/tiwbiau – tube
tlawd – poor
tlodi – poverty
tlws/tlysau – jewel; gem ; trinket; award; medal
tlws – pretty; beautiful
to/toeau – roof
to – generation
  y to hŷn – the older generation
tocyn/tocynnau – ticket; token; tag
  tocyn anrhegion – gift token
  tocyn awyren – flight ticket
  tocyn dwyffordd – return ticket
  tocyn unffordd – single ticket
tocynnwr/tocynwyr – ticket collector
toddi – to melt; to thaw; to dissolve
toddydd/toddyddion – solvent
tolc/tolciau – dent
tolchen/tolchenni *f* – (blood) clot
tolchennu – to coagulate; to clot
toiled/toiledau – toilet
tomen/tomenni *f* – mound; heap; dump
  ar y domen – on the scrap-heap
  yn wlyb domen – soaking wet
ton/tonnau *f* – wave *(sea)*
tôn/tonau – tone
tôn/tonau *f* – tune
tonfedd/tonfeddi *f* – wavelength
torf/torfeydd *f* – crowd
torheulo – to sunbathe
toriad/toriadau – break; cut; section
  croesdoriad – cross-section
torri – to break; to cut **(torrodd; torrir; torrwyd)**
tost – toast
tost – sore; ill *(adj – South)*
tostrwydd – soreness; illness *(South)*
tosturi – compassion; pity
  didostur – pitiless; without mercy
tra – while; whilst
tra – very; extemely
trac/traciau – track
tracwisg/tracwisgoedd *f* – tracksuit
traddodi – to deliver; to commit
  traddodi darlith – to deliver a lecture
  traddodi i garchar – to commit to prison
traddodiad/traddodiadau – tradition
traddodiadol – traditional
traean – a third
traed – feet
  dan draed – underfoot
  llusgo traed – to drag one's feet
traeth/traethau – beach; sands
  traeth awyr – mackerel sky
  traeth byw – quicksand
traethawd/traethodau – essay; composition
  traethawd hir – dissertation; thesis
trafnidiaeth *f* – transport
trafod – to discuss; to handle; to negotiate **(trafododd; trafodir; trafodwyd)**
trafodaeth/trafodaethau – discussion; negotiation

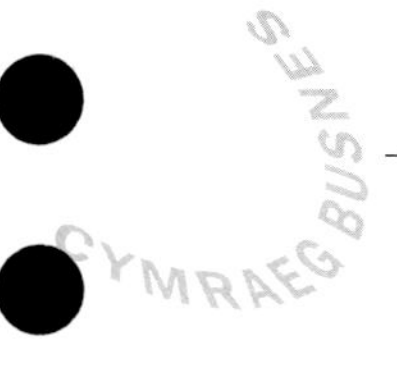

traffig – traffic
trafferth/trafferthion † – trouble; bother; difficulty
mynd i drafferth – to take trouble
mynd i drafferthion – to get into trouble
trafferthu – to take trouble; to bother
trafferthus – troublesome; irksome
traffordd/traffyrdd *f* – motorway
trai – ebb
ar drai – ebbing; in decline
trais – violence; force; rape
trallwysiad/trallwysiadau – transfusion
trallwyso – to transfuse
tramgwydd/tramgwyddau – hindrance; offence
tramgwyddo – to offend
tramor – overseas; foreign
tramorwr/tramorwyr – foreigner
trannoeth *f* – the next day
trap/trapiau – trap
tras *f* – lineage; pedigree; kin
o dras – descended from; of noble descent
trasiedi/trasiedïau *f* – tragedy
traul/treuliau *f* – expense; cost; wear
ar draul – at the expense of
trawiad/trawiadau – blow; stroke
trawiadol – striking
traws – cross *(adj)*
ar draws – across
traws gwlad – cross country
trawsblannu – to transplant **(trawsblannodd; trawsblennir; trawsblannwyd)**
trawstoriad/trawstoriadau – cross-section
trawsffurfiad/trawsffurfiadau – transformation; metamorphosis
trawsgludo – to transport
trechu – to defeat
tref/trefi *f* – town
trefn *f* – order; procedure
allan o drefn – out of order
mewn trefn – in order
trefniad/trefniadau – arrangement
trefniant/trefniannau – arrangement
trefnu – to arrange; to organise; to book **(trefnodd; trefnir; trefnwyd)**
trefnydd/trefnyddion – organiser
treftadaeth *f* – heritage; inheritance
treiglad/treigladau – mutation
treiglad llaes – aspirate mutation
treiglad meddal – soft mutation
treiglad trwynol – nasal mutation
treiglo – to mutate
trem – a look; glance
trên/trenau † – train
tresmasu – to trespass
treth/trethi *f* – tax; rate
Treth Ar Werth – Value Added Tax
Treth Incwm – Income Tax
Treth y Cyngor – Council Tax
trethdalwr/trethdalwyr – taxpayer; ratepayer
trethu – to tax; to rate
treuliau – expenses
treulio – to spend *(time)*; to digest
tri – three
triawd – trio
tribiwnlys/tribiwnlysoedd – tribunal
tric/triciau – trick
tridiau – three days
trigain – sixty
trigfa/trigfeydd *f* – dwelling
trigfan/trigfannau *f* – dwelling
trigo – to dwell
trigolyn/trigolion – inhabitant
trin – to treat; to discuss; to handle
triniaeth/triniaethau *f* – treatment
trio – to try
trist – sad
tristwch – sadness; sorrow
tro/troeon – turn; bend; twist; walk; time
am y tro – for the time being
dros dro – temporarily
mynd am dro – to go for a walk
y tro diwethaf – last time
troad/troadau – turn; bend
gyda throad y post – by return of post
trobwynt/trobwyntiau – turning-point
troed/traed *f* – foot *(part of body)*
llwybr troed – footpath
troedfedd/troedfeddi – foot *(measurement)*
troedio – to tread; to walk; to step

troednodyn/troednodiadau – footnote
troellog – twisting; winding
troi – to turn; to twist; to stir **(trodd; troir; trowyd)**
troli/trolïau – trolley
tros – over
trosedd/troseddau *f* – offence; crime
troseddol – criminal *(adj)*
troseddu – to offend; to commit an offence
troseddwr/troseddwyr – criminal; culprit
trosglwyddiad/trosglwyddiadau – transfer
trosglwyddo – to transfer
trosglwyddydd/trosglwyddyddion – transmitter
trosi – to turn; to translate; to convert *(rugby)*
trosiad/trosiadau – translation; conversion
trosodd – over *(adv)*
trothwy – doorstep; threshold
  ar drothwy – on the threshold of
trwch – thickness; layer
  o drwch blewyn – by a hair's breadth; by a whisker
  trwch y boblogaeth – the majority of the population
  trwy'r trwch – mixed up
trwchus – thick
trwm – heavy
trwodd – through *(adv)*
trwsio – to repair **(trwsiodd; trwsir; trwsiwyd)**
trwsiwr – repairer
  trwsiwr clociau – clock repairer
trwy – through; by means of
  trwy'r dydd – all day
trwyadl – thorough; exhaustive
trwydded/trwyddedau *f* – licence
trwyddedu – to license
trychineb/trychinebau *f* – disaster; catastrophe
trychinebus – disastrous; catastrophic
trydan – electricity; electric *(current)*
trydanol – electrical; electric
trydanu – to electrify
trydanwr/trydanwyr – electrician
trydedd – third *(feminine)*
trydydd – third
tryloyw – transparent
tryloywder/tryloywderau – transparency; slide
trylwyr – thorough
trymaidd – muggy; heavy; close *(weather)*
trysor/trysorau – treasure
trysorydd/trysoryddion – treasurer
  Trysorydd y Sir – County Treasurer
trywydd – track; trail
  ar drywydd – on the track of
  ar y trywydd iawn – on the right track
tu – side
  tu allan – outside
  tu draw – far side
  tu mewn – inside
  tu ôl – behind
tua: tuag – towards; about
tudalen/tudalennau † – page
tuedd/tueddiadau *f* – tendency; bias
tueddiad/tueddiadau – tendency
tueddol i – inclined to
tueddu i – to tend to; to be inclined to
twf – growth
twll/tyllau – hole
twmpath/twmpathau – mound; pile
  twmpath dawns – folk dancing session
twnnel/twnelau – tunnel
twp – stupid; daft
twr/tyrrau – heap; crowd
tŵr/tyrau – tower
twristiaeth – tourism
twrnai/twrneiod – lawyer; attorney
twrw – noise; roar
twyll – deceit; fraud
twyllo – to deceive; to cheat
twyllodrus – deceptive
twyllwr/twyllwyr – cheats
twym – hot; warm
twymgalon – warm-hearted
twymo – to heat; to become warm
tŷ/tai – house
  tŷ bach – toilet
  tŷ gwydr – greenhouse; glasshouse
  tŷ haf – holiday home
  Tŷ'r Cyffredin – The House of Commons
tybed – I wonder
tybio – to suppose; to presume
tybiedig – supposed

tyddyn/tyddynnod – croft; smallholding
tyfiant – growth; vegetation; tumour
tyfu – to grow **(tyfodd; tyfir; tyfwyd)**
tynged – destiny; fate
tyngedfennol – fateful
tylwyth/tylwythau – family; kindred; ancestry
  y Tylwyth Teg – the Fairies
tyllu – to excavate; to burrow; to drill
tymer – temper; mood
tymheredd – temperature
tymor/tymhorau – term; season
  tymor byr – short-term
  tymor hir – long-term
tyn: tynn – tight; taut; fast
tyndra – tension; strain; tightness
tyner – tender; delicate; gentle
tynerwch – tenderness; gentleness
tynhau – to tighten
tynnu – to pull; to draw; to drag **(tynnodd; tynnir; tynnwyd)**
  tynnu'n groes – to disagree; to oppose
  tynnu sylw at – to draw attention to
  tynnu yn ôl – to withdraw
tyrru – to flock; to crowd; to amass
tyst/tystion – witness
tystio – to witness; to testify
tystiolaeth/tystiolaethau *f* – evidence; testimony
tystlythyr/tystlythyrau – reference *(letter)*
tystysgrif/tystysgrifau *f* – certificate
tywallt – to pour *(North)* **(tywalltodd; tywelltir; tywalltwyd)**
  tywallt y glaw – to pour with rain
tywel/tywelion – towel
tywod – sand
tywodfaen – sandstone
tywodlyd – sandy
tywydd – weather
tywyll – dark *(adj)*
tywyllwch – darkness; dark
tywys – to guide; to lead
tywysog/tywysogion – prince
  Tywysog Cymru – The Prince of Wales
  y Tywysogion Cymreig – the Welsh Princes
tywysoges/tywysogesau – princess
  Tywysoges Cymru – The Princess of Wales
tywysydd/tywyswyr – guide; usher

TH

See also words beginning with **T**

theatr/theatrau *f* – theatre
thema/themâu *f* – theme

U

uchaf – highest
uchafbwynt/uchafbwyntiau – highlight; climax; pinnacle
uchafswm/uchafsymiau – maximum
uchder – height; altitude
uchel – high; loud
  sŵn uchel – loud noise
ucheldir/ucheldiroedd – highland; upland
uchelgais † – ambition
uchelgeisiol – ambitious
uchelseinydd/ucheilseinyddion – loudspeaker
uchelwydd – mistletoe
uchod – above *(adv)*
ufudd – obedient; dutiful
ufudd-dod – obedience; compliance
ufuddhau (i) – to be obedient; to comply (with); to obey **(ufuddhaodd; ufuddheir; ufuddhawyd)**
uffern *f* – hell
uffernol – hellish; infernal; terrible; awful
ugain/ugeiniau – twenty; score
ugeinfed – twentieth
un – one; same; each
  bob un – each one
  fesul un – one by one
  punt yr un – a pound each
  yr un fath – the same kind; the same sort
  yr un un – the same one

undeb/undebau – union *(group)*; unity
  undeb llafur – trade union
undebol – union *(adj)*
undebwr/undebwyr – unionist
undod – unity
undonedd – monotony; boredom
undonog – monotonous; boring
uned/unedau *f* – unit
unedig – united
unfryd: unfrydol – unanimous
unfrydedd – unanimity
un-ffordd – one-way
unffurf – uniform
unffurfiaeth *f* – uniformity
uniad – union; joining
uniaethu â – to identify with
uniaith – monoglot
unig – only; lonely
  pobl unig – lonely people
  yr unig un – the only one
unigol – singular; individual
unigolyn/unigolion – individual
union – direct; straight; exact; precise
uniongyrchol – direct
unioni – to rectify; to put right; to straighten; to justify
uno – to amalgamate; to join; to unite
unrhyw – any
  unrhyw beth – anything
unwaith – once
  ar unwaith – at once
uwch – higher; louder; advanced
uwch – senior; ultra
  uwch-gynhyrchydd – senior producer
  uwchsonig – ultrasonic
uwchben – above
uwchdaflunydd/uwchdaflunyddion – overhead projector

W

*See also words beginning with **G***

wal/waliau *f* – wall
ward/wardiau *f* – ward
warden/wardeniaid – warden
wats/watsys *f* – watch
wedi – after; past
wedyn – afterwards; then; next
weithiau – sometimes
wel – well
wrth – by; to; while
wrth gwrs – of course
wy/wyau – egg
wyneb/wynebau – face; surface
  ar yr wyneb – on the surface; superficial
  dod i'r wyneb – to surface
  wyneb i waered – upside-down
wyneb ddalen *f* – title-page
wynebu – to face
ŵyr/wyrion – grandson
wyres/wyresau – granddaughter
wyth – eight
wythfed – eighth
wythnos/wythnosau *f* – week
wythnosol – weekly
wythnosolyn – weekly *(publication)*

See also words beginning in **S.**

y: yr: 'r – the
y cant – percent
y person – per person
ychwanegiad/ychwanegiadau – addition; supplement
ychwanegu (at) – to add (to); to supplement
ychwanegyn/ychwanegion – additive
ychydig – few; some *(adj)*
ychydig – a bit; a little *(adv)*
  am ychydig – for a while
ydi: ydy – is; are; yes
yfed – to drink **(yfodd; yfir; yfwyd)**
yfory – tomorrow
ynganiad – pronunciation
ynghyd (â/ag) – together (with)
ynghylch – concerning
ynghynt –previously
ynglŷn â/ag – regarding
yma – this; these *(adj)*
yma – here *(adv)*
  hwnt ac yma – here and there
  hyd yma – up to now
  yma ac acw – here and there
  yma a thraw – here and there
ymadael – to leave; to depart; to part
ymadawiad – departure; parting
ymadrodd/ymadroddion – phrase; expression
ymaelodi â/ag – to become a member; to join
ymaith – away

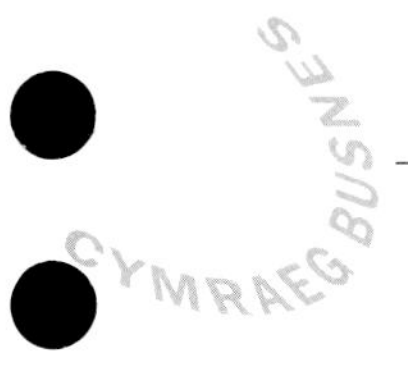

ymarfer/ymarferion † – practice; exercise; rehearsal
ymarfer – to practise; to train; to rehearse; to exercise
ymarferol – practical; realistic
ymatal (rhag) – to refrain (from)
ymateb/ymatebion – response; reaction
ymateb – to respond **(ymatebodd; ymatebir; ymatebwyd)**
ymbelydredd – radioactivity
ymbelydrol – radioactive
ymchwil *f* – research
ymchwiliad/ymchwiliadau – inquiry; investigation
ymchwilio † – to research; to investigate
ymchwiliwr: ymchwilydd/ymchwilwyr – researcher; investigator
ymdopi â/ag – to cope with
ymdrech/ymdrechion *f* – attempt; effort; exertion
ymdrechu – to attempt; to endeavour; to strive
ymdrin â/ag – to deal with; to treat **(ymdriniodd; ymdrinnir; ymdriniwyd)**
ymdriniaeth/ymdriniaethau *f* – treatment
ymddangos – to appear; to seem
ymddangosiad/ymddangosiadau – appearance
ymddeol – to retire
ymddeoliad/ymddeoliadau – retirement
ymddeoliad cynnar – early retirement
ymddiheuriad/ymddiheuriadau – apology
ymddiheuro – to apologise **(ymddiheurodd; ymddiheurir; ymddiheurwyd)**
ymddiried – to trust
ymddiriedaeth *f* – confidence; trust
ymddiriedolaeth/ymddiriedolaethau *f* – trust *(body)*
Ymddiriedolaeth GIC – NHS Trust
ymddiriedolwr/ymddiriedolwyr – trustee
ymddiswyddiad/ymddiswyddiadau – resignation
ymddiswyddo – to resign
ymddwyn – to behave
ymddygiad – behaviour
ymestyn – to extend; to reach; to stretch
ymfalchïo – to take pride
ymgais/ymgeisiadau *f* – attempt; effort; endeavour
ymgeisio – to apply
ymgeisydd/ymgeiswyr – applicant; candidate
ymgynghori – to consult
ymgynghorol – advisory; consultative
ymgynghorydd/ymgynghorwyr – consultant; adviser
ymgymryd (â/ag) – to undertake
ymgynnull – to assemble; to gather *(people)*
ymgyrch/ymgyrchoedd *f* – campaign
ymgyrchu – to campaign
ymhell – far
ymhellach – further; furthermore *(adv)*
ymhen – within
ymhlith – among; amongst
ymholi – to enquire; to inquire
ymholiad/ymholiadau – enquiry; inquiry
ymlacio – to relax
ymladd – to fight **(ymladdodd; ymleddir; ymladdwyd)**
ymlaen – on; onward; ahead; forward
o hyn ymlaen – from now on
ymlaen llaw – before hand
ymledu – to spread
ymlid – to pursue; to persecute
ymolchi – to wash (oneself)
ymosod (ar) – to attack; to assail; to assault **(ymosododd; ymosodir; ymosodwyd)**
ymosodiad/ymosodiadau – attack; assault; onslaught
ymosodol – aggressive; attacking
ymroddiad – devotion
ymrwymiad/ymrwymiadau – commitment; undertaking
ymrwymo i – to commit (oneself) to
ymuno â/ag – to join
ymweld â/ag – to visit
ymweliad/ymweliadau – visit; call
ymwelydd/ymwelwyr – visitor; caller
ymwneud â/ag – to be concerned with; to do with
ymwybodol – aware
ymwybyddiaeth *f* – awareness
ymyl/ymylon † – edge; side; border; verge

ymyl y ffordd – roadside; wayside
yn ymyl – near
ymylol – marginal
ymylu ar – to border on
ymyrraeth *f*– interference; intervention
ymyrryd – to interfere; to intervene
ymysg – among; amongst; between
yn: yng: ym – in; at
yn ddiweddar – recently
yn gywir – faithfully
yn hytrach – instead of
yn unol â/ag – in accordance with
yn y lle cyntaf – initially
yn ystod – during; in the course of
yna – there; then *(adv)*
yna – that; those *(adj)*
ynad/ynadon – magistrate; justice
Ynad Heddwch – Justice of the Peace
ynfyd – idiotic; crazy
ynfydrwydd – folly; madness
ynni – energy
yno – there
ynys/ynysoedd *f* – island; isle
ynysu – to isolate; to insulate
yr eiddoch yn ddiffuant – yours sincerely
yr eiddoch yn gywir – your faithfully
ysbaid/ysbeidiau † – respite; spell
ysbeidiol – intermittent; sporadic
ysblander – spendour
ysblennydd – splendid
ysbryd/ysbrydion – spirit; ghost
ysbrydoledig – inspired
ysbrydoli – to inspire **(ysbrydolodd; ysbrydolir; ysbrydolwyd)**
ysbrydoliaeth *f* – inspiration
ysbwriel – rubbish
ysbyty/ysbytai – hospital; infirmary
ysgafn – light
ysgariad – divorce
ysgaru – to divorce
ysgaredig/ysgaredigion – divorcé; divorcée
ysgol/ysgolion *f* – school; ladder
ysgolhaig/ysgolheigion – scholar; intellectual
ysgolheictod – scholarship; learning
ysgrifen *f* – writing
llawysgrifen – handwriting
ysgrifenedig – written
ysgrifennu – to write **(ysgrifennodd; ysgrifennir; ysgrifennwyd)**
ysgrifennwr/ysgrifenwyr – writer
ysgrifennydd/ysgrifenyddion – secretary
ysgrifenyddes/ysgrifenyddesau – secretary *(female)*
ysgutor/ysgutorion – executor
ysgwyd – to shake; to vibrate
ysgwyd dwylo – to shake hands
ysgwyddo – to shoulder; to bear
ystadegau – statistics
ystafell/ystafelloedd *f* – room
ystod/ystodau *f* – range
ystrydeb/ystrydebau *f* – cliché
ystrydebol – stereotyped; clichéd
ystryw/ystrywiau *f* – trick; ruse; stratagem
ystyr/ystyron † – meaning; sense
ystyriaeth/ystyriaethau *f* – consideration; factor
dan ystyriaeth – under consideration
ystyried – to consider **(ystryriodd; ystyrier; ystyriwyd)**
ystyriol – considerate; thoughtful
yswiriant – insurance
Yswiriant Gwladol – National Insurance
yswirio – to insure
ysywaeth – alas; unfortunately
yw – is; are

ADRAN 3
CYWIRIADUR

SECTION 3
GUIDE TO CORRECT WELSH

Yn yr Adran hon – In this Section

Y TREIGLADAU
THE MUTATIONS

Y llythrennau a'r newidiadau
– The letters and the changes

Treigladau cyson
– Frequently occurring mutations

RHIFAU
NUMBERS

Y rhifau cyfoes
– The modern numbers

Y rhifau traddodiadol
– The traditional numbers

Rhifau benywaidd
– Feminine numbers

Rhifau ag enwau
– Numbers with nouns

DYDDIADAU
DATES

Y misoedd
– The months

Ysgrifennu'r dyddiad
– Writing the date

Gwyliau banc
– Bank holidays

Dathliadau Cymreig
– Welsh celebrations

AMSER
TIME

Y cloc – The clock
Diwrnodau – Days
Wythnosau – Weeks
Misoedd – Months
Blynyddoedd – Years
Y tymhorau – The seasons

Y FERF
THE VERB

Amser presennol – Present tense
Amserau gorffennol – Past tenses
Amser dyfodol – Future tense
Amser amodol – Conditional tense
Ffurfiau amhersonol – Impersonal forms

RHAGENWAU PERSONOL
PERSONAL PRONOUNS

Rhagenwau annibynnol
– Independent pronouns

Rhagenwau dibynnol
– Dependent pronouns

Rhagenwau atodol
– Auxiliary pronouns

RHEDIAD ARDDODIAID
PERSONAL FORMS OF PREPOSITIONS

Mathau
– Types

Y TREIGLADAU
THE MUTATIONS

Y llythrennau a'r newidiadau
The letters and the changes

Gwreiddiol Original	**Meddal** Soft	**Trwynol** Nasal	**Llaes** Aspirate
P	**B**	**MH**	**PH**
T	**D**	**NH**	**TH**
C	**G**	**NGH**	**CH**
B	**F**	**M**	–
D	**DD**	**N**	–
G	**Disappears**	**NG**	–
M	**F**	–	–
LL	**L**	–	–
RH	**R**	–	–

Treigladau cyson
Frequently occurring mutations

The following notes are guidelines to some of the most frequently occurring mutation changes; they do not include all the rules and all the changes.

a) Y Treiglad Meddal – The Soft Mutation

This is by far the most frequently occurring mutation of the three.

(i) *Feminine singular nouns after* Y (the), *with the exception of those beginning in* LL *and* RH. *This rule, however, does not affect plural nouns.*

canolfan > y ganolfan – the centre
llyfrgell > y llyfrgell – the library
rheol > y rheol – the rule

(ii) *Words which describe or qualify feminine singular nouns.*

dinesig > canolfan ddinesig – civic centre
mawr > neuadd fawr – a big hall
tocynnau > swyddfa docynnau – ticket office; booking office
prosesu > uned brosesu – processing unit
marchnata > adran farchnata – marketing department; marketing section

However, care needs to be taken when qualifying feminine words such as **'uned'** *and* **'adran'** *with a phrase rather than a single word, in these instances, there is no mutation.*

prosesu geiriau > uned prosesu geiriau – word processing unit
gofal dwys > adran gofal dwys – intensive care department

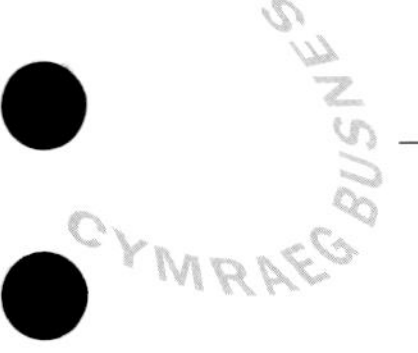

(iii) *Nouns and adjectives which are used in a verb +* **'yn'** *construction; however, words beginning in* **LL** *and* **RH** *do not follow this rule.*

cyfarwyddwr > Mae Mr Jones yn gyfarwyddwr. – Mr Jones is a director.
diffygiol > Mae'r nwyddau'n ddiffygiol. – The goods are faulty.
rhad > Maen nhw'n rhad iawn. – They are very cheap.

However, verb-nouns do not mutate after '**yn**'.

cyfarwyddo > Mae Mr Jones yn cyfarwyddo ffilm. – Mr Jones is directing a film.

(iv) *Nouns which follow* '**dau**' and '**dwy**'.

dyn > dau ddyn – two men
gwraig > dwy wraig – two women

Note that if **'y'** *preceeds the number, it too will mutate.*

y ddau ddyn – the two men
y ddwy wraig – the two women

(v) *Nouns which follow* '**ei**' *(his/its)*

car > ei gar – his car
perchennog > ei berchennog – its owner

(vi) *Words which follow the prepositions* **am**, **ar**, **at**, **dan/o dan**, **dros/tros**, **drwy/trwy**, **heb**, **i**, **o**, **gan**, **wrth**.

mis > am fis – for a month
benthyg > ar fenthyg – on loan
gwarant > dan warant – under guarantee
cyngor y sir > i gyngor y sir – for/to the county council
Casnewydd > o Gasnewydd – from Newport

(vii) Nouns, adjectives and verb-nouns after '**neu**' (or).

merched > bechgyn neu ferched – boys or girls
coch > glas neu goch – blue or red
canwio > hwylio neu ganwio – sailing or canoeing

However, verbs with personal forms do not mutate after **'neu'**.

Gallaf ddod yfory neu gallaf ddod yr wythnos nesaf.
– I can come tomorrow or I can come next week.

(viii) Verbs beginning in **B, D, G, LL, M** *and* **RH** after **'ni'** and **'na'.**

gwelais > Ni welais yr anfoneb. – I did not see the invoice.
bydd > Gobeithio na fydd glaw. – I hope there will be no rain.

(ix) The indefinite noun (without 'the'*) as object of the short (personal) forms of the verb.*

llyfr > Prynais lyfr am yr ardal. – I bought a book about the area.
codiad cyflog > Caiff Ann godiad cyflog. – Ann will receive a pay rise.

However, there is no mutation if the object is a definite noun (preceeded by 'the').

Prynais y llyfr. – I bought the book.
Caiff Ann y codiad cyflog. – Ann will receive the pay rise.

b) Y Treiglad Trwynol – The Nasal Mutation

(i) Nouns which follow '**yn**' (in). *This affects place names in particular. Note that* 'yn' *itself changes; when followed by* **C** *or* **G** *it becomes* '**yng**' *and when followed by* **P**, **B** *or* **M** *it becomes* '**ym**'.

Tal-y-bont > yn Nhal-y-bont – in Tal-y-bont

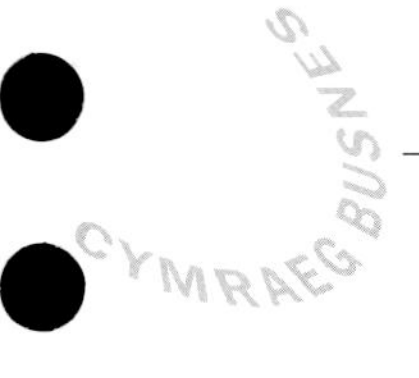

Caerdydd > yng Nghaerdydd – in Cardiff
Bangor > ym Mangor – in Bangor

It also affects phrases such as 'in the middle of' and 'in the back of'.

canol > yng nghanol y dref – in the middle of the town; in the town centre
cefn > **yng ngefn y car** – in the back of the car

(ii) Nouns which follow '**fy**' (my).

car > Dyma fy nghar. – This is my car.
partner > Mae fy mhartner i ffwrdd heddiw. – My partner is away today.

(iii) **Diwrnod** (day) *and* **blynedd** *(years) in combination with certain numbers – see page 410 and 413*

deng niwrnod – 10 days
pum mlynedd – 5 years

c) Y Treiglad Llaes – The Aspirate Mutation (or Spirant Mutation)

(i) Nouns following the dependent pronoun '**ei**' (her/its).

car > ei char – her car
plant > ei phlant – her children
taith > ei thaith – her jouney

(ii) Verbs beginning in **P, T, C** *after* '**ni**' *or* '**na**'.

teithiais > Ni theithiais ar y trên. – I did not travel by train.
cyrhaeddodd > Dywedodd na chyrhaeddodd hi. – He said that she did not arrive.

(iii) Nouns after '**tri**' (3) *and* '**chwe**' (6).

pecyn > tri phecyn – three packages
tŷ > chwe thŷ – six houses

(iv) After '**a**' (and).

pensil > papur a phensil – paper and pencil
cyrraedd > gadael a chyrraedd – departures and arrivals

(iv) After '**â**' (with), '**gyda**' (with/together with) *and* '**â**' (used with certain verbs).

cyllell > torri â chyllell – to cut with a knife
troad > gyda throad y post – by return of post
teithio > Peidiwch â theithio yn y car. – Don't travel by car.

(iv) After '**â**' (as) *and* '**na**' (than).

posibl > cyn gynted â phosibl – as soon as possible
pedwar > dim mwy na phedwar – no more than four

(v) A vowel is preceeded by '**h**' *when the word follows* '**ei**' (her/its), '**ein**' (our) or '**eu**' (their).

anfoneb – invoice **> ei hanfoneb** – her invoice
adeilad – building **> ein hadeilad** – our building
offer – equipment **> eu hoffer** – their equipment

Also when '**ei**', '**ein**' *and* '**eu**' *appear in the forms* **'i, 'n, 'u** *and* **'w.**

anfoneb > a'i hanfoneb – and her invoice
adeilad > i'n hadeilad – to our building
offer > a'u hoffer – and their equipment
ysgol > i'w hysgol – to her/their school

And when used in phrases such as:

anfon > Cafodd yr anfoneb ei hanfon ddoe. – The invoice was sent yesterday.

RHIFAU
NUMBERS

Y rhifau cyfoes
The modern numbers

(a) **1 – 100**

1	**un**	11	**un deg un**
2	**dau**	12	**un deg dau**
3	**tri**	13	**un deg tri**
4	**pedwar**	14	**un deg pedwar**
5	**pump**	15	**un deg pump**
6	**chwech**	16	**un deg chwech**
7	**saith**	17	**un deg saith**
8	**wyth**	18	**un deg wyth**
9	**naw**	19	**un deg naw**
10	**deg**		

20	**dau ddeg**
30	**tri deg**
40	**pedwar deg**
50	**pum deg**
60	**chwe deg**
70	**saith deg**
80	**wyth deg**
90	**naw deg**
100	**cant**

Numbers between 20 and 100 follow the same pattern as the teens e.g.

33	**tri deg tri**
66	**chwe deg chwech**
94	**naw deg naw**

(b) 100+

(i) Multiples of 100:

100	**cant**
200	**dau gant**
300	**tri chant**
400	**pedwar cant**
500	**pum cant**
600	**chwe chant**
700	**saith cant**
800	**wyth cant**
900	**naw cant**

(ii) Numbers from 1000:

1000	**mil**
2000	**dwy fil**
3000	**tair mil**
4000	**pedair mil**
5000	**pum mil**
6000	**chwe mil**
7000	**saith mil**
8000	**wyth mil**
9000	**naw mil**
10000	**deg mil / deng mil**
1 million	**miliwn**
2 million	**dwy filiwn**
3 million	**tair miliwn**
4 million	**pedair miliwn**
5 million	**pum miliwn**
1 billion	**biliwn**
2 billion	**dau filiwn**
3 billion	**tri biliwn**

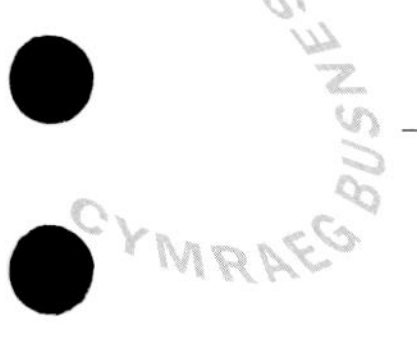

(iii) When using combination numbers, a brick by brick system is used for high figures:

With numbers up to ten, **'a/ac'** *links the hundred/thousand and the unit:*

101	**cant ac un**
305	**tri chant a phump**
908	**naw cant ac wyth**
1009	**mil a naw**

With all other numbers, the order is thousand, hundred, ten, unit:

153	**cant, pum deg tri**
5232	**pum mil, dau gant, tri deg dau**

Y rhifau traddodiadol
The traditional numbers

Welsh has an older counting method, based on the amalgamation over the centuries of various systems. Generally, the system in business use is the modern one. However, the older forms are still common when time, ages and dates are discussed and many Welsh speakers mix the systems when speaking. Of the older forms, the following are the most common. One to ten are the same in both systems.

11	**un ar ddeg**
12	**deuddeg**
13	**tri ar ddeg / tair ar ddeg**
14	**pedwar ar ddeg / pedair ar ddeg**
15	**pymtheg**
16	**un ar bymtheg**
17	**dau ar bymtheg / dwy ar bymtheg**
18	**deunaw**
19	**pedwar ar bymtheg / pedair ar bymtheg**
20	**ugain**

21	**un ar hugain**
22	**dau ar hugain / dwy ar hugain**
23	**tri ar hugain / tair ar hugain**
24	**pedwar ar hugain / pedair ar hugain**
25	**pump ar hugain**
26	**chwech ar hugain**
27	**saith ar hugain**
28	**wyth ar hugain**
29	**naw ar hugain**
30	**deg ar hugain**
40	**deugain**
50	**hanner cant**
60	**trigain**
70	**deg a thrigain**
80	**pedwar ugain**
90	**deg a phedwar ugain**

Rhifau benywaidd
Feminine numbers

Note that **dau**, **tri** *and* **pedwar** *have feminine forms which are used when describing feminine objects. (Everything in Welsh is either masculine or feminine. There are no* 'its'*).*
You may therefore need:

2 – **Dwy**
3 – **Tair**
4 – **Pedair**

Rhifau ag enwau
Numbers with nouns

(a) Rhifau dros 10 – Numbers over 10

With numbers over ten it is usual to use the formula: number + **o** + plural noun *(with Soft Mutation)*

Ten chairs – **Deg o gadeiriau** *(ten of chairs)*
A hundred people – **Cant o bobl** *(a hundred of people)*

(b) Rhifau dan 10 – Numbers under 10

When talking about two or more objects, the same formula as in (a) can be applied.

Seven people – **Saith o bobl**
Four tables – **Pedwar o fyrddau**

A second formula in which the number is used with the singular form of the object is also possible but, apart from using feminine forms, care also needs to be taken with **1**, **2**, **3**, **5** and **6**

one meeting – **un cyfarfod**
one chair – **un gadair**
Two meetings – **dau gyfarfod**
Two chairs – **dwy gadair**
Three meetings – **tri chyfarfod**
Three chairs – **tair cadair**
Four meetings – **pedwar cyfarfod**
Four chairs – **pedair cadair**
Five envelopes – **pum cyfarfod**
Six meetings – **chwe chyfarfod**
Six keys – **chwe chadair**
Seven letters – **saith llythyr**
Eight notes – **wyth nodyn**
Nine messages – **naw neges**

***Nodiadau** – Notes:*

– In formal Welsh, **pump** *becomes* **pum** *and* **chwech** *becomes* **chwe** *when used with a noun. In the spoken language, this is often ignored.*

– **Un** *causes the word that follows it to take the* **Soft Mutation** *if it is feminine noun.*

– **Dau** *and* **dwy** *both cause the words following them to take the* **Soft Mutation**.

– In formal Welsh, **tri** *(but not* **tair***) and* **chwech** *cause an* **Aspirate Mutation.**
This is often ignored in the spoken language.

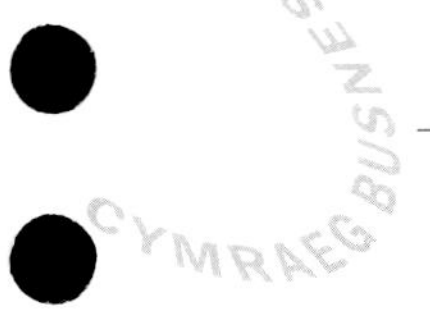

DYDDIADAU
DATES

Y misoedd
The months

January	**Ionawr**	July	**Gorffennaf**
February	**Chwefror**	August	**Awst**
March	**Mawrth**	September	**Medi**
April	**Ebrill**	October	**Hydref**
May	**Mai**	November	**Tachwedd**
June	**Mehefin**	December	**Rhagfyr**

Ysgrifennu'r dyddiad
Writing the date

(i) **Ffurfiau byr** – Short forms

The usual pattern for writing dates is: date (figures) + month + year (figures)

3 November 1997 – **3 Tachwedd 1997**
16 April 1999 – **16 Ebrill 1999**

(ii) **Ffurfiau llawnach** – Fuller forms

Some companies prefer either to write dates out in full or to use abbreviated forms of the full versions. Indeed, this may sometimes be necessary – especially in legal documentation.e.g.

March the 1st, 1998 – **Mawrth y 1af, 1998**
March the first, 1998 – **Mawrth y cyntaf, 1998**

CYMRAEG BUSNES

(the) 1st	**(y)**	**1af**	(the) first	**(y)**	**cyntaf**
(the) 2nd	**(yr)**	**2il**	(the) second	**(yr)**	**ail**
(the) 3rd	**(y)**	**3ydd**	(the) third	**(y)**	**trydydd**
(the) 4th	**(y)**	**4ydd**	(the) fourth	**(y)**	**pedwerydd**
(the) 5th	**(y)**	**5ed**	(the) fifth	**(y)**	**pumed**
(the) 6th	**(y)**	**6ed**	(the) sixth	**(y)**	**chweched**
(the) 7th	**(y)**	**7fed**	(the) seventh	**(y)**	**seithfed**
(the) 8th	**(yr)**	**8fed**	(the) eighth	**(yr)**	**wythfed**
(the) 9th	**(y)**	**9fed**	(the) ninth	**(y)**	**nawfed**
(the) 10th	**(y)**	**10fed**	(the) tenth	**(y)**	**degfed**
(the) 11th	**(yr)**	**11eg**	(the) eleventh	**(yr)**	**unfed ar ddeg**
(the) 12th	**(y)**	**12fed**	(the) twelfth	**(y)**	**deuddegfed**
(the) 13th	**(y)**	**13eg**	(the) thirteenth	**(y)**	**trydydd ar ddeg**
(the) 14th	**(y)**	**14eg**	(the) fourteenth	**(y)**	**pedwerydd ar ddeg**
(the) 15th	**(y)**	**15fed**	(the) fifteenth	**(y)**	**pymthegfed**
(the) 16th	**(yr)**	**16eg**	(the) sixteenth	**(yr)**	**unfed ar bymtheg**
(the) 17th	**(yr)**	**17eg**	(the) seventeenth	**(yr)**	**ail ar bymtheg**
(the) 18th	**(y)**	**18fed**	(the) eighteenth	**(y)**	**deunawfed**
(the) 19th	**(y)**	**19eg**	(the) nineteenth	**(y)**	**pedwerydd ar bymtheg**
(the) 20th	**(yr)**	**20fed**	(the) twentieth	**(yr)**	**ugeinfed**
(the) 21st	**(yr)**	**21ain**	(the) twenty first	**(yr)**	**unfed ar hugain**
(the) 22nd	**(yr)**	**22ain**	(the) twenty second	**(yr)**	**ail ar hugain**
(the) 23rd	**(y)**	**23ain**	(the) twenty third	**(y)**	**trydydd ar hugain**
(the) 24th	**(y)**	**24ain**	(the) twenty fourth	**(y)**	**pedwerydd ar hugain**
(the) 25th	**(y)**	**25ain**	(the) twenty fifth	**(y)**	**pumed ar hugain**
(the) 26th	**(y)**	**26ain**	(the) twenty sixth	**(y)**	**chweched ar hugain**
(the) 27th	**(y)**	**27ain**	(the) twenty seventh	**(y)**	**seithfed ar hugain**
(the) 28th	**(yr)**	**28ain**	(the) twenty eighth	**(yr)**	**wythfed ar hugain**
(the) 29th	**(y)**	**29ain**	(the) twenty ninth	**(y)**	**nawfed ar hugain**
(the) 30th	**(y)**	**30ain**	(the) thirtieth	**(y)**	**degfed ar hugain**
(the) 31st	**(yr)**	**31ain**	(the) thirty first	**(yr)**	**unfed ar ddeg ar hugain**

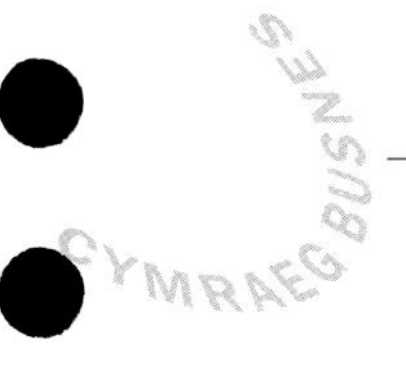

(iii) Trafod y dyddiad ar lafar – Discussing the date orally

(a) the date + **'o'** + month *(with Soft Mutation):*

the third of May – **y trydydd o Fai**
the tenth of April – **y degfed o Ebrill**
the twentieth of November – **yr ugeinfed o Dachwedd**

(b) month + the date:

May the third – **Mai y trydydd**
August the seventeenth – **Awst yr ail ar bymtheg**

*(c)*You may also hear:

March nineteen – **Mawrth un deg naw**
June twenty seven – **Mehefin dau ddeg saith**

(iv) Dyddiau'r Wythnos – The days of the week

Sunday	**Dydd Sul**
Monday	**Dydd Llun**
Tuesday	**Dydd Mawrth**
Wednesday	**Dydd Mercher**
Thursday	**Dydd Iau**
Friday	**Dydd Gwener**
Saturday	**Dydd Sadwrn**

You may also need:

Tuesday morning	**Bore dydd Mawrth**
Thursday afternoon	**Prynhawn dydd Iau**

Sunday night/evening	**Nos Sul**
Monday night/evening	**Nos Lun**
Tuesday night/evening	**Nos Fawrth**
Wednesday night/evening	**Nos Fercher**
Thursday night/evening	**Nos Iau**
Friday night/evening	**Nos Wener**
Saturday night/evening	**Nos Sadwrn**

(v) Trafod y diwrnod a'r dyddiad – Discussing the day and the date

(a) A typical committee date would read:

Monday, 6 October 1998
– **Dydd Llun, 6 Hydref 1998**

(b) If you wish to say that a meeting will be held ON a certain day just use the day; **'ar'** (on) *is NOT used in this context:*

On Monday.
– **Dydd Llun.**
On Thursday night/evening.
– **Nos Iau.**
Are you free on Friday ?
– **Ydych chi'n rhydd dydd Gwener?**
We're hoping to hold a meeting on Wednesday evening.
– **Rydyn ni'n gobeithio cynnal cyfarfod nos Fercher.**
There was a meeting on Thursday the fifth.
– **Roedd cyfarfod dydd Iau y pumed.**

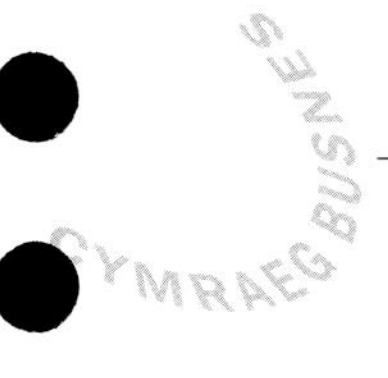

*You may also hear the form '***ddydd Llun***' etc. being used in this context, especially in formal written Welsh:*

The meeting was held on Friday, April the sixth.
– **Cynhaliwyd y cyfarfod ddydd Gwener, Ebrill y chweched.**
There was a meeting on Monday the fifth.
– **Roedd cyfarfod ddydd Llun y pumed.**

(c) Using ***'ar'*** *with a day or night of the week:*

On a Monday. / On Mondays. *(i.e. every Monday)*
– **Ar ddydd Llun.**
On a Wednesday night. / On Wednesday nights.
– **Ar nos Fercher.**

(ch) Suggesting a date using ***Beth am?*** *(What about/How about?):*

What about Friday? / How about a Friday?
– **Beth am ddydd Gwener?**
What about Wednesday the fifth?
– **Beth am ddydd Mercher y pumed?**
How about Monday night? / How about a Monday night?
– **Beth am nos Lun?**

Gwyliau banc
Bank holidays

Bank Holiday	**Gŵyl (y) Banc**
Bank Holidays	**Gwyliau Banc**
New Year's Day	**Dydd Calan**
Good Friday	**(Dydd) Gwener y Groglith**
Easter Monday	**(Dydd) Llun y Pasg**
May Day Holiday	**Gŵyl Calan Mai**
Spring Bank Holiday	**Gŵyl Banc y Gwanwyn**
Whitmonday	**Llungwyn**
August Bank Holiday	**Gŵyl Banc Awst**
Christmas Day	**Dydd Nadolig**
Boxing Day	**Gŵyl San Steffan**

Dathliadau Cymreig
Welsh celebrations

1 January: New Year's Day / New Year Calends
– **1 Ionawr: Dydd Calan**
25 January: St. Dwynwen's Day *(Patron Saint of Welsh lovers)*
– **25 Ionawr: Gŵyl Santes Dwynwen**
1 March: St. David's Day
– **1 Mawrth: Dydd Gŵyl Dewi / Gŵyl Dewi**
21 March: Vernal Equinox
– **21 Mawrth: Alban Eilir**
1 May: May Day / Summer Calends
– **1 Mai: Calan Mai / Calan Haf**
Whitsun: The Urdd National Youth Eisteddfod
– **Y Sulgwyn: Eisteddfod Genedlaethol yr Urdd**
21 June: Summer Solstice
– **21 Mehefin: Alban Hefin**

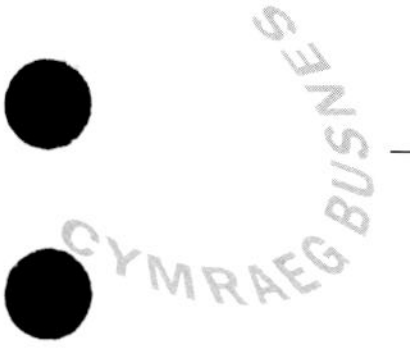

24 June: Midsummer's Day (Feast of St John the Baptist)
 – **24 Mehefin: Gŵyl Ifan**
July: Llangollen International Eisteddfod
 – **Gorffennaf: Eisteddfod Ryngwladol Llangollen**
July: The Royal Welsh Agricultural Show
 – **Gorffennaf: Y Sioe Fawr / Sioe Amaethyddol Frenhinol Cymru**
First week of August: The National Eisteddfod
 – **Wythnos gyntaf Awst: Y Brifwyl / Yr Eisteddfod Genedlaethol**
September 16: Owain Glyndŵr Day
 – **16 Medi: Dydd Owain Glyndŵr**
September 21: Autumnal Equinox
 – **21 Medi: Alban Elfed**
31 October: Halloween
 – **31 Hydref: Nos Calan Gaea'**
1 November: Winter Calends
 – **1 Tachwedd: Calan Gaea'**
11 December: Llywelyn II Day
 – **11 Rhagfyr: Dydd Llywelyn yr Ail**
21 December: Winter Solstice
 – **21 Rhagfyr: Alban Arthan**
31 December: New Year's Eve
 – **31 Rhagfyr: Nos Calan**

AMSER
TIME

Y Cloc
The Clock

(i) Ar yr awr – On the hour

o'clock	**o'r gloch**
one o'clock	**un o'r gloch**
two o'clock	**dau o'r gloch**
three o'clock	**tri o'r gloch**
four o'clock	**pedwar o'r gloch**
five o'clock	**pump o'r gloch**
six o'clock	**chwech o'r gloch**
seven o'clock	**saith o'r gloch**
eight o'clock	**wyth o'r gloch**
nine o'clock	**naw o'r gloch**
ten o'clock	**deg o'r gloch**
eleven o'clock	**un ar ddeg o'r gloch**
twelve o'clock	**deuddeg o'r gloch**
midday	**hanner dydd**
midnight	**hanner nos**

(ii) Y munudau – The minutes

five past	**pum munud wedi**
ten past	**deng munud wedi**
quarter past	**chwarter wedi**
twenty past	**ugain munud wedi**
twenty five past	**pum munud ar hugain wedi**
half past	**hanner awr wedi**

five to	**pum munud i**
ten to	**deng munud i**
quarter to	**chwarter i**
twenty to	**ugain munud i**
twenty five to	**pum munud ar hugain i**

(iii) Trafod yr amser – Discussing the time

(a) *The modern terms for* eleven (**un deg un**) *and* twelve (**un deg dau**) *are NOT used to tell the time.*

(b) *Asking the time, the question is* **Faint o'r gloch ydy hi? / Faint o'r gloch yw hi?**

What time is it?– **Faint o'r gloch ydy hi?**

(c) *Giving the time using phrases:*

Ten o'clock. – **Deg o'r gloch.**
Half past three. – **Hanner awr wedi tri.**
Twenty to two. – **Ugain munud i ddau.**
Almost four. – **Bron yn bedwar.**

Note the Soft Mutation after **'i'** *and* **'bron yn'**

(ch) *Giving the time using sentences:*

It's two o'clock.
– **Mae hi'n ddau o'r gloch.**
– **Mae'n ddau o'r gloch.**
It was almost five past five. – **Roedd hi bron yn bum munud wedi pump.**

Note that **'Mae hi'n / Mae'n / Roedd hi'n'** *and* **'bron yn'** *are all followed by the Soft Mutation.*

Diwrnodau
Days

With numbers 1 – 10, use the form **'diwrnod'.**
The alternative use of **'niwrnod'** *is used in more formal written Welsh.*

a day / one day	**diwrnod**
one day *(emphasis)*	**un diwrnod**
two days	**dau ddiwrnod**
three days	**tri diwrnod**
four days	**pedwar diwrnod**
five days	**pum diwrnod/niwrnod**
six days	**chwe diwrnod**
seven days	**saith diwrnod/niwrnod**
eight days	**wyth diwrnod/niwrnod**
nine days	**naw diwrnod/niwrnod**
ten days	**deg diwrnod/deng niwrnod**

For longer periods use the modern numbers and add **'o ddiwrnodau'** *(of days):*

twenty five days – **dau ddeg pump o ddiwrnodau**

Alternatively, use a figure with the words '**diwrnod**':

7 days – **7 diwrnod**
25 days – **25 days**

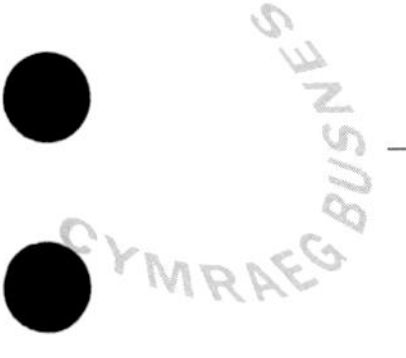

Wythnosau
Weeks

a week/one week	**wythnos**
one week *(emphasis)*	**un wythnos**
two weeks	**dwy wythnos**
a fortnight	**pythefnos**
three weeks	**tair wythnos**
four weeks	**pedair wythnos**
five weeks	**pum wythnos**
six weeks	**chwe wythnos**
seven weeks	**saith wythnos**
eight weeks	**wyth wythnos**
nine weeks	**naw wythnos**
ten weeks	**deg wythnos**

For longer periods use the modern numbers and add '**o wythnosau**' *(of weeks):*

fifty two weeks – **pum deg dwy o wythnosau**

Alternatively use a figure with the word '**wythnos**'*:*

8 weeks – **8 wythnos**
24 weeks – **24 wythnos**

CYMRAEG BUSNES

Misoedd
Months

For numbers 1 – 12, use the number + **'mis'**:

a month/one month	**mis**
one month (emphasis)	**un mis**
two months	**dau fis**
three month	**tri mis**
four months	**pedwar mis**
five months	**pum mis**
six months	**chwe mis**
seven months	**saith mis**
eight months	**wyth mis**
nine months	**naw mis**
ten months	**deg mis**
eleven months	**un mis ar ddeg**
twelve months	**deuddeg mis**

For longer periods use the modern numbers + **'o fisoedd'** (of months):

twenty four months – **dau ddeg pedwar o fisoedd**

Alternatively use a figure with the word **'mis'**:

9 months – **9 mis**
24 months – **24 mis**

Blynyddoedd
Years

For number 1, use **'blwyddyn'** *or* **'un flwyddyn:'**
For numbers 2 – 10, use the number + mutated forms of **'blynedd'**:

year/one year	**blwyddyn**
one year (emphasis)	**un flwyddyn**
two years	**dwy flynedd**
three years	**tair blynedd**
four years	**pedair blynedd**
five years	**pum mlynedd**
six years	**chwe blynedd**
seven years	**saith mlynedd**
eight years	**wyth mlynedd**
nine years	**naw mlynedd**
ten years	**deng mlynedd**

For longer periods use the modern numbers *and add* **o flynyddoedd** *(of years):*

fifty years – **pum deg o flynyddoedd**

Be aware, however, of these traditional forms:

fifteen years – **pymtheng mlynedd**
eighteen years – **deunaw mlynedd**
twenty years – **ugain mlynedd**
fourty years – **deugain mlynedd**
a hundred years – **can mlynedd**

Y tymhorau
The seasons

(The) Spring	**Y Gwanwyn**
(The) Summer	**Yr Haf**
(The) Autumn	**Yr Hydref**
(The) Winter	**Y Gaeaf**

In Welsh, the **'y/yr'** *is always used:*

In spring	**Yn y gwanwyn**
Throughout winter	**Drwy'r gaeaf**
From spring to autumn	**O'r gwanwyn tan yr hydref**
During (the) summer	**Yn ystod yr haf**

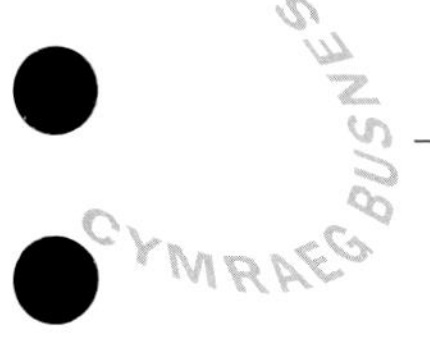

Y FERF
THE VERB

In the following tables of tenses, the personal forms of the verb are shown in the order:

i *(I);* **ti** *(you);* **e/o/ef** *(he/it);* **hi** *(she/it);* **ni** *(we);* **chi** *(you);* **nhw/hwy** *(they).*

In formal written Welsh the pronouns following the verb are usually omitted.

The verb forms shown are the standard spoken forms (left column) and the standard written or formal forms (right column):

Ffurfiau Llafar Safonol Standard Spoken Forms	**Ffurfiau Ysgrifenedig Safonol** Standard Written Forms

Amser presennol
Present tense

'am / is / are'

Dw i / Rydw i	**Rwyf / Yr wyf (i)**
Rwyt ti	**Rwyt / Yr wyt (ti)**
Mae e/o	**Mae / Y mae (ef)**
Mae hi	**Mae / Y mae (hi)**
Rydyn ni	**Rydym / Yr ydym (ni)**
Rydych chi	**Rydych / Yr ydych (chi)**
Maen nhw	**Maent / Y maent (hwy)**

<u>'am not / is not / are not'</u>

Dw i ddim / Dydw i ddim	**Nid wyf (i)**
Dwyt ti ddim	**Nid wyt (ti)**
Dydy e/o ddim	**Nid yw (ef)**
Dydy hi ddim	**Nid yw (hi)**
Dydyn ni ddim	**Nid ydym (ni)**
Dydych chi ddim	**Nid ydych (chi)**
Dydyn nhw ddim	**Nid ydynt (hwy)**

<u>also</u>

ydy / ydi / yw / oes	**yw / ydyw / oes**

***Nodyn** – Note*

(i) *To express the present tense of any verb, use the relevant personal form* + **yn/'n** + *verb-noun.*

We are sending... – **Rydyn ni'n anfon/Rydym yn anfon...**
The goods are late. – **Mae'r nwyddau yn hwyr.**

(ii) **Rwyf** + **yn** + *verb–noun is generally written as* **Rwy'n...**

I am writing to thank you... – **Rwy'n ysgrifennu i ddiolch i chi...**

(iii) *A more concise form of the present tense is sometimes used in letters to express* 'I...' (stem + **af**) *and* 'We...' (verb stem + **wn**)

I write/I am writing to complain... – **Ysgrifennaf i gwyno...**
We enclose/We are enclosing... – **Amgaewn...**

Amserau gorffennol
Past tenses

a) **Perffaith** – Perfect

'have/has… ; have/has been…'

Dw i/Rydw i wedi…	**Rwyf wedi… /Yr wyf wedi…** etc.
Dw i/Dydw i ddim wedi… etc.	**Nid wyf wedi…** etc.
Dw i/Rydw i wedi bod yn… etc.	**Rwyf wedi bod yn… /Yr wyf wedi bod yn…** etc.
Dw i/Dydw i ddim wedi bod yn… etc.	**Nid wyf wedi bod yn…** etc.

RHAN C – PART C 3

b) **Amherffaith** – Imperfect

'was / were'

Roeddwn i	**'Roeddwn/Yr oeddwn (i)**
Roeddet ti	**'Roeddet/Yr oeddit (ti)**
Roedd e/o	**'Roedd/Yr oedd (ef)**
Roedd hi	**'Roedd/Yr oedd (hi)**
Roedden ni	**'Roeddem/Yr oeddem (ni)**
Roeddech chi	**'Roeddech/Yr oeddech (chi)**
Roedden nhw	**'Roeddent/Yr oeddynt (hwy)**

'was not / were not'

Doeddwn i ddim	**Nid oeddwn (i)**
Doeddet ti ddim	**Nid oeddet/oeddit (ti)**
Doedd e/o ddim	**Nid oedd (ef)**
Doedd hi ddim	**Nid oedd (hi)**
Doedden ni ddim	**Nid oeddem (ni)**
Doeddech chi ddim	**Nid oeddech (chi)**
Doedden nhw ddim	**Nid oeddent / oeddynt (hwy)**

c) Gorffennol byr – Short past

Berfau rheolaidd: bôn + terfyniad – Regular verbs: stem + ending

...ais i	**...ais (i)**
...aist ti	**...aist (ti)**
...odd e/o	**...odd (ef)**
...odd hi	**...odd (hi)**
...on ni	**...asom (ni)**
...och chi	**...asoch (chi)**
...on nhw	**...asant (hwy)**

'did not...'

...ais i ddim etc.	**ni/nid ...ais (i)** etc.

***Nodyn** – Note:*

Verb stems are generally formed in one of two ways:

(i) verb-nouns ending in a vowel, drop the final vowel.

defnyddio (to use) – **defnyddi** (stem) – **defnyddiodd** (...used)

(ii) verb-nouns ending in a consonant, keep the full form

agor (to open) – **agor** (stem) – **agorodd** (...opened)

*There are some exceptions to these two basic rules. Check with **PART C Section 2**.*

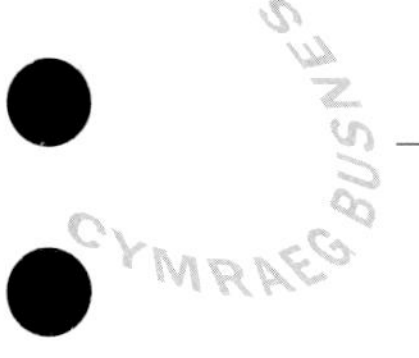

Berfau afreolaidd – Irregular verbs

Mynd: to go > went

es i	**euthum (i)**
est ti	**aethost (ti)**
aeth e/o	**aeth (ef)**
aeth hi	**aeth (hi)**
aethon ni	**aethom (ni)**
aethoch chi	**aethoch (chi)**
aethon nhw	**aethant (hwy)**
es i ddim etc.	**nid euthum (i) etc.**

Dod: to come > came

des i	**deuthum (i)**
dest ti	**daethost (ti)**
daeth e/o	**daeth (ef)**
daeth hi	**daeth (hi)**
daethon ni	**daethom (ni)**
daethoch chi	**daethoch (chi)**
daethon nhw	**daethant (hwy)**
ddes i ddim etc.	**ni ddeuthum (i) etc.**

Gwneud: to do/make > did/made

gwnes i	**gwneuthum (i)**
gwnest ti	**gwnaethost (ti)**
gwnaeth e/o	**gwnaeth (ef)**
gwnaeth hi	**gwnaeth (hi)**
gwnaethon ni	**gwnaethom (ni)**
gwnaethoch chi	**gwnaethoch (chi)**
gwnaethon nhw	**gwnaethant (hwy)**
wnes i ddim etc.	**ni wneuthum (i) etc.**

Cael: to have / get / receive > had / got / received	
ces i	**cefais (i)**
cest ti	**cefaist (ti)**
cafodd e/o	**cafodd (ef)**
cafodd hi	**cafodd (hi)**
cawson ni	**cawsom (ni)**
cawsoch chi	**cawsoch (chi)**
cawson nhw	**cawsant (hwy)**
ches i ddim etc.	**ni chefais (i)** etc.

Bod: to be > have / has been	
bues i	**bûm (i)**
buest ti	**buost (ti)**
buodd e/o	**bu (ef)**
buodd hi	**bu (hi)**
buon ni	**buom (ni)**
buoch chi	**buoch (chi)**
buon nhw	**buont (hwy)**
fues i ddim etc.	**ni fûm (i) etc.**

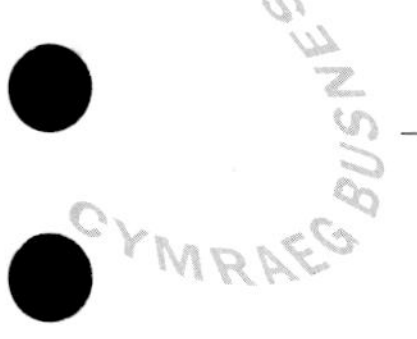

Amser dyfodol
Future tense

a) Dyfodol hir – Long future

'will be'

Bydda i	**Byddaf (i)**
Byddi di	**Byddi (di)**
Bydd e/o	**Bydd (ef)**
Bydd hi	**Bydd (hi)**
Byddwn ni	**Byddwn (ni)**
Byddwch chi	**Byddwch (chi)**
Byddan nhw	**Byddant (hwy)**

'will not be'

Fydda i ddim etc.	**Ni fyddaf (i) etc.**

Note that the above forms are also sometimes used to express a habitual action:

Bydda i/Byddaf yn mynd i'r ganolfan ddydd Sadwrn.
– I'll be going to the centre on Saturday.

Bydda i/Byddaf yn mynd i'r ganolfan ar ddydd Sadwrn.
– I go to the centre on Saturdays.

b) Dyfodol Byr – Short Future

'will...'

i) Berfau rheolaidd: bôn + terfyniad – Regular Verbs: Stem + personal endings

...a i	**...af (i)**
...i di	**...i (di)**
...ith/iff e/o	**...a (ef)**
...ith/iff hi	**...a (hi)**
...wn ni	**...wn (ni)**
...wch chi	**...wch (chi)**
...an nhw	**...ant (hwy)**

'will not...'

...a i ddim	**ni/nid ...af (i)**

ii) Berfau afreolaidd – Irregular verbs

Mynd

â i	**af (i)**
ei di	**ei (di)**
aiff e/o	**â (ef)**
aiff hi	**â (hi)**
awn ni	**awn (ni)**
ewch chi	**ewch (chi)**
ân nhw	**ânt (hwy)**
â i ddim etc.	**nid af i etc.**

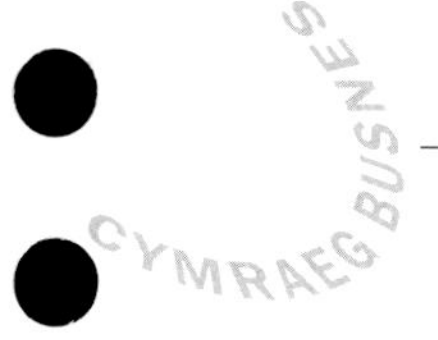

Dod	
do i	**deuaf (i)**
doi di	**deui (di)**
daw e/o	**daw (ef)**
daw hi	**daw (hi)**
down ni	**deuwn/down (ni)**
dowch/dewch chi	**deuwch/dewch (chi)**
dôn nhw	**deuant/dônt (hwy)**
ddo i ddim etc.	**ni ddeuaf etc.**

Gwneud	
gwna i	**gwnaf (i)**
gwnei d	**gwnei (di)**
gwnaiff e/o	**gwna (ef)**
gwnaiff hi	**gwna (hi)**
gwnawn ni	**gwnawn (ni)**
gwnewch chi	**gwnewch (chi)**
gwnân nhw	**gwnânt (hwy)**
wna i ddim etc.	**ni wnaf etc.**

Cael	
ca i	**caf (i)**
cei di	**cei (di)**
caiff e/o	**caiff (ef)**
caiff hi	**caiff (hi)**
cawn ni	**cawn (ni)**
cewch chi	**cewch (chi)**
cân nhw	**cânt (hwy)**
cha i ddim etc.	**ni chaf (i)** etc.

Amser amodol
Conditional tense

'would be / would...'

(i)

Baswn i	**Buaswn (i)**
Baset ti	**Buaset (ti)**
Basai e/o	**Buasai (ef)**
Basai hi	**Buasai (hi)**
Basen ni	**Buasem (ni)**
Basech chi	**Buasech (chi)**
Basen nhw	**Buasent (hwy)**
Faswn i ddim etc.	**Ni fuaswn (i)** etc.

ii)

Byddwn i	**Byddwn (i)**
Byddet ti	**Byddet (ti)**
Byddai e/o	**Byddai (ef)**
Byddai hi	**Byddai (hi)**
Bydden ni	**Byddem (ni)**
Byddech chi	**Byddech (chi)**
Bydden nhw	**Byddent (hwy)**
Fyddwn i ddim etc.	**Ni fyddwn (i)** etc.

Ffurfiau amhersonol
Impersonal forms

*The endings –***ir** *and –***wyd** *can be added to the stem of most verbs.*

agorir – is/are (being) opened; will be opened
amgaeir – is/are (being) enclosed; will be enclosed
anfonir – is/are (being) sent; will be sent
cludir – is/are (being) delivered; will be delivered
cyhoeddir – is/are (being) announced; will be announced
cynhelir – is/are (being) held; will be held
dewisir – is/are (being) chosen; will be chosen
disgwylir – is/are (being) expected; will be expected
diswyddir – is/are (being) dismissed; will be dismissed
gohirir – is/are (being) postponed; will be postponed
gwelir – is/are (being) seen; will be seen
nodir – is/are (being) noted; will be noted
rhoddir – is/are (being) given; will be given
telir – is/are (being) paid; will be paid

deellir – it is understood
honnir – it is claimed/alleged

agorwyd – is/was opened; has/have been opened
amgaewyd – is/was enclosed; has/have been enclosed
anfonwyd – is/was sent; has/have been sent
cludwyd – is/was delivered; has/have been delivered
cyhoeddwyd – is/was announced; has/have been announced
cynhaliwyd – is/was held; has/have been held
dewisiwyd – is/was chosen; has/have been chosen
disgwyliwyd – is/was expected; has/have been expected
diswyddwyd – is/was dismissed; has/have been dismissed

gohirwyd – is/was postponed; has/have been postponed
gwelwyd – is/was seen; has/have been seen
nodwyd – is/was noted; has/have been noted
rhoddwyd – is/was given; has/have been given
talwyd – is/was paid; has/have been paid

penderfynwyd – it was decided

e.g.

The goods will be sent on 24 Mai.
– **Anfonir y nwyddau ar 24 Mai.**
A meeting was held to discuss the matter.
– **Cynhaliwyd cyfarfod i drafod y mater.**
It was decided to postpone the meeting.
– **Penderfynwyd gohirio'r cyfarfod.**

Nodyn *– Note*

(i) *To express the negative* (not), **ni** *is placed in front of the verb. This causes a Soft Mutation of verbs beginning in* **B, D, G, M, LL, RH** *and an Aspirate Mutation of those beginning in* **P, T, C.**

The door will not be opened until 9am.
– **Ni agorir y drws tan naw o'r gloch.**
The meeting was not held.
– **Ni chynhaliwyd y cyfarfod.**

(ii) *Note also the use of* **dylid:**
Payment should be made within 30 days. (One/You should pay...)
– **Dylid talu o fewn 30 diwrnod.**
You should open the package at once. / The package should be opened at once.
– **Dylid agor y pecyn ar unwaith.**
Money should not be sent.
– **Ni ddylid anfon arian.**

RHAGENWAU PERSONOL
PERSONAL PRONOUNS

Rhagenwau annibynnol
Independent pronouns

mi, fi – I/me
ti, di – you
fe, fo, ef – he/him/it
hi – she/her
ni – we/us
chi, chwi – you
nhw, hwy – they/them

minnau, finnau
tithau
yntau
hithau
ninnau
chithau, chwithau
nhwythau, hwythau

Nodyn *– Note:*

(i) **ef**, **chwi**, **hwy**, **chwithau** *and* **hwythau** *are used in more formal or literary written texts.*

(ii) **minnau** *etc. convey emphasis.*

(iii) The independent pronouns are used as subject or object when their position in a sentence is not dependent on nouns, verbs or prepositions. e.g.

I saw her at the conference. – **Gwelais hi yn y gynhadledd.**
You will be representing the company. – **Chi fydd yn cynrychioli'r cwmni.**
We too were disappointed with the figures. – **Roeddem ninnau yn siomedig â'r ffigurau.**

Rhagenwau dibynnol
Dependent pronouns

fy + NM	**ein***
dy + SM	**eich**
ei *(masc)* + SM	**eu***
ei* *(fem)* + AM	

* **ei** *(fem),* **ein** *and* **eu** *all cause an* **'h'** *to appear before vowels.*

(i) They are used to express 'my', 'your', 'his/its', 'her/its', 'its', 'our', 'your' and 'their.' e.g.

my family – **fy nheulu**
her animals – **ei hanifeiliaid**
your plans – **eich cynlluniau**

(ii) They are also used as object pronouns with verb–nouns, some prepositions and verbs in the passive voice. e.g.

I have not received them. – **Nid wyf wedi eu derbyn nhw.**
Three are standing against him. – **Mae tri yn sefyll yn ei erbyn.**
The scheme is being discussed tomorrow. – **Mae'r cynllun yn cael ei drafod yfory.**

(iii) In some cases, after words ending in a vowel, the pronouns will take on the following forms:

fy > 'm	**ein > 'n**
dy > 'th	**eich > 'ch**
ei > 'i, 'w, –s	**eu > 'u, 'w**

The usual mutation rules apply, except **'m** *(no mutation),* **'th** *(SM),* **–s** *(no mutation).*
'm (my) *and* **'th** (your) *can only be used after the following words:*
a, **â**, **gyda**, **efo**, **tua**, **na**, **i**, *and* **o**

They're coming to see you tomorrow. – **Maen nhw'n dod i'ch gweld chi yfory.**
I'm going to do it today. – **Rwy'n mynd i'w wneud e/o heddiw.**
My mother and my father. – **Fy mam a'm tad.**
I have not received it. – **Nis derbyniais.**

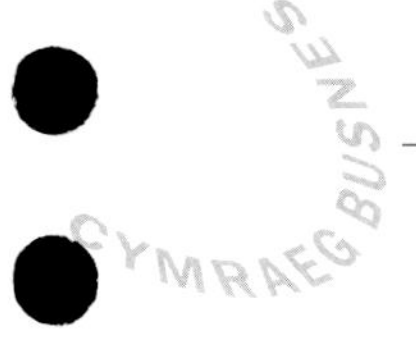

Rhagenwau atodol
Auxiliary pronouns

These are sometimes used with personal forms of verbs and prepositions and with other dependent pronouns. They take on the following forms:

i, fi	**ni**
di, ti	**chi, chwi**
e,o, ef	**nhw, hwy**
hi	

They are used:

(i) with personal forms of verbs, especially the spoken forms:

I saw your advertisment – **Gwelais i eich hysbyseb.**
They are on sale – **Maen nhw ar werth.**

(ii) with prepositions, especially the spoken forms:

There's nothing wrong with them – **Does dim byd o'i le arwyn nhw.**
The committee has voted against it – **Mae'r pwyllgor wedi pleidlesio yn ei erbyn e.**

(iii) with other dependent pronouns, often for emphasis:

This is my plan – **Dyma fy nghynllun i.**
Your order is on it's way – **Mae eich archeb chi ar ei ffordd.**

CYMRAEG BUSNES

ARDDODIAID
PREPOSITIONS

Mathau
Types

Prepositions is the term given to words such as 'on', 'by' *etc.*
You should be aware that many of them cause mutation changes in Welsh:

Soft:	**am, ar, at, dan, dros/tros, drwy/trwy, gan, heb, hyd, i, tan, o, wrth**
Nasal:	**yn**
Aspirate:	**â, gyda, tua**

A number of prepositions in Welsh have personal forms when followed by personal pronouns. They are formed by adding an ending to the stem of the preposition. As with the verb, there are some differences between standard spoken forms and standard written forms.

In the following tables, the personal forms of prepositions are shown in the order:
i (me); **ti** (you); **e/o** (him/it); **hi** (her/it); **ni** (us); **chi** (you); **nhw/hwy** (them).

In formal written Welsh, the pronouns following the preposition are usually omitted.

Prepositions fall into 2 groups in Welsh: simple (one word) and compound (two elements). Special care needs to be taken with the second group when using them with prepositions.

Ffurfiau Llafar Safonol Standard Spoken Forms	**Ffurfiau Ysgrifenedig Safonol** Standard Written Forms

(a) **Syml** – Simple

AR

arna i	**arnaf (i)**
arnat ti	**arnat (ti)**
arno fe/fo	**arno (ef)**
arni hi	**arni (hi)**
arnon ni	**arnom (ni)**
arnoch chi	**arnoch (chi)**
arnyn nhw	**arnynt (hwy)**

Following the above pattern:
AT (ata i : ataf)
AM (amdana i : amdanaf)
DAN (dana i : danaf)

YN

yno i	**ynof (i)**
ynot ti	**ynot (ti)**
ynddo fe/fo	**ynddo (ef)**
ynddi hi	**ynddi (hi)**
ynon ni	**ynom (ni)**
ynoch chi	**ynoch (chi)**
ynddyn nhw	**ynddynt (hwy)**

Following the above pattern:
HEB (hebddo i : hebof)
RHAG (rhagddo i : rhagof)
RHWNG (rhyngddo i: rhyngof)
DROS/TROS (drosto i : trosof *but* trosto / trosti / trostynt)
DRWY/TRWY (drwyddo i : trwof *but* trwyddo / trwyddi / trwyddynt)

O

ohono i	**ohonof (i)**
ohonot ti	**ohonot (ti)**
ohono fe/fo	**ohono (fe)**
ohoni hi	**ohoni (hi)**
ohonon ni	**ohonom (ni)**
ohonoch chi	**ohonoch (chi)**
ohonyn nhw	**ohonynt (hwy)**

Following the above pattern:
MO (mono i : mohonof)

GAN

gen i	**gennyf (i)**
gen ti	**gennyt (ti)**
ganddo fe/fo	**ganddo (ef)**
ganddi hi	**ganddi (hi)**
gynnon/gennyn ni	**gennym (ni)**
gynnoch/gennych chi	**gennych (chi)**
ganddyn nhw	**ganddynt (hwy)**

I

i mi	**i mi; imi**
i ti	**i ti; iti**
iddo fe/fo	**iddo (ef)**
iddi hi	**iddi (hi)**
i ni	**i ni; inni**
i chi	**i chi**
iddyn nhw	**iddynt (hwy)**

Note that the following simple prepositions do not have personal forms:
â/gyda/efo (with); **cyn** (before); **fel** (like); **ger** (near/by); **hyd** (till); **megis** (as); **mewn** (in); **tua** (towards); **wedi** (after)

(b) **Cymhleth** – Compound

(i)

am:	**am ben**
ar:	**ar ben; ar draws; ar gyfer; ar gyfyl; ar ochr; ar ymyl**
er:	**er mwyn; er gwaethaf**
erbyn:	**yn erbyn**
ger:	**gerbron; gerllaw**
hyd:	**ar hyd**
o:	**o achos; oblegid; o flaen; o amgylch; o gwmpas**
uwch:	**uwchben; uwchlaw**
yn:	**ynghylch; ymhlith; yn ôl**

When the above are used with pronouns, the dependent pronouns are placed before the second element and cause their usual mutations.

FY + NM	**EIN** ('H' before vowels)
DY + SM	**EICH** (no change)
EI *(masc)* + SM	**EU** ('h' before vowels)
EI *(fem)* + AM	

chwerthin am ben – to laugh at
chwerthin am ei ben (e/o) – to laugh at him

yn erbyn – against
yn ein herbyn (ni) – against us

o amgylch – around/about
o'i hamgylch (hi) – around her/it

ymhlith – among
yn eich plith chi – among you

(ii)

â: **ynghyd â; ynglyn â; gyferbyn â**
i: **heibio i**

When using the above with pronouns, the pronouns follow the final part and the independent pronouns (**I; DI; E/O/EF; HI; NI; CHI; NHW/HWY**) *are used. e.g.*

gyferbyn â – opposite
gyferbyn â chi – opposite you

heibio i – past
heibio iddyn nhw/iddynt hwy – past them

ADRAN 4
YR IAITH GYMRAEG

SECTION 4
THE WELSH LANGUAGE

Yn yr Adran hon – In this Section

AROLYGON IAITH
LANGUAGE SURVEYS

1. Cyfrifiad 1991

Poblogaeth Cymru:	**2,835,073**
% siaradwyr Cymraeg (3+oed)	**18.7%**
% wedi'u geni yng Nghymru:	**77.2%**

Roedd y ganran hon yn dangos gostyniad o 0.3% er cyfrifiad 1981. Fodd bynnag, roedd maint y gostyngiad ynddo'i hun yn arwyddocaol gan i bob cyfrifiad cyn hyn ddangos cwymp sylweddol. Ymddengys, felly, fod dirywiad yr iaith wedi arafu gan fod canran y boblogaeth a aned yng Nghymru wedi disgyn 2.1% yn ystod yr un cyfnod.

Er 1990, bu'r Gymraeg yn rhan orfodol o addysg pob disgybl 5-14 oed yn ysgolion Cymru. Bu hefyd yn orfodol i ddisgyblion 14-16 oed mewn ysgolion Cymraeg eu cyfrwng, mewn nifer o ysgolion cymysg eu hiaith ac mewn rhai ysgolion Saesneg eu cyfrwng. O 1999, daw yn orfodol i holl ddisgybion 14-16 ledled Cymru.

Mae ffigurau'r cyfrifiad yn dangos mai yn y grŵp oedran yma y gwelir y canran uchaf o siaradwyr y Gymraeg. Nod Cymraeg gorfodol o fewn y Cwricwlwm Cenedlaethol yw sicrhau bod Cymry ifanc yn cyrraedd rhywfaint o rugledd yn yr iaith. Felly, mae'n deg disgwyl i nifer siaradwyr ifanc yr iaith godi wrth i ni gamu i'r mileniwm newydd.

1. 1991 Census

Welsh population:	**2,835,073**
% Welsh speakers (3+yrs)	**18.7%**
% born in Wales:	**77.2%**

This percentage showed a 0.3% drop since the previous census in 1981. However, this in itself was remarkable because each previous census had shown a significant percentage drop in speakers. This suggests that the ever downward decline in the language may have been arrested, as the percentage of the population born in Wales fell 2.1% during the same period.

Since 1990 Welsh has been a compulsory element for all pupils from 5-14 years of age in all schools in Wales. It has also been complusory from 14-16 in all Welsh medium schools and in a number of mixed language schools and English medium schools. From 1999 it will become compulsory for 14-16 year olds in every school throughout Wales.

Census figures show that it is this age group that provides the largest percentage of Welsh speakers. As the aim of compulsory Welsh in the National Curriculum is for every young person to achieve a measure of fluency in the langauge, the percentage of young Welsh speakers should increase as we go into the next millenium.

CYMRAEG BUSNES

2. Y Swyddfa Gymreig: Arolwg Cymdeithasol Cymru

Mae canlyniadau'r arolwg hwn a gyhoeddwyd yn gynnar ym 1995 yn dangos bod un o bob tri pherson ifanc rhwng 3 a 15 oed yn gallu siarad yr iaith. Roedd y ganran isaf (16.7%) ymysg pobl 30-44 oed. Nid yn annisgwyl, roedd y canrannau uchaf o siaradwyr Cymraeg i'w gweld yn y gogledd-orllewin (66.9%) a'r de-orllewin (47.4%).

Cafwyd y canrannau isaf yn ardaloedd poblog y gogledd-ddwyrain (20.9%) a'r de (o 16.2% yn hen sir Gorllewin Morgannwg i 4.6% yn yr hen Went). Fodd bynnag, dylid cofio mai'r ardaloedd hyn a welodd y twf mwyaf mewn addysg Gymraeg ac mai yma felly y disgwylir y cynnydd mwyaf yn niferoedd siaradwyr.

Bu'r arlowg hefyd yn bwrw golwg ar y cyfleoedd i ddefnyddio'r iaith mewn sefyllfaoedd cymdeithasol a gwaith. Dengys fod y rhan fwyaf o siaradwyr Cymraeg yn defnyddio'r iaith gyda'r teulu a mewn sefyllfaoedd cymdeithasol a diwylliannol; ond dim ond hanner y siaradwyr rhugl oedd yn defnyddio'r iaith mewn sefyllfaoedd gwaith.

Roedd yr Arglwydd Elis-Thomas, cadeirydd Bwrdd yr Iaith Gymraeg, yn croesawu'r ffaith fod cynnydd yn nifer y bobl ifanc a fedrai'r iaith. Yr un pryd, edrychai ymlaen at yr her i ymestyn y cyfleoedd i ddefnyddio'r iaith ac anogai pobl i wneud yn fawr o'r cyfleoedd hynny.

2. Welsh Office: Wales Social Survey

The results of this survey published early in 1995 showed that one in three children and young people between 3 and 15 years of age were able to speak Welsh. The lowest percentage of speakers (16.7%) was among 30-44 year olds. Not unsurprisingly, the highest percentages of Welsh speakers were found in the north-west (66.9%) and the south-west (47.4%).

The lowest percentages were in the more populated areas of the north–east (20.9%) and south (from 16.2% in old county of West Glamorgan to 4.6% in old Gwent). However, it should be borne in mind that these are the very areas in which Welsh-medium education has grown rapidly and where the potential for growth in numbers of Welsh speakers is greatest.

The survey also studied the opportunity to use the language in social and work situations. It found that, whereas most Welsh speakers used the language in family, social and cultural situations, only half the fluent speakers made use of it in work situations.

In responding to the report, Lord Elis-Thomas, chairman of the Welsh Language Board welcomed the increase in the number of young people who could speak Welsh. He also looked forward to the challenge to increase opportunities to use the language and he urged people to make the most of those opportunities.

3. Adroddiad Ymchwil gan NOP Social and Political

Amcanion penodol yr ymchwil hwn, a gyhoeddwyd ym mis Tachwedd 1995 ac a gomisynwyd ar gyfer y Swyddfa Wybodaeth Ganolog a Bwrdd yr Iaith Gymraeg, oedd:

- **pennu natur y galw am yr iaith Gymraeg;**
- **astudio agwedd a chyd-destun canfyddiadol y galw hwn;**
- **pennu ymateb tebygol y cyhoedd i gynnydd yn y defnydd a wneir o'r Gymraeg yng Nghymru;**
- **ystyried y problemau a'r cyfleoedd sy'n codi yn sgîl y mentrau cyhoeddus, gwirfoddol a phreifat sydd ar waith neu sydd dan ystyriaeth;**
- **edrych ar agweddau tuag at addysg Gymraeg a'r rôl y gallai ei chwarae o ran sicrhau dyfodol i'r iaith;**
- **rhoi cyngor ar y ffordd orau o ddatblygu mentrau arbennig.**

Yn dilyn yr ymchwil, cafwyd y ffeithiau canlynol:

- **Roedd cefnogaeth eang (71%) ar draws Cymru ar gyfer defnyddio'r iaith Gymraeg.**
- **Roedd 77% yn cytuno bod yr iaith Gymraeg yn fanteisiol i Gymru tra bod 88% yn cytuno y dylem fod yn falch o'r iaith.**
- **Roedd 75% yn cytuno y dylai'r Gymraeg a'r Saesneg gael statws cyfartal yng Nghymru.**
- **Roedd 57% am weld y Gymraeg yn cael ei defnyddio'n fwy helaeth.**

3. Research Report by NOP Social and Political

The specific objectives of this research, published in November 1995 and commissioned for the Central Office of Information and the Welsh Language Board, were:

- to determine the nature of the demand for the Welsh language;
- to examine the attitude and perceptual context in which this demand exists;
- to determine the likely public response to an increase in the use of Welsh within Wales;
- to examine the problems and opportunities associated with the public, voluntary and private sector initiatives in place or under consideration;
- to discover attitudes to Welsh medium education and the role it could play in securing a future for the language;
- to advise on how best to develop specific initiatives.

Among its many findings were:

- There was widespread support (71%) across Wales for the use of the Welsh language.
- 77% agreed that the Welsh language is an asset to Wales and 88% agreed that the language is something to be proud of.
- 75% agreed that Welsh and English should have equal status in Wales.
- 57% would like to see Welsh become more widely used than at present.

- **Roedd 82% yn credu bod arwyddion dwyieithog yn syniad da.**
- **Roedd tua 40% o Gymry Cymraeg a dysgwyr am weld rhagor o gyfleoedd i ddefnyddio'r iaith, yn enwedig wrth siopa wrth neu ymwneud â gwasanaethau cyhoeddus a'r cyfleusdodau preifat.**
- **Roedd 83% yn cytuno y dylai pob corff cyhoeddus allu ymdrin â phobl drwy gyfrwng y Gymraeg a'r Saesneg.**
- **Dywedodd 45% nad yw'r sector preifat yn defnyddio digon ar y Gymraeg. Wrth drafod yr hyn y gallai'r sector hwn ei wneud i hybu'r iaith, cafwyd cefnogaeth dda i'r syniad o roi bathodynnau i staff sy'n siarad Cymraeg, arwyddion dwyieithog a ffurflenni a thaflenni dwyieithog.**
- **Dywedodd 19% y byddent yn fwy tebygol o ddefnyddio siop neu fusnes pe bai'n gwneud ymdrech i ddefnyddio'r Gymraeg a'r Saesneg. (Roedd 60% o siaradwyr Cymraeg rhugl yn fwy tebygol o wneud hyn.)**
- **Roedd 83% yn cymeradwyo dysgu'r Gymraeg fel pwnc mewn ysgolion tra oedd 47% yn cefnogi addysg trwy gyfrwng y Gymraeg.**

- 82% said that bilingual signs were a good idea.
- About 40% of Welsh speakers and learners wanted greater opportunities to use the language, especially when shopping or contacting public services and privatised utilities.
- 83% agreed that all public bodies should be able to deal with people in both Welsh and English.
- 45% said that the private sector does not make enough use of the Welsh language. When asked what this sector could do to promote the language, badges for Welsh-speaking staff, bilingual signs and bilingual forms and leaflets received the highest response.
- 19% said they would be more likely to use a shop or business if it made an effort to use both Welsh and English. (60% of fluent Welsh-speakers felt this way.)
- There was 83% approval for schools teaching Welsh as a subject and 47% for teaching through the medium of Welsh.

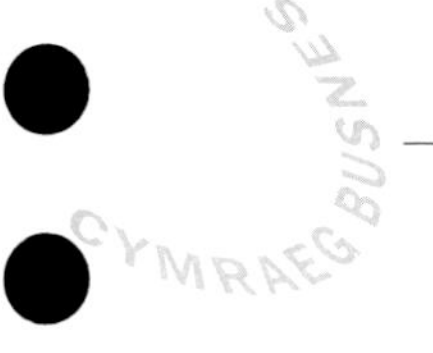

ADDYSG A CHYMWYSTERAU
EDUCATION AND QUALIFICATIONS

1. Ysgolion

- **Addysgir y Gymraeg fel pwnc gorfodol ym mhob ysgol yng Nghymru ac eithrio ysgolion preifat.**
- **Mae Cymraeg fel pwnc yn orfodol i bob disgybl 5 – 14 oed. Mae'n orfodol hyd at 16 oed mewn ysgolion cyfrwng Cymraeg neu ddwyieithog a rhai ysgolion Saesneg eu cyfrwng. O Fedi 1999 bydd y Gymraeg yn orfodol o 5 – 16 oed ym mhob ysgol yng Nghymru ac eithrio ysgolion preifat.**
- **Gall disgyblion ennill cymhwyster naill ai mewn CYMRAEG neu CYMRAEG AIL IAITH ar gyfer Y Dystysgrif Addysg, TGAU a Safon Uwch (Lefel A).**
- **Disgwylir i berson â chymhwyster mewn CYMRAEG feddu ar sgiliau iaith ehangach na pherson â'r un gradd â chymhwyster mewn CYMRAEG AIL IAITH. (Mae cymhwyster mewn CYMRAEG yn cyfateb o ran sgiliau iaith i gymhwyster mewn SAESNEG.)**
- **Gall disgyblion/myfyrwyr hefyd ennill cymwysterau GNVQ trwy gyfrwng y Gymraeg (mamiaith). Bydd cymhwyster GNVQ Cymraeg Ail Iaith ar gael erbyn 1999.**

1. Schools

- Welsh is taught as a compulsory subject in every school in Wales, apart from private schools.
- Welsh as a subject is compulsory for all pupils 5 – 14 years of age. It is compulsory to 16 in all Welsh medium schools, bilingual schools and some English medium schools. From September 1999 it will compulsory from 5 – 16 years of age in all state schools in Wales.
- Pupils can gain qualifications in either WELSH or WELSH SECOND LANGUAGE at Certificate of Eduation, GCSE or A Level.
- A person with a qualification in WELSH can be expected to have more extensive language skills than a person with the same grade who has a qualification in WELSH SECOND LANGUAGE. (A qualification in WELSH equates with one in ENGLISH with regard to language skills.)
- Pupils/students can also gain GNVQ qualifications through the medium of Welsh (first language). A GNVQ qualification in Welsh Second Langauge will be available from 1999.

2. Cymraeg i Oedolion

- **Mae rhyw 13,000 o oedolion ledled Cymru yn dysgu Cymraeg mewn dosbarthiadau ffurfiol.**
- **Mae hyd at 200,000 o oedolion ledled Cymru yn dysgu Cymraeg trwy ddulliau anffurfiol, megis rhaglenni S4C a radio, cyhoeddiadau a grwpiau anffurfiol.**
- **Mae 8 consortiwm yn cydlynu'r ddarpariaeth ffurfiol drwy Gymru.**
- **Mae dau gymhwyster mewn Cymraeg fel Ail Iaith ar gael i oedolion sydd wedi dysgu'r iaith, sef "Defnyddio'r Gymraeg" a "Defnyddio'r Gymraeg Uwch".**
- **Mae darpariaeth NVQ trwy gyfrwng y Gymraeg ar gael i'r rhai sydd am weld eu sgiliau galwedigaethol yn cael eu cydnabod. Mae hefyd gymhwyster NVQ Cymraeg Ail Iaith i ddysgwyr.**

2. Welsh for Adults

- Some 13,000 adults throughout Wales learn Welsh in formal classes.
- Up to 200,000 adults throughout Wales are learning Welsh through informal means, such as S4C and radio programmes, publications and informal groups.
- 8 consortia co-ordinate the teaching of Welsh as a second language throughout Wales.
- Two qualifications in Welsh as a Second Language are available for adults wanting formal recognition of their skills, namely "Defnyddio'r Gymraeg" (GCSE level) and "Defnyddio'r Gymraeg Uwch" (A Level).
- There is NVQ provision through the medium of Welsh available for Welsh speakers seeking recognition of vocational skills. There is also an NVQ qualification in language skills (Cymraeg Ail Iaith) for learners.

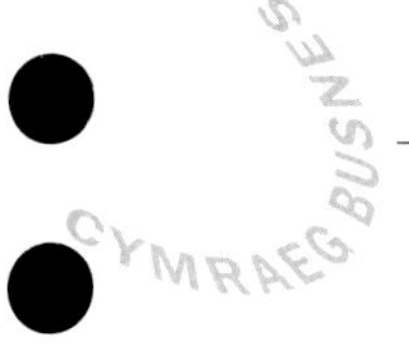

IAITH GWAITH
THE LANGUAGE OF WORK

Wrth ymdrin â'r cyhoedd, dylai cwmnïau, busnesau a sefydliadau fod yn ymwybodol o'r angen i:

- **gynnig i'r cyhoedd yng Nghymru yr hawl i ddewis ym mha iaith y dymunant gyfathrebu ac felly cydnabod bod hyn yn fater o arfer da ac nid goddefiad;**
- **dangos sensitifrwydd wrth ymdrin â chais yn Gymraeg drwy**
  - **a) bod yn gwrtais wrth fethu ag ymateb yn Gymraeg,**
  - **b) bod yn barod i drosglwyddo i rywun a all ymateb yn Gymraeg;**
- **sicrhau fod ganddynt staff sy'n medru'r Gymraeg drwy**
  - **a) cefnogi staff i ddysgu'r iaith,**
  - **b) cefnogi staff i loywi'u hiaith,**
  - **c) cyflogi staff sy'n medru'r iaith;**
- **sefydlu strategaeth farchnata ddwyieithog i**
  - **a) denu cwsmeriaid sy'n Gymry Cymraeg,**
  - **b) apelio at y farchnad ymwelwyr a'r farchnad ehangach drwy greu delwedd Gymreig.**

In dealing with the public, companies, businesses and organisations should be aware of the need to:

- offer the public in Wales the right to choose in which language to communicate and so recognise that this is a matter of good practice and not a concession;
- show sensitivity in dealing with an enquiry in Welsh by
  - a) displaying courtesy when unable to respond in Welsh,
  - b) being prepared, whenever possible, to transfer to someone who can respond in Welsh;
- ensure that they have staff who can handle matter in Welsh by
  - a) encouraging staff to learn Welsh,
  - b) encouraging staff to improve their language skills,
  - c) recruiting staff who can both speak and write Welsh;
- establish bilingual marketing strategies to
  - a) attract and meet the the needs of customers who speak the language,
  - b) appeal to a tourist and wider market by creating a clear Welsh image.

DEDDF YR IAITH GYMRAEG
THE WELSH LANGUAGE ACT

1. Y Ddeddf

Daeth Deddf yr Iaith Gymraeg i rym ym mis Rhagfyr 1993. Ei phrif nod yw sicrhau dilysrwydd cyfartal i'r Gymraeg a'r Saesneg yng Nghymru.

2. Bwrdd yr Iaith Gymraeg

Sefydlwyd Bwrdd yr Iaith Gymraeg gan Ddeddf yr Iaith Gymraeg. Prif nod y Bwrdd yw "hyrwyddo a hwyluso defnydd o'r Gymraeg". Mae gwaith y Bwrdd yn cynnwys:

- **datblygu strategaethau a gweithredu polisïau i sicrhau y bydd y Gymraeg yn parhau i ffynnu yn y dyfodol;**
- **sicrhau fod cyrff cyhoeddus sy'n darparu gwasanaethau i'r cyhoedd yng Nghymru yn trin yr iaith Gymraeg a'r Saesneg ar y sail eu bod yn gyfartal;**
- **cynnal gorolwg strategol ar addysg cyfrwng Cymraeg a'r gwaith o ddysgu Cymraeg fel mamiaith ac ail iaith ar bob lefel;**
- **annog sefydliadau yn y sector preifat a gwirfoddol i ddefnyddio mwy ar y Gymraeg;**
- **dyrranu grantiau i hyrwyddo a hwyluso'r defnydd o'r Gymraeg;**
- **datblygu nwyddau a gwasanaethau wedi'u hanelu at hwyluso defnydd o'r Gymraeg.**

1. The Act

The Welsh Language Act came into effect in December 1993. Its main aim is to ensure equal validity for both the Welsh and English languages in Wales.

2. The Welsh Language Board

The Welsh Language Board was established under the Welsh Language Act. The Board's chief aim is "to promote and facilitate the use of the Welsh language". Its works includes:

- developing strategies and implementing policies to secure the continued prosperity of the Welsh language
- ensuring that public bodies providing services to the public in Wales treat the Welsh and English language on a basis of equality;
- maintaining a strategic overview of Welsh medium education and the teaching of Welsh as a first and second language at every level;
- encouraging private and voluntary sector organisations to increase their use of Welsh;
- distributing grants to promote and facilitate the use of Welsh;
- the development of goods and services aimed at facilitating the use of Welsh.

Dichon y bydd gan gwmnïau a busnesau yn y sector preifat ddiddordeb mewn cynllun arbennig a gyhoeddwyd gan y Bwrdd yn ystod haf 1996, sef Cynllun y Grantiau Bach. Bydd hwn o gymorth ariannol i'r rhai sydd am gynhyrchu deunyddiau dwyieithog megis llyfrynnau, pamffledi, taflenni ac arwyddion.

Am ragor o wybodaeth ynglŷn â gwaith y Bwrdd, ei nodau a'i gyhoeddiadau, cysylltwch â:

Bwrdd yr Iaith Gymraeg
Siambrau'r Farchnad
5 – 7 Heol Eglwys Fair
Caerdydd CF1 2AT

ffôn: 01222 224744

cyf: 01222 224577

e-bost: bwrdd_yr_iaith@netwales.co.uk

http://www.netwales.co.uk/byig

Of special interest to private sector companies and businesses will be an initiative announced by the Board in summer 1996 - the Small Grants Scheme. This will provide initial support for those wishing to produce bilingual material such as booklets, brochures, leaflets and signs.

For fuller details of the Board's work, its aims and its publications, contact:

Bwrdd yr Iaith Gymraeg/The Welsh Language Board
Market Chambers
5 – 7 St Mary Street
Cardiff CF1 2AT

tel: 01222 224744

fax: 01222 224577

e-mail: bwrdd_yr_iaith@netwales.co.uk

http://www.netwales.co.uk/byig

ATODIAD

APPENDIX

Yn yr Adran hon – In this Section

FFURFLENNI
FORMS

Memo –
Memo

Neges Gyflun –
Fax Message

Cais am Wyliau –
Application for Leave

Goramser –
Overtime

Ffurflen Dreuliau –
Expenses Form

Cyflogeb –
Pay Advice

Amcangyfrif –
Job Estimate

Archeb –
Order

Nodyn Cludiant –
Delivery Note

Anfoneb –
Invoice

Cyfrifen –
Statement

Taleb –
Remittance Advice

Derbynneb –
Receipt

Corfrestru Ymwelwyr –
Visitors' Register

Ymwelwyr –
Visitors

ATODIAD
APPENDIX

1

ATODIAD – APPENDIX

FFURFLENNI

FORMS

CANIATEIR LLUNGOPÏO
(i'w defnyddio o fewn swyddfeydd unigol)

PHOTOCOPYING PERMITTED
(for use within individual offices)

Memo

At
To ....

Gan
From ....

Dyddiad
Date ....

Neges
Message

....

....

....

....

....

....

....

....

....

....

....

....

Neges Gyflun – Fax Message

At To			**Gan** From	
Cwmni Company			**Dyddiad** Date	
Rhif y cyflunydd Fax No.			**Nifer y tudalennau gan gynnwys hon** Number of pages including this one	

Rhowch wybod yn syth os nad yw'r neges yn eich cyrraedd yn gyfan
Please inform us immediately if the message is not transmitted in full

....

....

....

....

....

....

....

....

....

....

Cais am Wyliau – Application for Leave

MEWNOL
INTERNAL

Enw – Name..

Adran – Department...

Gwyliau: nifer y dyddiau
Leave: number of days **o** – from.............................. **tan** – till..............................

Arwyddwyd – Signed..**Dyddiad** – Date ....

Awdurdodwyd – Authorised ....**Dyddiad** – Date ....

Anfoner i'r Adran Bersonél – *Please forward to the Personnel Department*

I'w llenwi gan yr Adran Bersonél – *To be completed by the Personnel Department*

Blwyddyn wyliau – Holiday year **o** – from:............................. **tan** – till: ....

Nifer y dyddiau o wyliau mewn blwyddyn – Number of days leave in a year.................................

Dyddiau a gymerwyd eisoes – Days already taken...

Dyddiau yn weddill – Days remaining ....

Arwyddwyd ar ran Personél – Signed for Personnel ....

Dyddiad – Date ....

Goramser – Overtime

Enw'r cyflogedig – Employee's name ....

Adran – Department ....

Rhif staff – Staff number ....

Teitl swydd – Job title ....

Dyddiad Date	**Goramser a weithiwyd** Overtime worked	**Graddfa sylfaenol** Basic rate	**Graddfa oramser** Overtime rate	**Is-gyfanswm** Sub-total

Cyfanswm – Total £

Arwyddwyd – Signed ....

Awdurdodwyd – Authorised..

Ffurflen Dreuliau – Expenses Form

Enw – Name ....

Cyfeiriad neu Adran
Address or Department ....

....

.... **Rhif ffôn** – Phone number ....

Lleoliad – Location .... **Dyddiad** – Date ....

Pwrpas – Purpose ....

O From	**I** To	**Nifer y milltiroedd** Number of miles	**Swm y filltir** Amount per mile	**Cynhaliaeth** Subsistence	**Swm** Amount

Cyfanswm Total £

Arwyddwyd : Signed .... **Dyddiad :** Date..........

Awdurdodwyd : Authorised .... **Dyddiad :** Date..........

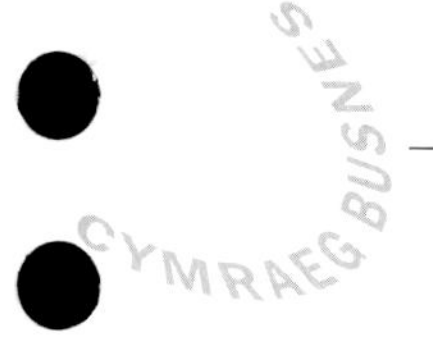

Cyflogeb – Pay Advice

Enw
Name

Rhif Yswiriant Gwladol – National Insurance No.

Dyddiad
Date

Mis treth
Tax month

Mis cyflog
Pay month

Côd treth
Tax code

Tynnwyd – Deductions:		
Yswiriant Gwladol National Insurance		
Treth incwm Income tax		
Pensiwn Pension		
Arall Other deductions		
Cyfanswn a dynnwyd Total deductions		

Manylion Details	**Is-gyfanswm** Sub-total
Cyfanswm Total	
Cyfanswm a dynnwyd Total deductions	
Cyflog net Net pay	£

Cyfeirif treth incwm
Income tax reference number

Amcangyfrif Gwaith
Job Estimate

Rhif yr amcangyfrif
Estimate number ....

Dyddiad yr amcangyfrif
Date of estimate ....

Paratowyd gan
Prepared by ....

Ar gyfer – *For*

Enw
Name ....

Cyfeiriad
Address ....

....

Ffôn
Phone ....

Deunydd Material	**Cost yr uned** Unit cost	**Nifer** Quantity	**Cost llawn** Total cost

Cyfanswm – Total £

Llafur Labour	**Graddfa** Rate	**Oriau** Hours	**Cost llawn** Total cost

Cyfanswm – Total £

Cyfanswm deunyddiau
Materials total £..........................

Cyfanswm llafur
Labour total £..........................

TAW
VAT £..........................

Cyfanswm llawn
Grand total £

Archeb – Order

Rhif
Number

I – To

Enw – Name ....

Cyfeiriad – Address ....

....

....

Cyfeiriad ar gyfer nwyddau – *Delivery address*

Enw – Name ....

Cyfeiriad – Address ....

....

....

Cyflenwch yr eitemau isod, os gwelwch chi'n dda – *Please supply the items listed below*

Rhif eich amcangyfrif
Your estimate number

Cludiant erbyn
Delivery required by

Eitem Item	**Eich cyfeirnod** Your reference	**Nifer** Quantity	**Cost yr uned** Unit cost	**Is-gyfanswm** Sub-total

Cyfanswm – Total £

Dylid nodi rhif yr archeb ar y nodyn cludiant a'r anfoneb ac mewn unrhyw ohebiaeth.
Please quote our order number on delivery note, invoice and in any correspondence.

Llofnod – Signature ....

Dyddiad – Date ....

Nodyn Cludiant – Delivery Note

Archebwyd gan – *Ordered by:*

Enw – Name ....

Cyfeiriad – Address ....

....

....

....

Cyfeiriad ar gyfer nwyddau – *Delivery address*

Enw – Name ....

Cyfeiriad – Address ....

....

....

....

Dyddiad yr archeb Order date	**Rhif yr archeb** Order number	**Ein cyfeirnod** Our reference	**Angen nwyddau erbyn** Delivery required by

Disgrifiad – Description

....

....

....

....

....

Nifer y parseli
Number of parcels [ ]

I ddilyn
To follow [ ]

Derbyniwyd mewn cyflwr da – *Received in good condition*

Enw (llythrennau bras)
Name (block capitals) ....

Llofnod – Signature: ....

Dyddiad – Date: ....

Anfoneb – Invoice

At
To

Rhif yr anfoneb Invoice number	
Ein cyfeirnod Our Reference	
Rhif yr anfoneb Invoice number	
Pwynt treth Tax point	

Manylion Details	£	**TAW** – VAT £

Is-gyfanswm – Sub-total	
TAW – VAT..............%	
Cludiant – Carriage	
Cyfanswm – Total	£

Rhif TAW VAT Registration No.	

Cyfrifen – Statement

At
To

Dyddiad Date	

Dyddiad Date	**Cyf.** Ref.	**Manylion** Details	**Anfoneb** Invoice	**Credyd** Credit	**Balans** Balance

cyfredol current	**30 diwrnod** 30 day	**60 diwrnod** 60 day	**90 diwrnod** 90 day	**120+ diwrnod** 120+ day

Swm yn ddyledus Amount due | £

Taleb – Remittance Advice

At
To

Dyddiad Date	

Rhif y siec Cheque No.	

Dyddiad Date	**Cyf.** Ref.	**Manylion** Details	**Swm** Amount

Cyfanswm
Total £

Derbynneb – Receipt

Rhif Number	

Derbyniwyd gan – *Received from*

Enw – Name ....

Cyfeiriad – Address ....

....

....

....

Yn dâl am
In payment for

....

....

....

....

....

....

....

....

Y swm o The sum of	**£**

Dyddiad
Date..

Llofnod
Sgnature..

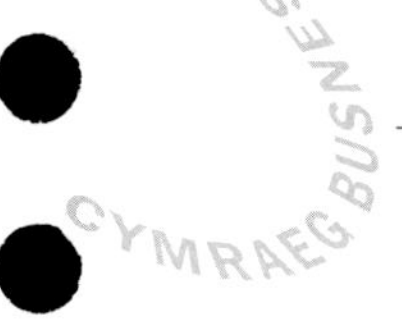

Cofrestru Ymwelwyr – Visitors' Register

Enw Name	**Cwmni** Company	**I weld** To see	**Dyddiad** Date	**Cyrraedd** Arrival	**Gadael** Departure

Ymwelwyr – Visitors

Enw Name	**Cyfeiriad** Address	**Dyddiad** Date	**Sylwadau** Comments

MYNEGAI

INDEX

CYMRAEG BUSNES

Y CYNNWYS YN FANWL
DETAILED LIST OF CONTENTS

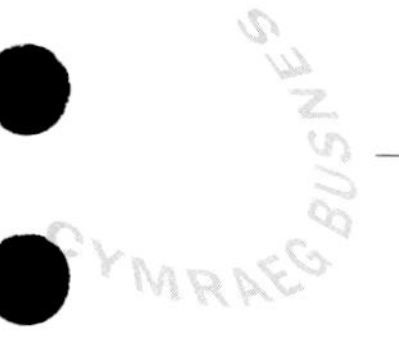

A5: HOTELS, RESTAURANTS & SHOPS

A6: INFORMAL CONVERSATIONS

A7: AROUND THE OFFICE

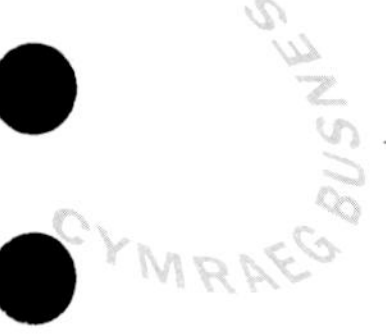

WRITTEN COMMUNICATION
B1: SIGNAGE

B2: BUSINESS & COMPANY IDENTITY

B3: MARKETING & PUBLIC RELATIONS

B4: HEALTH AND CARE

B5: PERSONNEL & ADMINISTRATION

B6: FINANCIAL MATTERS

B7: CORRESPONDENCE

B8: DEALING WITH MEETINGS

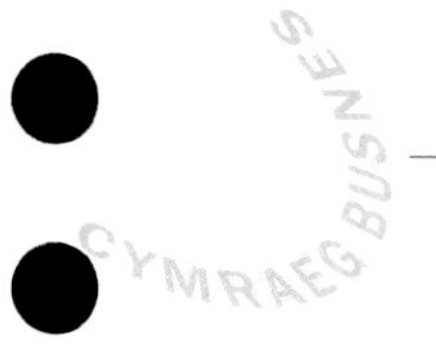

REFERENCE
C1: DIRECTORY

C2:
DICTIONARY AND SPELLCHECK

C3:
GUIDE TO CORRECT WELSH

C4:
THE WELSH LANGUAGE

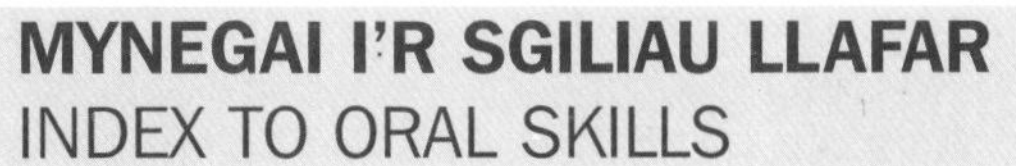

MYNEGAI I'R SGILIAU LLAFAR
INDEX TO ORAL SKILLS

CYMRAEG BUSNES

INDEX